Excentrycy

Excentrycy
Włodzimierz Kowalewski

WYDAWNICTWO MARGINESY

COPYRIGHT © BY WŁODZIMIERZ KOWALEWSKI

COPYRIGHT © BY WYDAWNICTWO MARGINESY, WARSZAWA 2015

Wszystkie nazwiska i fakty zmyśliłem.
Tylko Ciechocinek jest prawdziwy.

Anetusiowi

I

W ciemności, błądząc ręką między okularami, szklanką i trójkątnym pudełeczkiem z tabletkami isalginu, namacała zegarek. Czwarta trzynaście – wskazywały fosforyzujące strzałki. Kto to widział cokolwiek zaczynać o tak głupiej godzinie?

Ból jednak nie dawał zasnąć, nie mogła znaleźć miejsca na starym, skrzypiącym tapczanie. Jak zawsze kiełkował po lewej stronie brzucha, trochę poniżej żeber. Najpierw niepokój, później poczucie, że tam, w środku, tkwi coś twardego i ostrego, wreszcie kłucie i rwanie wżerające się w kręgosłup, dochodzące falami aż do szczęk i skroni.

Te ataki miała mniej więcej od roku; rzadko, potem częściej. Przychodziły nagle, o różnych porach, trwały też coraz dłużej, czasem po kilka godzin. Kiedy ostatni raz? Tydzień temu? Półtora? W pracy Drabikowa robiła jej zaraz zastrzyk z pyralginy, w domu było gorzej – dreptała bezradnie naokoło pokoju albo siedziała skulona, czekając, aż minie.

Bosymi nogami znalazła po omacku kapcie i zapaliła kinkiet nad toaletką z pękniętym lustrem. Dawał mętne, zaropiałe światło, rozłażące się jak pajęczyna po ścianie malowanej w biało-zielony wzorek. Zimno na chwilę przyniosło ulgę, dopiero teraz usłyszała, że pada deszcz, bębni o okiennice, woda chlupie przez dziurawe rynny, pluszcze na balkonach i okapach, wsiąka we wszystkie szpary w spróchniałych belkach. Pomyślała, że chyba trzeba będzie zacząć palić w piecu, bo ubrania znowu przejdą zgnilizną rozmokłego drewna.

Okręciła się kocem, pojękując, znalazła w kredensie miętę, wsypała szczyptę do kubka i nastawiła prymus. Bayerowa na górze także nie spała. W kuchni słychać było ciężki, basowy kaszel i czuć papierosowy dym zmieszany z wilgocią.

Przycupnęła przy stole, parząc język, spijała małymi łykami gorące zioła, które wydawały się jej gęste i tłuste. Kubek lepił się do ceraty, podłożyła pod niego stary „Przekrój", akurat na zdjęciu Soni Ziemann i artykule jakiegoś Johna Custance. „Piszę ten tekst w pełni kryzysu maniakalnego" – przeczytała. Uśmiechnęła się kwaśno.

Tylko w chwilach bólu gorączkowo zastanawiała się nad sobą. Bała się tych myśli. Przerażona, odkrywała wtedy, że nie wierzy w swoje własne obecne życie, że naprawdę istnieje gdzieś obok siebie, nie dzisiejsza, ale nadal ta dawna, z jedynej zachowanej fotografii, oderwanej od ostatniego biletu miesięcznego na „dziewiątkę"; przystanek przy wylocie ulicy Fredry. Czasem zrywała się w środku nocy przekonana, że to tylko przerwa w jakiejś długiej, męczącej podróży; marny hotel albo ławka dworcowej poczekalni. Przytomniała po chwili i opadała na poduszkę z biciem serca i ze łzami w oczach.

A więc to egzotyczne miasteczko, o którym jeszcze w dzieciństwie słyszała od ciotki i które wtedy leżało na drugim końcu Polski, na drugim końcu świata, naprawdę miało być dla niej jedynym miejscem na ziemi, jakiego ponoć potrzebuje każdy człowiek? Ten obskurny pokoik w walącym się pensjonacie naprawdę ma być jej domem? Dlaczego?

Stało się coś tak strasznego; nie można tego ogarnąć żadną ludzką miarą. Przecież było miasto, do którego nigdy nie wróci, był Karol, jego siła, wargi rozcałowane do krwi, był zapach mężczyzny i miłosne noce oślizłe od potu. Były rozmowy i sprawy do załatwienia, cukiernie, jazz, kapelusze i żakiety, przyjaciółki, blask słońca na świeżo wyfroterowanej podłodze.

A teraz śni albo znudzona patrzy na film o kimś o tej samej twarzy, ale zupełnie obcym. Ma czterdzieści trzy lata, samotność przecieka przez palce, przezroczysta jak woda z kranu. Dokąd dalej? Jak? Może powinna przetrzeć oczy i wreszcie zrobić coś ze sobą, a może nosi w sobie okropne chorobsko i robienie czegokolwiek nie ma już żadnego sensu? A może lepiej nie myśleć o sensie i bezsensie, tylko żyć – na ile się udaje, bez skrupułów i obrzydzenia?

O szóstej zadzwonił budzik. Posykując z bólu, wyprasowała spódnicę i zdjęła papiloty. Sięgnęła po kawałek chleba i po słoik z masłem w osolonej wodzie, ale nie mogła niczego przełknąć. Na dworze było jeszcze prawie ciemno. Przez ogródek przeszła ostrożnie, żeby nie poślizgnąć się w błocie i nie zapaskudzić czółenek. Powoli zamknęła namokłą od deszczu furtkę, zwisającą na jedynym, zardzewiałym zawiasie. Wiatr szarpał kikutami krzewów, wywracał parasol na drugą stronę, niósł lekki posmak soli.

Utykając na lewą nogę, brnęła przed siebie chodnikiem zasłanym mokrymi liśćmi. O tej porze, poza sezonem, nie spotykało się tu przechodniów, z oszczędności nawet nie zapalano latarń. Drewniane wille odgrodzone konarami nagich lip trwały martwe w wilgotnym półmroku. Świeciło się zaledwie parę okien, żółty blask rozmiatały falujące gałęzie, zaczepiając o szyby i parapety. Od Wołuszewskiej przejechała jakaś furmanka, wiatr zagłuszył kłapanie kopyt w kałużach.

Przy ogrodzeniu parku, kiedy chciała przejść przez ulicę naprzeciw obdrapanego budynku dawnego hotelu Müllera, zaczepił ją listonosz. Spod wielkiej wojskowej płaszcz-pałatki wystawały tylko czubki butów i daszek czapki urzędowej.

– Pani doktór, jest dla pani coś! – zawołał z głębi mokrego brezentowego kaptura.

Pogrzebał pod peleryną i prędko podał jej kopertę obwiedzioną kolorowym szlaczkiem.

– Wziułem zara rano z worka, żeby ten ubek, co przyjeżdża sprawdzać przesyłki, nie zobaczył.

Podziękowała, schowała list do torebki. Deszcz zaczął padać mocniej, zasłoniła się parasolem, szybko minęła nieczynne solankowe źródło Grzyb, zamkniętą Zdrojową i pod wiatr, aleją między pustymi rabatami, na których latem układają dywany z kwiatów, dotarła do Łazienek nr 3.

Tu ciągnęły już z różnych stron grupki sanatoryjnych pacjentów, zabiegi wydawano od ósmej. Na piętrze długiego gmachu z rzędami wersalskich, półkolistych okien i wysokim, fabrycznym kominem działały inhalatoria, na parterze kąpiele błotne. Tam też, po lewej stronie od wejścia, w korytarzyku za kabinami borowinowymi, znajdował się jej gabinet.

– Zrobi mi pani „trójkę" – jęknęła, wieszając płaszcz.

Drabikowa kończyła właśnie śniadanie, wyjadając resztki bigosu z garnka okręconego kraciastą ścierką.

– Znowu, pani doktór? Zaraz, tylko poszukam atropiny. Trza w końcu iść do doktora Garfinkla. Chce pani, to ja zaraz zadzwonię.

Po zastrzyku ułożyła się na kozetce. Drabikowa wystawiła głowę przez drzwi i wrzasnęła w stłoczony tłumek:

– Pani doktór będzie przyjmowała za godzinę albo za dwie. Pani doktór teraz odpoczywa!

Przy fotelu zasiadła jednak dopiero przed dziesiątą. Jak co dzień nieznani ludzie – gderliwi i zaślinieni starsi mężczyźni, zaciskający kurczowo dłonie na poręczach i wypychający ekskawator językiem, kobiety – jak zawsze gotowe na wszystko, dziewczynka bez nogi, przywieziona z sanatorium Młoda Gwardia. Próchnice ostre i przewlekłe, zapalenia miazgi, zgorzele. Wibracje ściskanej w palcach główki bormaszyny, które po latach odczuwa się dokuczliwie od nadgarstka po ramię. Czyszczenie kanałów, wypełnianie, swąd palonej kości. Ekstrakcje mleczaków jak ukręcanie zardzewiałych śrubek, ekstrakcje poważnych trzonowców – zapieranie się w nogach, pot na czole. Czasem reakcje nieprzewidziane – kiedyś pacjent odepchnął ją, uderzył w twarz, wyrwał z ręki kleszcze Bertena i plując krwią, uciekł na przełaj, tratując bezlitośnie szafirki, begonie i ageratum kwiatowego dywanu przed budynkiem łazienek. Innym razem zszokowany dzieciak darł się po zabiegu straszliwym, przechodzącym w wycie falsetem: „Dupa, dupa, dupa, dupaaa!!!", tak opętańczo, że ojciec dobrą godzinę nie mógł go uspokoić. Słyszeli to chorzy leżący w wannach z błotem, słyszeli kuracjusze spacerujący wśród różowych magnolii, słyszało chyba całe uzdrowisko. Plotkowano potem zjadliwie o jej umiejętnościach.

Zaglądając do tych wszystkich ust, była pewna, że pochyla się nad ludzkim wnętrzem. Zęby mówiły jej o ludziach więcej niż psychoanaliza. Powtarzała sobie, że są fortyfikacją broniącą dostępu do duszy. Przyzwyczaiła się tak bardzo do cudzej śliny, ropnych wysięków, do krwi, zgniłego wyziewu, że nie potrafiła już odczuwać wstrętu. Doznania, po których normalny człowiek dostaje mdłości, przekształcała w życiowe historie. Wyobrażała sobie na przykład, że wady zgryzu to zaniedbane dzieciństwo w wielodzietnej rodzinie, próchnica – efekt nędznego pożywienia albo przeciwnie, rozpieszczenia i przekarmienia cukierkami przez dorastające kuzynki i brzuchatych wujków. Szczerby, ubytki, kostne zadziory sterczące z dziąseł – ślad bohaterskiego losu partyzanta albo bujnego temperamentu na wiejskich zabawach, eleganckie koronki i szwajcarskie złote plomby u skromnych starszych pań – ostatnia resztka „tamtego" dobrego życia. A brązowy nalot, rogowaciejące przyzębie – katastrofa męskości, której podstarzali faceci beznadziejnie usiłują zapobiec nikotyną.

Przez cały dzień nie wyjmowała listu, żeby nikt nie zobaczył znaczków z profilem królowej Elżbiety II albo po samym odcieniu papieru nie zorientował się, że to list nie z tego świata. Haczykowate pismo Fabiana poznała natychmiast. Brat pisał nieregularnie, zdarzały się dwa, trzy listy w ciągu miesiąca, ale też milczenie trwające kwartał i dłużej. Przysyłał także paczki, każdy list zwykle zapowiadał paczkę.

Brała wtedy z szopy Bayerowej ręczny wózek i szła na pocztę. Żelazna kurtyna pękała na chwilę. Z wielkiego kartonu, i tak już przetrząśniętego łapskami celników, unosiła się najpierw ta szczególna, daleka, nierealna naftalinowo-mydlana woń Zachodu, a potem wysypywały się skarby. Materiał na kostium, nylonowe pończochy w szeleszczącym celofanie, mydło Palmolive, czarno-zielone, zupełnie takie samo, jakie kupowała kiedyś w drogerii przy placu Strzeleckim we Lwowie. Dalej herbata Lyonsa, kakao, twarde i grube czekolady Cadbury, prasowane daktyle, puszki Nescafé. O neskę, krzyk mody i snobizmu, dopytywał się zawsze właściciel pensjonatu Aryman z sąsiedztwa. Przyjeżdżająca latem nowoczesna warszawska inteligencja pijała ją z nabożną czcią, stosując specyficzny rytuał. Najpierw sypano kawę do szklanek, potem wszyscy przy stole łyżeczkami ucierali ciemny proszek z cukrem, długo, cierpliwie, jakby kręcili młynki modlitewne, oczekiwanie rozkoszy skracając namaszczoną rozmową. Wreszcie brązową pulpę w szklankach zalewano wrzątkiem z czajnika, głosy cichły, następował czas kontemplacji, przerywany tylko tłumionymi siorbnięciami i namiętnym wyrażaniem doznań: „Co za zapach! Jakaż ona cudownie aromatyczna! Czy nie czuje pani tej leciutkiej goryczy prażonych migdałów, pani magister?". „Ależ tak, ależ tak! Chociaż ja czuję raczej posmak rumu i kalifornijskich rodzynek, panie inżynierze!".

Z poczuciem upokorzenia zauważała, że i w niej samej lęgnie się fascynacja dla błahostek, zwykłych śmieci, które teraz stanowiły przedmiot pożądania, zapewniały iluzję luksusu. Miała już odruch odkładania do szuflady pachnących papierków po mydle, cienkich sreberek i błyszczących, granatowych etykiet od czekolady z kolorowymi rysunkami winogron i orzechów. W ładnych puszkach po kawie i kakao, wystawionych na kredensie przechowywała szpulki, guziki, przyprawy i olejki do ciasta.

Tego dnia nie przyjmowała po południu w szpitalu Markiewicza. Wróciła więc prosto do domu, odgrzała sobie na obiad dwa kawałki serdelowej, zrobiła herbatę. Dopiero wtedy otworzyła list, starannie, pilnikiem do paznokci, jakby nie chcąc uszkodzić angielskiej koperty.

Listy Fabiana były zawsze krótkie. Pisał o tym, gdzie jest, co robi, co się wydarzyło – nigdy o przeszłości, nigdy o rodzinie. Zdobywał się nawet na szczerość. Chociaż była młodsza o sześć lat i dawno temu, w domu, traktował ją jak smarkulę, teraz przyznał się do romansu z mężatką, jakąś panią Zutą G., pisał też, że musi pracować jako robotnik, bo jest zbyt słaby, żeby tam grać na puzonie, utrzymać się w zawodzie i zarabiać.

List zawierał zaledwie kilka zdań. Już po pierwszych dwóch głęboko westchnęła i opadły jej ręce: „Postanowiłem wrócić. Ponieważ nie mam dokąd – przyjadę do Ciebie".

Dalej Fabian dokładnie informował, że przyjedzie we wtorek, dwunastego listopada wieczorem, że niczego się nie boi, był przecież tylko starszym sierżantem w orkiestrze.

„Boże kochany! Przecież to już za trzy tygodnie!" – dotarło do niej po chwili. Nie wiedziała, czy się wściekać, czy cieszyć. W pierwszym odruchu chwyciła ołówek i chciała pisać, biec na pocztę, nadawać telegram, ekspres, zapytać go, czy jest naprawdę pewien, czy naprawdę nie wie, co straci. Napisać wprost, bez strachu, żeby nie wierzył reżymowym gazetom.

Przez osiemnaście lat rzadko do niego tęskniła. Nigdy nie byli ze sobą blisko. Istniał dla niej jako ktoś oficjalny i poważny, mniej czcigodny zastępca ojca. W wielkim i ciemnym mieszkaniu rodziców przy placu Halickim, zaraz koło pałacu Biesiadeckich i biura wagonów sypialnych Cooka, zakradała się czasem do jego pokoju. Kusił ją zapach tajemniczej kawalerskiej enklawy – głęboki, śliwkowy aromat cygar i kwaśna nuta kolońskiej wody Glockengasse zmieszane ze świeżością wypranych koszul i wyszczotkowanego ubrania. Ekscytował męski bałagan – spinki i krawaty rzucone byle gdzie, sterty gazet, papier nutowy i gramofonowe płyty porozwalane na stole, brudne szklanki, pełne popielniczki. Kiedy wychodził, potajemnie grzebała w jego rzeczach. Wiedziała, że głęboko w biurku ukrywa butelki koniaku i fotografie rozebranych kobiet. „Phi! Co takiego ciekawego może być w gołej kobiecie albo kobiecie ubranej w same pończochy? Męska paranoja! Co za obleśne świnie! Ze zwyczajnych pończoch zrobili sobie obiekt rozpusty! To tak, jakby mnie podniecały ich szelki, skarpety albo, tfu, kalesony!" – irytowała się nad wertowanym pośpiesznie sekretnym albumikiem. Tutaj również po raz pierwszy w życiu spróbowała alkoholu, pociągnęła potężny łyk winkelhausena z flaszy oplecionej wikliną, aż świeczki stanęły jej w oczach i ze strachu nie mogła wcisnąć z powrotem korka. Częściej jednak drzwi były zamknięte albo dochodził zza nich monotonny, żylasty pisk skrzypiec, katujących gamy i obowiązkowe wprawki. Ojciec, wykładowca łaciny średniowiecznej na uniwersytecie i długoletni śpiewak Chóru Cecyliańskiego, wymarzył sobie dla nich obojga kariery muzyczne. Fabian jednak po kilku latach udręki porzucił skrzypce dla puzonu i zaraz potem został wylany z konserwatorium. Ożenił się, wyprowadził do Ryśki na Białohorszcze, daleko, trzeba było iść kawał drogi od pętli tramwajowej. Ku zgrozie rodziny grał jazz i modne szlagiery z braćmi Langerfeldami, ostatecznie zamieniając sale koncertowe na bar Palais de danse w hotelu Bristol. Wtedy również i ją namówił, żeby spróbowała zaśpiewać z jazz-bandem. Uwielbiała to szaleństwo – światła, rytm, swoboda – *The Jumpin' Jive, Loch Lomond, Marie...* Rodzice byli obrażeni, pryszczata jak ogórek hrabina Woroncewa, u której pobierała lekcje wokalistyki w Instytucie Szymanowskiego, dostałaby szczękościsku, gdyby ją zobaczyła na scenie w obcisłej sukni, czerwonej jak krew, wśród rozpalonych muzyką młodych mężczyzn. Potem Fabian zaczął występować na transatlantykach, dostał kontrakt na „Polonii", przed samym wrześniem na „Piłsudskim". Nie było go całymi miesiącami, przysyłał pocztówki z Dżakarty, Caracas, Montevideo – zewsząd takie same palmy, zachody słońca, białe żaglowce i ciemne tonie oceanów. Przywoził prezenty, najbardziej zapamiętała pantofle z krokodylej skóry, do nich krokodylową torebkę, puderniczkę, krokodylowe paski do zegarka i sukienki.

Co się z tym wszystkim stało? I z jej babskimi drobiazgami na konsolce, przy Skarbkowskiej 19? Z chłodnymi w dotyku, niklowanymi przyborami do manicure, ostatnim flakonem Soir de Paris, zapachem lat trzydziestych, ze szminkami w złocistych oprawkach, z chińską skrzyneczką na korale i broszki? Całą gorycz, całą wielką niesprawiedliwość życia odczuwa się poprzez tęsknotę do małych rzeczy.

W domu przyjęło się nie mówić głośno o sprawach brata, a samo imię „Fabian" wywoływało grymas zgorszenia na twarzy kucharki. Kiedyś pod drzwiami sypialni podsłuchała kłótnię rodziców, chodziło o zdrady, rzekome kochanki, podobno jedną w Rawie Ruskiej i drugą aż w Łodzi. Matka płakała, przekonywała, że to plotki, ojciec w kółko powtarzał nieswoim głosem: „Łajdus, łajdus, erotoman i łajdus!". Innym razem ojciec walił o nocny stolik jakimiś papierami i ryczał w sposób zupełnie nielicujący z temperamentem filologa klasycznego: „Nie podpiszę! Nie zapłacę! Do gazet pójdę i ogłoszę, że nie ponoszę odpowiedzialności! Po nazwisku ogłoszę! Rozumiesz, Bubo, co ja mówię? Niech będzie skandal na całe miasto, psiakrew, a niech będzie! A my? Kogo myśmy wychowali, Bubo?".

Nie napisała ani słowa, czysty papier zgniotła w kulkę, wrzuciła do wiadra przy zlewie. Poczuła nagły ucisk w piersiach i pieczenie policzków.

Przecież jednak bardzo chciała go zobaczyć, rzucić mu się na szyję, nieśmiało odgarnąć włosy – może teraz już siwe – jak wtedy, kiedy była młodą dziewczyną, a on starszym bratem, oschłym, wszechwiedzącym, budzącym nieśmiałość. I powiedzieć, koniecznie powiedzieć, że ona tak naprawdę też nie ma dokąd wracać, że zrobił błąd, jeśli myślał inaczej. Że ich świat się rozpłynął. Że widocznie był z cukru.

Bayerową zastała jak zwykle w łóżku. Rozkudłana, w przepoconej koszuli, siedziała oparta o poduszki i utykała wokół siebie starą, zbitą kołdrę. Świeciła stojąca lampa z abażurem w kształcie lilii, ale w pokoju było ciemno od dymu. Z kąta ział gorącem elektryczny grzejnik, na drugiej połowie małżeńskiego łoża walały się książki bez okładek, poplamiony biustonosz, pusta ćwiartka po wódce i talerz z petem wetkniętym w resztkę tłuczonych kartofli. Niedopałków i popiołu było pełno wszędzie – w doniczkach, pod szafą, w szklankach i kieliszkach zostawionych byle gdzie – na zakurzonej etażerce, na radiu, które, od rana do nocy włączone, bełkotało coś niezrozumiale.

– Aaa, to ty, Wandzia – zahuczała Bayerowa ziewając. – Papierochy masz?

– Zaraz... Najpierw okno otworzę, przecież tu już nie można wytrzymać!

– „Tu nie można wytrzymać!" Masz ci los! „Tu" nie można! Nigdzie, kurwa jedna, już nie można! Nigdzie! Diabeł się zaląg! Jesteśmy prze! – zagrzmiał z łóżka oburzony bas.

Wanda opowiedziała o liście, o przyjeździe Fabiana, zapytała, czy mógłby na razie zamieszkać w pensjonacie, zanim postanowi, co dalej. Bayerowa łapczywie rozerwała paczkę żeglarzy, wydarła z niej kruszącego się papierosa i wetknęła do czarnej od smoły, szklanej cyfki. Wciągała dym, jak niedoszły topielec chwyta powietrze.

– Najlepiej popędź go – dyszała przez ciężkie, gryzące kłęby. – Na cholerę ci on? W ogóle, to kto normalny stamtąd wraca? Znowu będę miała ubeków na karku. Ty nie pamiętasz tego skurwysyna, co chodził i zaglądał w okna? Akurat wtedy serwety krochmaliłam, patrzę: łazi, za parapety łapie, podskakuje, ręce przykłada do szyby, zagląda. Szlag mnie trafił! Za kocioł, na taras i wszystko lu! – na ten ryży łeb! Że też tyle siły miałam! Uciekł, upierniczony w krochmalu, aż ciekło portkami. Od razu przyjechali. „Świadomie i z rozmysłem utrudniacie czynności operacyjne" – darł się na mnie ten gruby, z koalicyjką, ten Kuryl, Czuryl czy jak mu tam, co jego stary przed wojną miotły kręcił na targu końskim. A ja: „Co utrudniamy? Jakie operacyjne? Gruszki mi, kurwa jedna, kradł!". Ten do mnie z kajdankami: „Przeszkadzacie w wypełnianiu obowiązków władzy ludowej!". A ja: „To władza ludowa ludowi gruszki podpierdala?". Drugi jakiś: „Kobieto! Zaatakowałyście czynnie organy bezpieczeństwa publicznego!!". „My? My zaatakowałym czynnie? Organ gruszki kradł!". Nic mi wtedy nie zrobili, ale za tydzień zabrali pozwolenie na obiady domowe. A ty zresztą rób, jak uważasz. Żeby tylko co zapłacił. I tak wszystko stoi puste, licencji już nigdy nie dostanę, na wiosnę albo kwaterunek wejdzie, albo w cholerę zabiorą i won, do przytułku, do Aleksandrowa.

Poprosiła jeszcze, żeby Bayerowa dała bratu pokój po Reichmanie, bo tylko tam zostały jakie takie meble, jest także ostatni w tym domu dobry piec.

Tamta spojrzała na nią jak bazyliszek, zawahała się przez chwilę, ale machnęła ręką, zwlokła tłuste cielsko z łóżka i posłapała do drugiego pokoju. Tam otworzyła gablotkę, która kiedyś wisiała w recepcji, i niechętnie podała Wandzie klucz z wypolerowaną gałką, oznaczoną numerem „4". Potem biegiem wróciła pod kołdrę, sycząc: „Zimno, zimno!".

– Wandzia, a może ty byś jutro gdzieś chociaż jakiś jarzębiak dostała? Diabeł się zaląc. Serio. Sama widziałam, wczoraj, przedwczoraj latał, kurwa jedna, po ogródku! Patrz – podniosła do światła strzęp „Gazety Pomorskiej" – chwalą się, że sputnika wystrzelili, a nikt już nie pamięta, co znaczy Martell, Bacardi czy choćby głupia whisky albo zwyczajny gin Gordona. Z całego smaku tylko litery zostały, człowiek może najwyżej sobie posylabizować. W dupie mam taki ustrój! Jesteśmy prze! Każden jeden – prze!

Jesienne dni zaczęły nagle pędzić jak szalone. Zawsze o tej porze roku coś rwało się w niej i strzępiło. Przestawała rozmawiać z ludźmi, nad spróchniałymi zębami pacjentów marzyła tylko, żeby już wrócić do domu, kupowała po drodze wszystkie tygodniki, jakie były w kiosku. Zamykała się, nigdzie nie wychodziła, wieczorami drzemała pod kocem albo bezmyślnie kręciła gałką radia, którego magiczne oko mrugało zielonym światłem w mroku pokoju jak fałszywa gwiazda. Teraz nie mogła usiedzieć na miejscu. Przede wszystkim – postanowiła wreszcie uszyć sobie garsonkę z szarej gabardyny od Fabiana i zupełnie zapominając o atakach bólu, pełna euforii jeździła popołudniowym pociągiem na przymiarki do krawcowej do Torunia. Zdobyła dwa adamaszkowe komplety pościeli, musiała po nie jechać do Bydgoszczy; znajoma dentystka dzwoniła, że będzie dostawa w pedecie. Zbiegiem okoliczności napatoczył się również kierownik składu opałowego, przyszedł z obwiązaną gębą i ropniem pod prawą dolną siódemką – załatwiła półtorej tony węgla, który na dodatek za darmo zwalili jej do piwnicy. Wyniosła na śmietnik stertę spranych ręczników, zmatowiałe szklanki, wyszczerbione talerze, rdzejące, pokrzywione widelce i łyżki. Kupowała nowe, jeśli tylko zobaczyła w sklepie, bez zastanowienia, na łapu-capu, byle błyszczały i pachniały nowością – jakby chciała koniecznie przekonać Fabiana, że jej życie nie jest takie, jakie jest naprawdę.

Przygotowywała też pokój. Na co dzień nie pamiętała o istnieniu hotelowego pawilonu o osiemnastu pustych pomieszczeniach, do których miesiącami nikt nie zagląda i których strzegą jedynie od dawna nieoliwione zamki i poderwane żaluzje. Przechodziło się tam przez hol pełniący kiedyś także rolę sali jadalnej. Zaginął już wszelki ślad po stolikach, dawne główne wejście do pensjonatu zabito deskami, pod jedną ścianą stał odwrócony kontuar recepcyjny z mosiężnym dzwonkiem, pod drugą wiekowe, obdrapane pianino, którego Bayerowa nie zdążyła jeszcze sprzedać, jak większości sprzętów ze swojego zakładu.

Pokój Reichmana znajdował się na piętrze, po lewej stronie. Prowadziły tam trzeszczące drewniane schody do połowy zarzucone rulonami starych chodników, grudkami ziemi doniczkowej, jakimiś wyschniętymi badylami zapakowanymi w gazety. Drzwi, jako jedyne, były zamknięte na klucz. Inne, uchylone albo nie wiadomo czemu zdjęte i oparte o framugi, odsłaniały kompletnie ogołocone wnętrza z odłażącymi tapetami, brudną podłogą, zalegającym smrodem kocich sików.

„Co się dzieje w takich od dawna opuszczonych miejscach? Przecież nic nie powinno się dziać. Wszystko stoi w bezruchu. Nawet czas nie płynie, skoro nikogo tam nie ma. Nikt niczego nie używa, nikt niczego nie bierze do rąk, nie niszczy, nie psuje. A jednak wystarczy, że zabraknie ludzi – i tapety same się odklejają od ścian, podłoga sama zaczyna gnić, szyby mętnieją, rozsychają się niedotykane meble. A może to dowód na naszą boskość?" – roześmiała się do własnego odbicia w zakurzonym lustrze na korytarzu.

O Reichmanie słyszała coś niecoś ze zdawkowych napomknień Bayerowej i z opowieści Sztorbeckiej, praczki, która kiedyś również sprzątała w pensjonacie. Przyjechał z Warszawy, pierwszy raz w trzydziestym drugim albo trzecim, chyba pacjent profesora Grucy; cierpiał na kręgosłup. Trafił tu przypadkowo, podobno przez dorożkarza. Potem przyjeżdżał na długo, na wiele miesięcy, pod koniec właściwie zamieszkał na stałe. Był ponoć poetą i dziennikarzem, pisywał do tygodników – chociaż nie przypominała sobie z tamtych czasów takiego nazwiska. Co rano chodził na zabiegi lecznicze, później zamykał się i pracował, wieczorem szedł do Europy, po drodze wysyłał zawsze kilka listów. Podobno często pił, sprowadzał kobiety: „Żadne jakieś tam, prosz pani, marmuzele!" – skrzeczała podekscytowanym szeptem Sztorbecka. – „To porządny człowiek był! Same bogate kurachy, małżonki poważnych panów na stanowisku! Starczyło, że jedną taką wytrachał, a perfumem francuskim za sto pięćdziesiąt złotych, prosz pani, w całym domu tydzień pachniało!"

Na tym tle dochodziło podobno do scysji z Bayerową, ale regularnie płacił, był źródłem stałego dochodu, bo zostawał także na zimę. Zajmował też najdroższy pokój, ponoć najlepszy w całym kurorcie, z oddzielną ubikacją. Drugiego września, w sobotę, kiedy jeszcze chodziły pociągi, zapowiedział, że jedzie do Warszawy „rozejrzeć się, co i jak" i wróci za parę dni. Nigdy nie wrócił. Bayerowa zamknęła pokój, niczego nie ruszając. Nie wpuszczała tam innych gości, potrafiła go uchronić nawet wtedy, gdy obydwa piętra zajmowali oficerowie Waffen-SS. Tylko raz po wojnie, kiedy pensjonat jeszcze działał, przez kilka tygodni mieszkała tam jakaś jej krewna.

Przekręciła klucz. Otoczył ją zastały półmrok, przesycony odorem starych butów, zetlałego materiału i wilgotnego kopciu z pieca. Od lat nikt tu nie sprzątał. „Jeżeli czas ma jakąś naturalną woń, to chyba właśnie taką. Czas śmierdzi!" – przemknęło jej przez myśl. Odsunęła ciężką i sztywną od brudu zasłonę. Chwilę szarpała się z klamką, wreszcie szeroko otworzyła drzwi na balkon, gdzie wiatr nawiał brunatnych liści. Za zmurszałą drewnianą barierką sterczały gołe czubki drzew owocowych, dalej widać było dachy i kominy, jeszcze dalej – szczyt tężni z wieżyczką i gontowym okapem.

Nie wchodziła tu nigdy przedtem, dlatego długą chwilę stała na środku skrępowana. Najpierw zajrzała do wielkiej szafy z lustrem. Wisiało tam kilka ubrań starannie zabezpieczonych przed molami, w gumowanych pokrowcach, do których czyjaś ręka włożyła jeszcze niedawno świeże paczuszki lawendy i pęczki bagna. Wyżej leżały męskie kapelusze, zdefasonowane, dobre chyba już tylko dla strachów na wróble. Na granatowym suknie biurka przysuniętego do parapetu odciskał się jeszcze okrągły ślad po lampie, stała też popielnica z grubego szkła, a w niej złożone, martwo patrzące w sufit okulary. Resztka atramentu skamieniała na dnie firmowego kałamarza Watermana, stalówki na podstawce zardzewiały.

„Lata płynęły, słońce wschodziło i zachodziło, zwycięzcy burzyli świat, kłamali i zabijali, kogo chcieli, a tej buteleczki nikt nawet nie dotknął, nie przesunął ani o milimetr. Zwycięzcy zmieniali granice, wypędzali z domów, znowu kłamali i znowu zabijali, a tu atrament wysychał sobie zacisznie i po cichutku, a stalówki rdzewiały spokojnie na nieporuszonej kupce". Ugryzła się w język. „Ale ja jestem egzaltowana! Po co takie myśli? Lepiej w ogóle nie myśleć".

Obejrzała biblioteczkę. Mebel rozsadzało od wewnątrz mnóstwo książek, przede wszystkim tanich, znajomych wydań Roju, upchanych bez ładu i składu – Marczyński obok Flauberta, *Żywoty pań swawolnych* przy wierszach Deotymy. Na dolnej półce grube periodyki, spiętrzone numery „Pamiętnika Warszawskiego" w ziemistych okładkach, zeszyty „Skamandra", jakieś inne pisma. Pod przeciwległą ścianą stało łóżko bez pościeli, obok były drzwi do ubikacji, skąd śmierdziało stęchlizną i gdzie nad umywalką znalazła wyschnięte mydło do golenia oraz pudełko skamieniałego pudru firmy doktora Lustra. Kiedy z trudem, przez ścierkę, odkręciła zardzewiały zawór, woda, jakby drwiąc sobie z upływu czasu i wojennej gehenny ludzkości, zwyczajnie zabulgotała i z sykiem popłynęła do spłuczki.

Najpierw napaliła w piecu. Na początku dymił, szczapy nie chciały się zająć, ale zaraz potem „złapał cug" i w pokoju zrobiło się inaczej; ciepło przywróciło chęć do życia. Kaszląc, usuwała pokłady kurzu, ściągała pajęczyny, trzepała na balkonie bordowy fotel, wietrzyła siennik. Kurz wrósł w powierzchnie mebli, trzeba je było zmywać, tak samo podłogę, którą przez kilka dni szorowała wielokrotnie proszkiem, wykręcając ze szmat czarną posokę i zdzierając dwie szczotki ryżowe. Spod łóżka i szafy wygarnęła pół wiadra mysich bobków, jakieś ścinki, kłaki, guziki, pożółkły, zmięty telegram z tekstem: „Nie przyjadę, nie czekaj", a nawet niecierpliwie rozerwany papierek po olla – „specjalnościach gumowych", jak reklamował kiedyś te miłosne akcesoria magazyn „Światowid". Gdzieś we Włocławku zdobyła nowe firanki, postawiła na biurku wazon z chryzantemami. Uciekając od myśli o tym, jak to będzie, kiedy Fabian przyjedzie, jak go powita, co mu powie, o czym będą rozmawiali pierwszego wieczoru – pastowała i froterowała. Pokój nareszcie zaczął pachnieć i oddychać.

W dzień przyjazdu wzięła wolne. O szóstej rano, przerażona, że może nie starczy jej jedzenia, stanęła jeszcze w kolejce do mięsnego. Udało jej się złapać ostatni kawał dobrego, chudego baleronu i dwa kilo schabu z kością. Na trzynastą była umówiona do fryzjera, do Tomaszewskiego naprzeciw Sienkiewiczówki. Kiedy wróciła, zmyła i polakierowała paznokcie, jeszcze raz pomalowała usta i brwi. Potem ustawiła talerze, przelała do jednej karafki ratafię, a do drugiej wyborową, włożyła nowy kostium, usiadła w kuchni i czekała, zerkając na tarczę budzika i bębniąc palcami o ceratę. Próbowała czytać ostatni „Przekrój", fragmenty *Dziennika stewardessy* Alicji d'Unienville, ale nie mogła nic zrozumieć. Wreszcie nie wytrzymała, ubrała się i wyszła.

Zostało sporo czasu. Było zimno, zanosiło się na śnieg, idąc ciemnymi ulicami, dygotała pod futrem.

Pociąg się spóźniał, nie wychodziła więc na peron, stanęła w okrągłym dworcowym holu nakrytym kopułą jak bazylika i zacisnęła palce na pasku torebki. Roztrzęsiona, przestępowała z obcasa na obcas.

„Jezu, Jezu, co mu powiedzieć na przywitanie? Jak się zachować? Czy w ogóle coś przejdzie jej przez gardło? Czy trzeba wzruszająco, że tęskniła, chociaż naprawdę nie tęskniła, że dopiero teraz skończyła się dla niej wojna? Albo jak na filmach, od razu o ich nieszczęściu, o rodzicach, o samotnych latach? Czy wystarczy tylko: «Dobrze, że już jesteś»? A może po prostu: jaką miał podróż, jakby zwyczajnie przyjeżdżał w odwiedziny ze Skierniewic, z Olsztyna, skądkolwiek? Albo wybuchnąć śmiechem na całą gębę, wrzasnąć: «Kopę lat!», i że ten czas, że ten los to starzy złodzieje i łobuzy, ale my ich mamy gdzieś, nic się nie zmieniliśmy i ni cholery się nie boimy!"

Tymczasem dochodziła siódma, ziemia zadrżała i osobowy z wagonami poznańskimi, planowy przyjazd 18.21, wjechał na stację. Serce skoczyło pod gardło.

Wysypała się gromada podróżnych. Jacyś uczniowie czy studenci, ludzie wracający z pracy, teczki, siatki z zakupami, kilkoro wystrojonych, zdezorientowanych kuracjuszy.

Zauważyła Fabiana, dopiero kiedy spojrzała w przeciwną stronę. Wysoki, dwa razy tęższy niż wtedy, gdy widziała go ostatni raz. W długim, ciemnym płaszczu i wielkim bretońskim berecie stał obok potężnej walizy, sterty toreb i futerałów, wyciągał szyję, patrzył nad głowami przechodzących. W obłokach pary spod kół lokomotywy wyglądał, jakby wychodził z mgły.

Zobaczył ją, poznał, zrobił krok do przodu – ale ona pierwsza rzuciła się biegiem, dopadła go zachłannie, objęła, przytuliła mocno twarz do kłującego policzka.

Łamiącym się głosem wykrztusiła:

– Czyś ty zwariował!!?

11

Ledwo zmieścili bagaże w dorożce. Pojazd ruszył, siedzieli obok siebie sztywni i spięci. Chociaż w świetle nielicznych latarń nie było widać niczego, Wanda nerwowo objaśniała: „O, o, popatrz, Teatr Letni, drewniany, drugi taki jest podobno tylko w Biarritz. Czasem świetne sztuki grają, w lipcu, w sierpniu przyjeżdża Eichlerówna, Dymsza, raz nawet Cybulski przyjechał, występował w *Śnie nocy letniej*, a może w *Życie jest snem*, nie pamiętam... Popatrz, tu popatrz! park Zdrojowy, pijalnia wód, a za nią jest muszla koncertowa. Zobacz, jak tu ładnie, tu są te słynne tężnie!".

Fabian posłusznie spoglądał w ciemność, potakiwał i odpowiadał: „Rzeczywiście, rzeczywiście" albo „Tak, tak, słyszałem, słyszałem".

Przed pensjonatem dorożkarz zakomunikował, że nie ma gdzie uwiązać konia i że go noga boli na „przygurbiu", więc nie zlazł nawet z kozła, popalał sobie papierosa, a walizki i torby musieli wnosić do domu sami. Nie wiedząc, co do siebie mówić, gdy mijali się na ciemnej, zabłoconej ścieżce, za każdym razem powtarzali troskliwie i w różnych tonacjach: „Uważaj", „Uważaaj", „Uważaaaj!".

Wreszcie dorożka odjechała, trzeba było wejść do środka. Wanda pchnęła lekko Fabiana przez drzwi swojego jedynego pokoju i bąknąwszy „herbatę nastawię", przemknęła do kuchni. Speszona, czekała nad prymusem, aż zacznie parować. Bała się odwrócić głowę, przysunęła ręce do spirytusowego płomyka w nadziei, że nie będą się trzęsły, ale i tak czuła wypełniającą ją po brzegi lodowatą ciecz.

Fabian nie wytrzymał i po paru minutach wsunął się za nią.

Nareszcie zobaczyli się w pełnym świetle. Patrzyli, milcząc, co chwila uciekali oczami w bok. Wreszcie on pierwszy przełknął ślinę.

– A... gazu tu nie masz? Tak na westfalce się mordujesz? – pytał, wskazując płytę kuchenną i wiadro z węglem obok.

– Trudno, można przeżyć... Zresztą, mało gotuję, w sanatorium jem.

– A... – rozglądał się bezradnie. – A... wodociąg dobry? Nie cieknie?

Chwycił kawałek mydła leżący przy zlewie, odkręcił kran, machinalnie zaczął myć ręce. Podała mu czystą ścierkę.

– Sama naprawiłam. Tylko uszczelek nie można dostać, musiałam wycinać z takiej gumki od butelki.

– A... No bo jakby coś... tego, to ja, wiesz, też... tego. Takie rzeczy też tam robiłem. W końcu mosiądz to mosiądz – kran mosiężny, trąbka mosiężna...

I znowu zamilkli, na zmianę podnosili na siebie wzrok i zaraz spuszczali głowy. Słowa się nie kleiły, nie przystawały, a tych, które by przystawały, nie można było znaleźć.

Nagle spotkali się spojrzeniami, oboje naraz parsknęli śmiechem i jeszcze raz zaczęli się ściskać, jak na dworcu.

– Ależ ty pachniesz pięknie! Wodę kolońską masz taką jakby korzenną, tak jakby goździki. Tak – goździki i tytoń... Uważaj, kobity cię tu zjedzą, żadna się nie oprze – paplała prędko, żeby w ogóle cokolwiek mówić.

– Życie to, mimo wszystko, koszmarna szmira. Najgłupszy refrenista by nie wymyślił – wycedził Fabian, krzywiąc usta.

Na dobre rozgadał się dopiero przy stole.

– Jak ty się nauczyłaś gotować! Coś podobnego! Ty – przy patelniach i brytfannach? Kto by pomyślał! Co by twój Karol na to?

– Różnych rzeczy się nauczyłam. Było trochę czasu.

Wciągnął z lubością parę unoszącą się znad półmisków i potężnie westchnął.

– I to naprawdę – ty to wszystko?

– Nie mam kucharki.

– Nie, kucharki nie. Ale myślałem, że może chociaż służącą. Co to za pani doktor bez służącej? Teraz ja będę twoją służącą.

Po paru kieliszkach zapijanych herbatą próbował żartować. Rozgryzał brunatną, szorstką skórkę schabowego, miażdżył zębami miąższ, który akurat był taki, jaki powinien – słonawy, miękki, ale nie do końca wysmażony, rozlewający się w ustach – i cmokał głośno:

– „Kotlet, kumoszko, to zawsze kotlet!" Pamiętasz, jak gadał ten kulawy dławiduda od Bernardynów, co chodził z nami na obiady abonamentowe do Szkowrona, pamiętasz? A wiesz, jadłem w Londynie schabowe robione przez rozmaite fachowe i znamienite osoby – ochmistrzynię Sławatyckich spod Elizawetgradu, kucharza samego księcia Albrechta Radziwiłła z Nieświeża, nawet własnoręcznie przez panią Honoratę Morstinową. I wszystkie do niczego! Łykowate, bez smaku, jakby z tektury albo z trawy do wypychania siennników. Ja ci mówię – nie ma to jak polska świnia! Angielska, irlandzka, argentyńska – do ćwierci ogona jej nie dorasta!

Wanda dolewała wódki. Wbijała w siebie kieliszek za kieliszkiem jak piekące gwoździe, zupełnie nie czując obrzydliwego smaku, a tylko ciepłą, płynną miękkość, rozpuszczającą powoli węzły zaciśnięte wewnątrz ciała. Nareszcie przestała myśleć o bólu, gorączkowo chwytać się co chwila za lewy bok, jakby miało to zapobiec atakowi. Śmiała się, pytała o sklepy i o telewizję. Fabian opowiadał więc o wyższości pomarańczy maltańskich nad hiszpańskimi, o piramidach melonów, granatów, papai i stosach Bóg wie jakich jeszcze kolonialnych dziwności na Portobello, o sklepach spożywczych, o tym, że zawsze można tam kupić chałwę, kakao i wędzoną polędwicę, o szkockich ostrygach spod Dunvegan, soczystych szynkach, które i tak nigdy nie dorosną do pięt tym od Ruckera z ulicy Żółkiewskiej.

Nie oduczył się przez lata – pił wyborową po polsku, haustami bezbłędnie trafiającymi w przełyk. Wstrząsał się, nakładał na talerz schabowe i zrazy z kaszą, dziobał widelcem i – ponieważ Wanda ciągle pytała – gadał o Oxford Street, o eleganckich magazynach z sukniami, kostiumami i tysiącami par butów, o salonie Diora, gdzie nie wystawia się cen przy towarach, aby nie urazić arystokratycznych klientów.

– Że też cię mogą obchodzić takie głupstwa? Zupełnie niezwykłe jak na ciebie – skinął znacząco brodą w stronę ciemności za oknem, które zapomniała zasłonić, i szeptem zapytał: – Czyżby było aż tak fatalnie? Ja przecież, na dobrą sprawę, niczego tu jeszcze nie widziałem. Tyle, co dworce i ludzi w pociągu. A wiadomo, świat „od kolei" wszędzie tak samo ponury i śmierdzący, czy to Anglia, czy to Niemcy...

– No to sobie jutro zobaczysz – machnęła ręką.

– Nie bierz do głowy, teraz już niczego nie musisz brać. Pożyjemy, ile można. Przywiozłem pełno kawy, czekolady w proszku, sardynek, koniaku, różnych puszek, sam już nie pamiętam, z czym, z bekonami, z pasztetem francuskim. Zaraz trzeba powyjmować... Pół sklepiku starego Fullegera w Penybont ogołociłem, aż moja szanowna gospodyni musiała osobiście tłustym dupskiem dociskać walizy, żeby dały się zamknąć. Tylko takie drobiazgi zabrałem ze sobą, parę ubrań, nuty, no i – rzecz jasna – instrument. Ten sam. Tam, na wierzchu, w brązowym futerale, jakbyś chciała zobaczyć. Ten sam, wyobraź sobie, tylko futerał nowy. Ale do tego jeszcze – ściszył głos i znowu obejrzał się na ciemne okno – statkiem przez Gdynię idzie mienie przesiedleńcze. Będzie za tydzień, dwa. Zobaczysz!

– A telewizję, telewizję często oglądałeś? U nas niektórzy lekarze pokupowali ruskie telewizory, bardzo drogie, i ciągle się kłócą, czyj lepiej odbiera. Doktor Sulecki, reumatolog, to nawet postawił sobie na dachu dwa koła rowerowe jako antenę i wszystkim rozpowiada, że ma obraz jak w kinie. Fajnie byłoby mieć takie kino w domu. Zapraszają mnie, owszem, ale jakoś krępuję się chodzić.

– Co tam telewizja. Szary dymek w szklanej bańce, nic więcej. Radio co innego, radio jest szlachetne, pobudza wyobraźnię jak muzyka. Ale ruski telewizor sobie kupimy. Na pewno, co? „Telewizor", tak to się nazywa. Śmiesznie. Już w pociągu usłyszałem to słowo. Wszyscy o niczym innym nie gadali, tylko o telewizorach, ewentualnie poszukiwali „czwartego do brydża". To chyba teraz narodowa gra? Brydż w zatłoczonym wagonie, wyszmelcowana teczka na kolanach jako stolik. Telewizor, te-le-wi-zor! – wyśpiewał bebopową frazą, zupełnie już lekki, rozluźniony, strojąc miny, przewracając oczami.

Wanda zachichotała – przecież właśnie tak zawsze wyglądał, gdy dmuchał w ustnik trombonu, nadymając przy tym policzki, które po obu stronach chudej twarzy ogromniały nagle jak dwa dojrzałe pomidory.

Wyciągnął paczkę playersów. Odruchowo przesunęła paznokciem po twardej, lśniącej tekturce z wizerunkiem wilka morskiego. Wzięła papierosa; żółty, dobrze wysuszony tytoń smakowicie zachrzęścił w palcach.

– Na takiego się skuszę. Prawie nie palę, chociaż wszyscy naokoło kopcą jak opętani, nawet Gomułka na trybunie, na zjeździe partii. A ty nie palisz już cygar?

– Mogę i cygara. Ale cygara są niemodne, są tylko do smakowania, a dzisiaj, żeby cokolwiek zasmakowało, musi najpierw porządnie zdzielić przez łeb.

Tymczasem wódka zrobiła się już ciepła, ostatni kieliszek przełknęli ze wstrętem, krzywili się, wzdragali i kasłali w kułak, wreszcie zderzyli się widelcami nad salaterką z kiszonym ogórkiem.

– No, dość. Koniec. Zaraz mnie będziesz musiał zanieść do łóżka. A jutro do roboty na dzień cały – zamykać i otwierać kanały!

Ale Fabian odsapnął i jakby nigdy nic zaczął opowiadać. Tak samo, jak robił to kiedyś, gdy wracał z rejsu, po miesiącu, dwóch miesiącach niewidzenia, jakby nie minęło osiemnaście lat. Wydało mu się pewnie, że nareszcie chwycił, że ma w ręku nić, którą zafastryguje wyrwę albo przynajmniej ściągnie do siebie, przybliży jakoś obydwa rozchodzące się brzegi.

– Pamiętasz wtedy, pod koniec lipca? Akurat wyjeżdżałem, a ty mnie odprowadziłaś, chociaż nigdy przedtem ci się to nie zdarzyło. Spotkałem ciebie z Karolem na Gródeckiej koło dworca, akurat z tramwaju wyskoczyłem, z ósemki, prosto wam pod nogi, więc poszliście ze mną na peron.

– Mhm. Było gorąco, upał jak w piekle. Żaden pacjent się nie zgłosił. Karol przyszedł od siebie z dołu i mówi, on, taki poważny, solidny kardiolog: „Anda, zróbmy w końcu, do czorta, coś głupiego! Fartuchy na kołek, zamykamy gabinety i na wagary, na Żelazną Wodę!". No i tak się przypadkiem spotkaliśmy. Kiedy twój pociąg odszedł, zaraz zapomnie-

liśmy o tobie, wcale nie pojechaliśmy się kąpać, byliśmy na bezwstydnie drogiej kolacji w Szkockiej. Tuż przy nas siedział profesor Banach, pił koniak i całkowicie nieobecny w rzeczywistości zapisywał swoje matematyczne dowody prosto na blacie stolika. Rześka, pachnąca noc, muzyka z dancingów przy Rynku, wszędzie pełno ludzi. Nie chciało nam się tańczyć, chodziliśmy sobie po mieście do pierwszej czy drugiej. Później ani razu nie było już okazji. Nie rozpamiętuję, nie rozpaczam. Widzę tamte sprawy ostro, ale, serio mówię, nie czuję nic. Zupełnie nic. Coraz częściej zresztą myślę, że to nieprawda, że może tylko widziałam wszystko na jakimś filmie. Teraz grają tyle sentymentalnych filmów.
– Pewnie to był znak. – Fabian spojrzał na sufit. – Nigdy nie wierzyłem w znaki. Jechałem bez żadnych przeczuć, wręcz szczęśliwy, że jadę. „Piłsudski", liniowiec nowoczesny, wygodny, kabiny z łazienkami, nie to co „Polonia" czy „Pułaski", stare krypy śmierdzące kopciem. A z takiego rejsu można było wyciągnąć i dwa tysiące! Przecież meblowaliśmy się, Ryśka akurat dostała po dziadku tę górę domu na Białohorszczu, Edzio skończył roczek. Nic mnie nie obchodziło, co pisały gazety i o czym ludzie plotkowali – jakiś tam Hitler, Beck, korytarz, potem pakt ze Stalinem. Gdzieś to miałem. Cieszyłem się jak cholera, bo wicedyrektor linii długo kręcił nosem, że w tamtą stronę wraca do domu sama stara emigracja, że kontrakt trzeba zawiesić, taka publika nie znosi „dżazów", wolałaby raczej tańce ludowe, ostatecznie coś w guście Petersburskiego. Władek Łopatowski widocznie przekonał go jakoś, bo w końcu przysłali telegram, dosłownie na

trzy dni przed wyjściem w morze. Do Halifaksu wyszliśmy spokojnie, nawet spokojniej niż zwykle. Początkowo nudy, żadnych większych atrakcji na pokładzie, sami starsi ludzie, po jedenastej pustki w salonie, pustki w barze, bractwo chrapało, że maszyn nie było słychać. Musiałem odstawić trombon w kąt, przeprosić się ze skrzypcami. O swingowaniu mogliśmy zapomnieć. Wyobraź sobie – w dni parzyste z Władkiem, Tońkiem Rafalskim i Ralfem Wolframem na harmonii rżnęliśmy od ucha obertasy. Tak jest! Towarzystwo ożywiało się, przytupywało, hopsało na zabój, zdzierało parkiet do surowych desek, coraz to jakaś czerwona morda wywrzaskiwała jurne przyśpiewki: akcent chicagowski, gwara góralska – mielone kluski z kamieniami. Natomiast w wieczory nieparzyste kręciliśmy tanga. I to jak! Z takim biglem, że gościom aż cukier płynął z oczu; lepiej niż muzykanci od George'a albo z Café Clubu! Wyobrażasz sobie? Taki Rafalski, ten, co w Berlinie akompaniował samemu Fredowi Stulce od Dorseya – z mandoliną i w sombrero ze złotymi frędzelkami! Na te wieczory wielbiciele czystej i bigosu wbijali kanciaste cielska w smokingi, a podochocone baby od obertasów przemieniały się w wyszminkowane i wyondulowane kobiety fatalne. Kiedyś po występie jedna taka ogromna megiera podstawiła mi nogę przy wyjściu. „Leczysz na mnie, chlopak? Be fine?" – wybebłała z chicagowskim akcentem, gdy o mało co nie wyrżnąłem łbem w jej kościstą szczękę, i zamachała przed oczami pięciodolarówką. Nie poleciałem. Chociaż na przykład Lunio Glauberstad, saksofon altowy, leciał co noc. No... – zrobił skruszoną minę – raz poleciałem. Ale tylko jeden jedyny. I za dwanaście dolarów! Na drugi dzień miałem bóle przeponowe i zwichniętą rękę, skrzypiec nie mogłem utrzymać. Słabo się opłaciło. A Lunio do Halifaksu uskładał sobie ekstra na garnitur.

– Świntuch! Zawsze byłeś paskudny świntuch!

Fabian wyjął z jednej z waliz wielkie cygaro w aluminiowej tubie, przyciął koniec scyzorykiem i sięgnął po karafkę z ratafią. – Raz na parę dni sobie pozwalam! – zaznaczył, przeciągając pod nosem wonny warkocz kubańskich liści.

Przez chwilę zapachniało jak w jego pokoju przy placu Halickim. Wanda kuliła się ze śmiechu, bo przypominał teraz Groucha z braci Marx, a on przesuwał językiem dymiące cygaro z jednego kąta ust do drugiego, jednocześnie szczypał drobnymi łyczkami słodką wódkę i ciągnął dalej:

– W Nowym Jorku zszedłem na ląd. Kupiłem sobie buty do stepowania z białą skórką i kilka płyt, pamiętam, że na pewno Billie Holiday, *I'll Never Be The Same*. Oszołomienie! Bardzo chcieliśmy z Luniem i Władkiem usłyszeć ją na żywo, nawet specjalnie pojechaliśmy w nocy metrem do Café Society, takiej wielkiej tancbudy na Greenwich Village, szulerskiej dzielnicy, ale akurat nie występowała, trąbił jakiś ordynarny dixieland, a następnego dnia już, niestety, wypływaliśmy. Powrót zapowiadał się zwyczajnie. Przeszliśmy Atlantyk jak po stole, przez pierwszy tydzień nic nie wskazywało, że będzie inaczej niż zawsze. Tylko, jak nigdy, „Piłsudski" nie miał kompletu do Europy; niecałe pięćset rezerwacji na osiemset miejsc. Niektórzy ponoć rezygnowali w ostatniej chwili, parę osób nawet zeszło już po zaokrętowaniu, tracąc forsę, jakby czymś tknięci. Nas mało co to obchodziło. W Nowym Jorku dołączyła Sue Blanton, czarny wokal z kontraktem na sezon jesienny, rano robiliśmy próby, wieczorami był prawdziwy swing. Tego się nie da słowami wypowiedzieć. Zaczynało się normalnie, od zwykłego przygrywania do tańca, potem publiczność przestawała tańczyć, ludzie słuchali na stojąco, bili brawa, krzyczeli o bisy, Amerykanie chórem śpiewali razem z Sue *Whispering*. Band brzmiał perfekcyjnie, przynajmniej niektórym tak się wydawało, bo już porównywali siebie do Goodmana czy Millera i przy wódce bajdurzyli, żeby kupić stary autobus i zrobić tournée po Stanach. W tej euforii przeszliśmy Pentland Firth, minęliśmy Orkady. Siedziałem akurat w ubikacji, kiedy po statku gruchnęły pogłoski o wojnie. Z luksusowego wychodka przy gabinecie bilardowym na drugim pokładzie wyszedłem już do innego świata. Wszyscy obstąpili radiokabinę. Gdynia milczała, słuchano obcych stacji, wieści były – wiadomo jakie... Ludzie zachowywali się jak rój much zakorkowany w butelce, wpadali na siebie, tłukli się o ściany. Coś podobnego opisał niedawno ten pisarz komiczny, ten no... zapomniałem... Czytałem w „Kulturze" czy gdzieś. Ale tam – pomysły pisarskie, tu – płaska zwyczajność. Jedni na gwałt organizowali akademię patriotyczną pod portretem Dziadka w holu, inni ganiali po kajutach, próbowali wysyłać depesze, nie bardzo wiedząc dokąd, nagle pakowali walizy, jakby chcieli wysiadać na środku morza albo w kółko wypłacali i zaraz znowu wpłacali pieniądze do depozytu. Widziałem gościa, który, jak o tym potem rozpowiadał przy wódce lekarz okrętowy, przez jedną noc z drugiego na trzeciego września uległ „całkowitej alopecji", to znaczy: kompletnie wyłysiał. Wszystko, co przez trzydzieści lat wyharował jako parobek od gnoju gdzieś w Karolinie Północnej, włożył w bekoniarnię koło Łodzi i właśnie wracał do kraju na resztę życia. Nikt już nie chciał swingowania. Niektórzy odmawiali różaniec przed otwieranym w ścianie ołtarzem z Matką Boską Ostrobramską, a wszyscy wieczorami żłopali wódę pod zupę rakową i pieczeń z zająca. A ile kłótni, wyzwisk, awantur przy stolikach! Przestali udawać, gdzieś mieli maniery. Amerykanie trzymali się z boku, patrzyli, jak się patrzy na suchotnika albo wariata, ze współczuciem, ale też po cichu z radością, że ich to nie dotyczy. Stankiewicz, kapitan, najpierw ogłosił zmianę kursu. Koniec rejsu miał nastąpić w Kopenhadze, potem jednak zatrzymał nas angielski krążownik, kazał zawrócić i wejść do Newcastle. Kiedyś nad ranem ocknąłem się z kacenszpryngiem i myślałem, że głupio śnię. Za bulajem sunęły budowle, jakieś wieże betonowe, kratownice, pomosty, gwizdała lokomotywa. „Piłsudski" szedł w górę rzeki. Postawili nas na beczkach i przez trzy tygodnie nie wypuszczali na ląd. Wyobraź to sobie: transatlantycki liniowiec z pasażerami i załogą zakleszczony w ślepym kanale, sterczący pod dozorem policjantów w pelerynach i z lornetkami przy oczach! Co się wtedy działo! Miejscowość Wallsend, port, doki, dźwigi, jakieś ponure hale z zakopconymi oknami, czarna woda śmierdząca gównem i smarem, do tego jeszcze zimno, cały czas deszcz, siąpiący, ohydny. Anglia już w stanie wojny, zaciemnienie. Wtedy ludzie przypomnieli sobie o swingu, znowu żądali swingu.

Graliśmy. Bo to jedyne lekarstwo na czas beznadziei. Swing niczego nie naśladuje, z niczym się nie kojarzy! Może być szaleństwem, ale nie jest to szaleństwo desperata walącego głową w mur, może być sentymentalny, ale nie jest to łzawa, romantyczna ckliwość! Ma w sobie wieczorne tchnienie oceanu, świeżość cytryny, dreszcz chłodnej bryzy na rozpalonej skórze, a jego wzruszenia nie są wzruszeniami z literatury ani z realnego życia. To zupełnie osobna kraina!

Zamykaliśmy więc Matkę Boską Ostrobramską na patent, ciągnęliśmy bourbona i przy małych, stolikowych lampkach dmuchaliśmy po siedem, osiem godzin. Królował *Liebestraum* Liszta, tak jak grał go Tommy Dorsey. Nie ma niczego większego w swingu niż Dorsey! Stłumiony trombon jak długie wełniane szale albo jak leniwe wrześniowe chmury, czekoladowy klarnet Slatsa Longa, wejścia całego bandu, rozdzierające od środka jak uderzenia szklanych ostrzy. Musieliśmy powtarzać ten numer wiele razy, a oni tańczyli, przytulali się do nie swoich żon, strzelali korkami najdroższego Cliquot-ponsardina, a później nie chcieli nas puszczać ze sceny, bo się bali, co z nimi będzie, gdy przestaniemy grać. Czułem się jak puzonista z „Titanica", tyle że „Titanic" tonął trzy godziny, a my trzy tygodnie. Noce, o ile tak można nazwać krótki czas trzeźwienia między trzecią rano a ponurym świtem, spędzałem, z kim popadło. Z pokojówką z pierwszego pokładu, z jakąś ryżą stypendystką, która od października miała studiować w Warszawie medycynę, wreszcie na koniec z poważną panią ministrową C. wracającą z objazdu polonijnych domów pomocy społecznej. Nazywała mnie swoim „dyszelkiem", „chłoptysiem ze śmietanką", „knurkiem ochotnym", ale dużo jej zawdzięczam. Czarnej Sue nie przypadłem do gustu, wolała starszego mechanika, a gdy miał wachtę, któregoś z barmanów.

Wreszcie kiedyś rano kazali wszystkim zbierać manatki i co prędzej wychrzaniać won. Załogę zwolnili z roboty, marynarze strajkowali, zrobili głodówkę, policja ich wyprowadziła pod karabinami. Nas wyrzucili razem z kuchnią i obsługą hotelową, dali jakiś marny ułamek stawki, coś po siedem funtów na łeb, pół tygodniówki robotnika. Mniej więcej wiesz, co było potem, ale wtedy schodziłem po trapie i kląłem wściekle: „Niech piekło pochłonie, niech jasny szlag trafi tę cholerną wojnę, ten statek, tych zasranych głupców ministrów, kanclerzy, naczelnych wodzów, przez których zwykły człowiek nie może wrócić do domu, nie wie, gdzie ma pójść, gdzie dziś będzie spał i co ma ze sobą zrobić!". Z tych klątw jedna się spełniła. „Piłsudski" jako transportowiec wojskowy dwa miesiące później poszedł na dno od torpedy, gdzieś na Morzu Północnym. Pewnie słyszałaś. Do dzisiaj mam wyrzuty sumienia!

Skończył i zdusił wypalony ogryzek cygara w szklanej popielnicy.

Znowu zapadła cisza. Co prawda, powiedzieli sobie, że już pierwsza w nocy, że trzeba byłoby iść spać, ale żadne nie ruszało się od stołu i nadal siedzieli w milczeniu.

– Wiesz, że mamy jeszcze tyle do zgryzienia... – Wanda odezwała się pierwsza. – Pisałam ci, o czym mogłam. Tak pisałam, żeby listów nie zatrzymali.

Pokiwał głową.

– Twój Karol to był człowiek jak się patrzy i zawsze na miejscu. Że też pozwalał ci śpiewać z jazz-bandem! Nawet śmierć miał porządną, taką, jaką powinno się umierać na wojnie. Od ostrzału artyleryjskiego, pod Radomskiem, czy tak? Zmobilizowany, w oficerskim mundurze, jak trzeba, zidentyfikowany, pochowany przez kapelana. Jak należy, z odłamanym numerkiem na szyi, grób w ewidencji, nazwisko w spisie. Zazdroszczę mu, kiedy myślę o ojcu i matce.

– Pisałam „nie wrócili", „nie żyją, choć nie ma potwierdzenia". Wzięli ich w pierwszej wywózce, zaraz w lutym. Ojca sołdat pchnął bagnetem, bo szarpał się i wyzywał po rusku podczas transportu, ciało mieli po drodze wyrzucić z wagonu, nie wiadomo gdzie. O matce nie miałam żadnej wiadomości, poza tym, że w jakimś mieście, też nie wiem w jakim, podobno leżała w szpitalu. Oczywiście, szukałam przez Czerwony Krzyż – relacjonowała sucho, jakby bez zainteresowania wygłaszając wyuczony komunikat.

– A oni? – zapytał fałszywym, beznamiętnym głosem.

– Ryśkę i Edzia wzięli wtedy co mnie, ale ich nie widziałam. Obłast' Aktiubinsk, kołchoz Czan-Czar. Edzio w czterdziestym drugim, na szkarlatynę. Ryśka rok później; pracowała na budowie, pchała taczki z betonem. Czekaj no...

Ciężko podniosła się z miejsca, otworzyła szafę i spod sterty prześcieradeł wyciągnęła grubą kopertę. Na pogniecionym, brudnym papierze widać było plamy fioletowego tuszu i rozmazane adnotacje rosyjskim pismem.

– Wszystko, co zostało. Świadectwa zgonu, fotografie tabliczek na grobie, notatki Ryśki, szkło powiększające Edzia, jedyna zabawka, jaką tam miał. Jeszcze kartki z jego rysunkami; same traktory rysował, kopiowym ołówkiem. Parę lat temu, w marcu pięćdziesiątego czwartego, dokładnie pamiętam, przyszedł do mnie jakiś facet. Wysoki, przystojny, dobrze ubrany. Nie przedstawił się. Powiedział, że i tak zmyśliłby nazwisko. Przyszedł do gabinetu, nawet swoje w kolejce odsiedział, wlazł na fotel, kazał, żebym włączyła bormaszynę i, wyobraź sobie, wsadza mi to prosto pod fartuch! Nawet się w pierwszej chwili przestraszyłam, „łapę pakuje pod spódnicę, zboczeniec jakiś!", o mało co nie narobiłam wrzasku, nie dałam po gębie. Mówił, że tam był, że wrócił dopiero niedawno, że dobrze znał Ryśkę i specjalnie przyjechał z daleka, bo nie dawało mu to spokoju. Skojarzył mnie sobie przypadkowo, zobaczył moją pieczątkę, Apanowicz-Patras, w książeczce wuja-inwalidy, który brał tu u nas borowiny i któremu ja akurat robiłam koronkę. Zapraszałam do domu, nie chciał, zaraz się ulotnił. Potem pytałam o niego. Udawałam oburzoną, rozpowiadałam, jaki potworny pacjent, wyjątkowy cham i ordynus, i muszę wiedzieć, kto to i skąd. Drabikowa stała wtedy w kolejce do rzeźnika, widziała, że prawie biegł w stronę dworca, jeżeli to był ten.

Po skrzypiących schodach, umytych teraz i wypastowanych, weszli na górę. Z pustych pomieszczeń wiało zatęchłym, wilgotnym chłodem, ale pokój Fabiana nie robił przygnębiającego wrażenia ani niczym nie zaskakiwał. Przypominał mu raczej wszystkie te miejsca, w których spędził ostatnie dziesięć lat: dom grubej pani Simper w Penybont, poprzedni pensjonat, jeszcze wcześniejszy i jeszcze, Luton, Cardiff, Gatehead... Duża szafa z lustrem, biurko, staroświeckie łóżko. Brakowało tylko lampy w zielonym kloszu i, zamiast pieca, gazowego kominka, grzejącego, gdy wrzuci się sześciopensówkę.

– Będziesz musiał tu trochę pomieszkać, później zobaczymy.

– Niczym się nie przejmuj, nie znam takiego słowa „później" – nieśmiało wyciągnął rękę i pogładził ją po włosach.

Kiedy Wanda wyszła, ukląkł przed piecem z kopertą w ręku. Wewnątrz wyczuł twardość fotografii, wyobraził sobie przeraźliwie bezduszne, wystukane na maszynie bukwy kołchozowych świadectw śmierci, gryzmoły dziecka, którego nie ma, zeszyt zapełniony znajomym, gęstym, przesadnie ozdobnym pismem. Nie patrząc, wsunął rękę między papiery, napotkał szkiełko Edzia, wyciągnął je i włożył do kieszeni. Potem otworzył żeliwne drzwiczki. Buchnął żar, węgle były czerwone, odruchowo zasłonił oczy od blasku. Szybkim ruchem wepchnął kopertę. Początkowo przydusiła ogień, ale po chwili błękitne płomyki zaczęły się wdzierać na jej górną powierzchnię. Papier brązowiał, czerniał. Klęczał dalej, patrzył, jak kolejne warstwy tlą się i, zwęglone, odginają ku górze, a w środku coś pyka i strzela pomarańczowymi iskrami. Przymknął drzwiczki, za piecem znalazł haczyk z grubego drutu zastępujący pogrzebacz, dokładnie rozbił i posiekał spalone strzępy. Na wierzch nagarnął jeszcze płonącego miału ze spodu paleniska. Można było zamknąć piec, dokręcić śrubę.

Był zmęczony, tak bardzo zmęczony, że nie mógł zmrużyć oka. Od pieca biło gorąco, leżał oblepiony potem. Zauważył, że jego całe ciało, od stóp do głowy, a także marynarka i spodnie rzucone na krzesło, skarpety, buty, piżama, jeszcze pachną inaczej niż wszystko tutaj dookoła. Przewracał się pod kołdrą, ugniatał i mieszał wonie angielskiego mydła, angielskiej naftaliny, wody Yardleya ze swojską surowizną wyszorowanych desek, swojską świeżością prześcieradła krochmalonego kartoflaną mąką, swojską stęchlizną wyłażącą ze ścian.

Alkohol odbijał się kwaśno, od skroni do skroni latała piszcząca huśtawka, w żołądku pęczniał cementowy czop. Teraz, po ciemku, trudno mu było uwierzyć, gdzie jest, że na pewno jest, że wszystkie klamki zapadły.

Zdążył przyzwyczaić się do zmian, do wiecznego skakania z czubka na czubek, z płytkiej wody na głęboką i odwrotnie, ale tak szybko, nagle, w trzy dni od świata do świata, z planety na planetę?

Przesada.

Jaka inna planeta? Wszędzie to samo powietrze, ta sama ziemia.

A może nie ta sama?

Nie, nie wolno dać się ogłupić. To tylko ktoś bezdennie podły, ktoś bezgranicznie zły wmówił ludziom, że nie ta sama.

Przecież jeszcze przedwczoraj rano brał prysznic w ciasnej jak wiejski wychodek, wyklejonej niebieską tapetą łazience obok pokoiku w Penybont. Wcześniej niż zwykle, ciszej niż zwykle zszedł na dół, klucze zostawił na stole w kuchni. Gruba pani Simper wcale nie dociskała mu walizek swoim szacownym tyłkiem. Nawet nie wiedziała nic o żadnych walizkach. Rzeczy przeznaczone do zabrania przez dwa tygodnie po kryjomu wynosił w teczce i pakował na strychu u niejakiego Boba Leitcha, najlepszego kumpla, trębacza miejscowej orkiestry parafialnej. Pani Simper nie była zresztą osobą podejrzliwą. Nie pytała o nic, gdy dla załatwienia dokumentów zaczął jeździć do Londynu, do ambasady. Kiedyś tylko napomknęła flegmatycznie, że w związku z tymi wyjazdami nagabywał ją o niego policjant. Formalności w ambasadzie wlokły się bez końca, wzywano go nieustannie, podsuwano coraz to bardziej idiotyczne ankiety. Podchwytliwie i na wiele wymyślnych sposobów żądano przede wszystkim, aby wyjaśnił przyczyny decyzji powrotu. Urzędnikom wargi drgały w głupawych uśmieszkach, a on zawsze odpowiadał tak samo: „W Anglii skończył się swing, więc nic tu po mnie i po moim puzonie". Pani Simper zareagowała żywiej, dopiero gdy spedytorzy od Lloyda zabrali jego samochód: „Sprzedałeś wóz? No to pewnie nareszcie zapłacisz za ostatnie sześć tygodni!". „A skąd tam sprzedałem – bronił się – rozbiłem! We wtorek wieczorem wpadłem do rowu! Rozwaliłem maskę i lewy błotnik, na drzazgi! Ciesz się, że przeżyłem, bo nie jestem ubezpieczony! Stoi u blacharza w Willersley i czeka, kiedy będę miał forsę!"

Ostatnie dni przed wyjazdem były szczególnie fatalne. Gdziekolwiek by nie wszedł – do sklepu Hendersona, piekarni Lathropa, na piwo Pod Dziurawy Kapeć do Tannerowej – wszędzie patrzono pogardliwie i pokazywano mu niezapłacone rachunki, jakby wszyscy coś przeczuwali. Nawet obydwa banki wcześniej niż zwykle przysłały ponaglenia spłat, bez ogródek grożąc już sądową egzekucją. Nie brał jednak niczego poważnie, nie siedział jak na szpilkach, nie przeżywał też stanu, w którym człowiek biega od okna do okna, nie mogąc doczekać się początku podróży. Palił cygara, czuł się raczej skrępowany i przytłoczony, jak ktoś na głucho zamknięty w ciasnym mieszkaniu, marzący o szerokich przestrzeniach i rześkim wietrze. Jego tęsknota, jeżeli w ogóle za czymś tęsknił, wynikała ze znużenia, a nie z sentymentów czy fascynacji przeszłością. Dlatego w tamten wczesny niedzielny poranek na zawsze opuścił dom pani Simper bez uregulowanego czynszu, ale i bez szczególnego żalu. Idąc, zamykał i otwierał oczy; wydawało mu się, że trzaskają jak migawki fotograficzne. Starał się zachować obraz ulicy. Taka sama jak wszystkie w Penybont, po obu stronach jednakowe szeregowce z jednakowej brunatnej cegły. O dziwo – świeciło słońce, w maleńkich, jednakowo pustych ogródkach błyszczała wilgoć. Na rogu, koło pralni Allena, skręcił do dworca, gdzie czekały od wczoraj jego rzeczy. Potem była przesiadka na Wiktorii, drugi pociąg, do Harwich, i wrzaskliwa grupka gówniarzy z Ameryki w granatowych roboczych portkach, ostatnim krzyku mody. Jeden z nich, skrzywiony, jakby zaraz miał wymiotować, wytrząsnął przez okno tacę pełną tekturowych kubków herbaty z mlekiem.

Roześmiał się wtedy po cichu.

„Tak-tak! tak-tak! Żegnaj, An-glio! Żegnaj, Ang-lio! Tak-tak! Tak-tak! Żegnaj, An-glio! Tak-tak-tak!" – podśpiewywał sobie aż do ostatniej stacji na melodię *Blue Room*.

Podczas odprawy przekonująco objaśniał celnikom, że płynie tylko do Holandii, aby odwiedzić przyjaciela z bitwy pod Apeldoorn, obecnie pastora kościoła noworeformowanego we wsi Winterswijk koło Enschede. Pokiwali poważnie głowami i z respektem przepuścili dalej, nie zaglądając ani do dokumentów, ani do walizek. W Hoek van Holland i na granicy niemieckiej również nie zainteresowano się nim bliżej, ponieważ tu śpieszył się niezwykle, rozpychał czekający w kolejce tłumek i, pewny siebie, z wyższością wymachiwał brytyjskim paszportem.

Jeszcze na promie, w barze, natknął się na jakiegoś Polaka, który twierdził, iż jest mechanikiem lotniczym, w czasie wojny naprawiał silniki lancasterów. Pili, nie zauważając nawet, kiedy statek wyszedł w morze. Opowieści kompana nabierały coraz to nowych wątków – rzucał nazwiskami przyjaciół, znanych lotników-bohaterów. Koło pierwszej w nocy już nie tylko łatał postrzelane kadłuby i wymieniał korbowody z tłokami, ale też samodzielnie bombardował Hamburg oraz Bremę w zastępstwie kolegów przebywających na urlopach. Wreszcie oparł się o bufet i wyznał, iż żyje teraz z nędznego zasiłku Jej Królewskiej Mości, bo odmawia mu się zatrudnienia w Royal Air Force ze względu na... narodowość. „Ale i tak za żadną cholerę bym tam nie wrócił, nawet jakby jakiś cud się zdarzył i Ruskie by stamtąd wyleźli!" – wykrzyknął zaraz na cały głos. „Wybaczcie mi, kolego – szeptał za chwilę, nachylony nad Fabianowym uchem – albo nie, nawet nie wybaczajcie, tylko od razu dajcie w mordę z obu stron. Darujcie mi, ale powiem wam, że Adolf Hitler mnie wyzwolił. Tak jest! Adolf Hitler wyzwolił mnie od..." W tym momencie przerwał, bo do wolnego miejsca obok niego przymierzała się tleniona blondyneczka à la Marylin Monroe. Kiedy soczysta, opięta różową materią pupka zawisła w powietrzu, aby zaraz wylądować na barowym stołku, kompan kocim ruchem podłał siedzenie szklanką martini dry z polską wódką wyborową i oliwkami. Pupka opadła, plaskając mokro, lalunia otworzyła usta jak zadławiona, a w wymalowanych oczach pojawiło się całe przerażenie i nienawiść świata. *Je peux encore vous arroser, madame?* – zapytał, nie wiadomo czemu, wyśrubowaną francuszczyzną, z „r" gruchającym namiętnie i wysoko, jak godowy zew z tysiąca gołębników. Dama nie odpowiedziała, poza tym widać nie podróżowała samotnie, bo natychmiast wyrósł za nią osobnik o kwadratowej fizjonomii. Stało się jasne, co będzie dalej. Fabian, rzecz jasna nie płacąc, od razu uciekł dwa piętra niżej, wynajął kabinę, czego przedtem nie zamierzał robić, zamknął się i przesiedział tak do rana. Towarzysza z baru spotkał, dopiero schodząc na ląd. Z lewej strony włókł go mundurowy strażnik, z prawej tajniak w zielonym deszczowcu.

„O, o!" – wrzasnął tamten, śliniąc się i podnosząc do pokancerowanej gęby skute ręce. „Świadek, świadek! Rodak!

On powie, jak było naprawdę! Ta zdzira mnie prowokowała! Pończochami świzgała noga o nogę! Dziwka jedna, mnie na nylon brać! Mnie na nylon! Girami wiżdże, giry zadziera i tylko: «Czy szwy prosto? Czy szwy prosto?» – darł się w kilku językach naraz. – Co za prawo tutaj! Wstydu nie macie! Kurwy z alfonsem się słuchają, a żołnierza, co za nich dziesięć razy życie oddawał – do pierdla! Żeby was Pan Bóg pokarał, serowary cholerne! Żebyście wszyscyześmiardli!" „Ja pierwszy raz widzę tego gościa! Nigdy z nim nie rozmawiałem! Pijaczyna żałosna jakaś i tyle!" – bez mrugnięcia okiem oświadczył Fabian strażnikowi, wzruszając ramionami.

Kiedy pociąg przejechał przez most na Odrze, światło jakby przygasło, a z korytarzy zniknęły pstrokate wózki ze słodyczami. Przybywało ludzi, robiło się coraz ciaśniej. Popelina tarła o popelinę, samodział o samodział, na przemian buchały wonie szarego mydła i potu, kiełbasianego czosnku i nieznanych mu, ciężkich, przesłodzonych perfum. Jedni dmuchali drugim w gęby dymem, inni nieustannie podawali sobie nad głowami toboły i paczki, przepychali się tam i z powrotem, szturmowali do permanentnie zajętych klozetów, grali w karty, obierali jajka na twardo albo kłócili się o miejsca. Wrzeszczący cienko chudzielec żądał wpuszczenia do przedziału, rozchylał płaszcz, pokazywał wszystkim, że nie ma lewej ręki, a prawą wymachiwał jakąś legitymacją, która fakt ten miała urzędowo potwierdzać.

Fabian zaszył się w kąt. Tłum był takiego samego koloru jak deszcz za oknem.

Nad ranem zapadł w krótki, ciężki sen. Obudził go czyjś kaszel, który przypominał dalekie łupanie kamieni. Głowa bolała jeszcze bardziej, na dodatek piec wystygł, robiło się zimno, cuchnęło popiołem.

Wyjrzał przez okno – w dole goły sad, za nim domy wyglądające na wymarłe, gdyby nie wątłe smużki dymu, dalej skrawek tężni, tych osobliwych drewnianych budowli, poprzetykanych tarniną, po której ścieka słona woda, tworząc mikroklimat; podobnych do obronnych palisad czy okopów pogańskiego grodziska.

Ubrał się, zszedł do mieszkania Wandy. Już jej nie było, zostawiła na kredensie chleb z kiełbasą przykryty talerzem. Zachciało mu się mocnej kawy. Przeszukał jednak całą kuchnię i nie znalazł ani młynka, ani żadnego urządzenia do zaparzania. Poradził sobie. Pracowicie utłukł kilka wielkich, brazylijskich kawowych ziaren w moździerzu, który wyszperał w szafce koło drzwi, i tak powstałą miazgę podpatrzonym już sposobem, „po polsku", zalał wrzątkiem do połowy szklanki. Popijając przy stole tę polską kawową zupę, sięgnął po leżącą obok wczorajszą „Gazetę Pomorską". Sylabizował tytuły i pojedyncze zdania: *Cały świat obchodził 40-lecie Października, Nowy samolot Iljuszyna, Ił 28, jest pod względem technicznym doskonalszy od nowych angielskich i amerykańskich samolotów, Na Zofii Loren i jej mężu ciąży zarzut bigamii, konkubinatu, cudzołóstwa. Poszukiwani przez policję włoską!* Na sąsiedniej stronie przestudiował felieton zatytułowany *Aby artykuły atrakcyjne dotarły do najbardziej potrzebujących:*

„Znikają ze sklepów zegarki importowane, które potem można nabyć na tzw. wolnym rynku po znacznie wyższych cenach. Aby temu przeciwdziałać, Wojewódzka Komisja Porozumiewawcza Związków Zawodowych wystąpiła do Wojewódzkiego Zarządu Handlu z postulatem każdorazowego informowania WKPZZ o dostawach towarów atrakcyjnych. Związki zawodowe będą wydawać swoim członkom specjalne zaświadczenia, które będą uprawniały do nabycia towarów atrakcyjnych".

Obejrzał też radio Wandy, duży i zapewne drogi odbiornik marki „Stolica", przekręcił gałkę. Wymuskany męski głos na tle ładnej, ale mdło, bez „pazura" granej muzyczki, zaśpiewał:

W dalekiej wiosce bęben dudni,
Po ziemi pełznie bury ognisk dym,
Na niebie płonie Krzyż Południa,
Wskazując drogę blaskiem swym...

Piosenka nie zagłuszyła basowego kaszlu, rozbrzmiewającego teraz tuż nad głową i mieszającego się z człapaniem bosych stóp oraz odgłosem przeciągania jakichś gratów. Wyłączył radio, potem, zapaliwszy cygaro, wyszedł na ulicę.

Porywy wiatru przenikały do kości. Szczelnie zapiął płaszcz, postawił kołnierz. Kobiecinka pchająca dziecięcy wózek, a na nim owinięty podartym workiem sagan parujących kartofli w łupinach, spojrzała z przestrachem.

Wyrzucając pióropusze dymu, obszedł pensjonat dookoła. Drewniany, zbudowany tanim kosztem, aby szybko przynosić dochód. Podobny do sąsiednich, po obydwu stronach i naprzeciwko. Od frontu daszki, okapy, facjatki, ażurowy ganek ze smętnie zwisającymi wiechciami nikomu niepotrzebnego dzikiego wina i zabite na głucho główne wejście pod wypłowiałym napisem: Pension „Zaświecie". Nazwa była mu jakby znajoma, nie pamiętał skąd. Od tyłu ciągnął się w głąb ogrodu hotelowy pawilon z dwoma rzędami balkonów na parterze i piętrze. Wszędzie wielkimi płatami obłaziła farba, blacha rdzewiała, zaczynały odpadać zmurszałe deski, a wewnątrz, za szybami, stała brudna ciemność, gęsta jak galareta. Ogród, zaniedbany i zarośnięty, przykrywał kożuch rozmokłych liści, zaściełający ledwo widoczne bruzdy dawnych alejek, między krzakami sterczały obgniłe kikuty pergol czy altanek.

Kiedyś, przed „wielką wodą", Fabian doskonale znał takie miejsca. Całymi sezonami grywał w modnych dancingach Druskiennik, Truskawca, Krynicy, a pensjonaty wszędzie były takie same. Wiele razy budził się w tych przeróżnych Zaciszach, Astoriach, Mickiewiczówkach w łóżkach bogatych, pełnych tupetu mężatek po czterdziestce, a potem z niewzruszoną miną spożywał śniadania na ocienionych werandach, pod spojrzeniami służby udającej, że niczego nie widziała i nawet się nie domyśla.

Wrócił do siebie, otworzył futerał. Z przegródki wyjął płaską butelkę bowmore islay, zmoczył flanelowy gałganek, starannie, trzy razy, przetarł ustnik. Potem wyszedł na balkon, znalazł w kieszeni powiększające szkło Edzia i przyłożył do oka. Kostropate domostwa, szarobure wały tężni, sanatoria i kurortowe wille rozlały się, utraciły kształty jak w szklanej kuli-zabawce i nabrały tęczowego blasku.

Nagle usłyszał gwałtowny szelest dochodzący z bliska, z przyległego ogródka, odgrodzonego dziurawą siatką. Jakieś paskudne stworzenie babrało się w gołych chaszczach malin i porzeczek. Podłużny łeb wielkości kanki od mleka ciągnęło nisko przy ziemi, jakby węsząc, waliło przy tym wściekle racicami, wzbijało fontanny pyłu i zwiędłych liści. Kiedy tak patrzył, oddalając i przybliżając szkło, stwór, czymś spłoszony, niezgrabnie uskoczył w bok, łamiąc z trzaskiem łodygi, bijąc ogonem po suchych badylach. Szkiełko Edzia wyolbrzymiło na moment utytłany błotem zad, który mignął tylko i zniknął między pniami jabłonek.

Fabian przez chwilę ważył trombon w dłoni, wreszcie podniósł go do ust, poczuł na wargach dymny, piekący smak whisky i zagrał.

Gdzieś tam w dole, poniżej balkonu, konie sikały na bruk, z brzękiem i łoskotem toczyły się w stronę miejskiego targowiska furmanki na żelaznych obręczach, gdzieś tam licealiści pisali rozprawkę o motywach walki klasowej w *Lalce*, odurzony drukarską farbą kioskarz inwalida przysypiał za zasuniętą szybką, brzuchaci i łysi towarzysze zasiadali do plenum egzekutywy komitetu miejskiego, posmarkująca w rękaw sklepowa owijała grubym papierem kolejny kawałek wątrobianki. Życie krztusiło się życiem, zwyczajność zwyczajnością.

Wycelowany w horyzont ruchliwy suwak instrumentu prawie dotykał nisko wiszących chmur i zaraz cofał się jak oparzony. A nad Ciechocinkiem popłynęło *I'm Getting Sentimental Over You* Washingtona–Bassmana jak garść cieniutkich srebrnych wstążek z otwartej dłoni wypuszczonych na wiatr.

III

Nie był niczego ciekaw, tego dnia więcej nie wychodził z domu. Czekał na Wandę, z resztek wczorajszej kolacji powitalnej przyrządził obiad. W trakcie zorientował się, że w kuchni brakuje czegoś arcyważnego, ponadczasowego znaku tutejszego bytowania. Znalazł piwnicę. No i wreszcie mogła nastąpić inicjacja po latach, pierwsze prawdziwie zmysłowe doznanie odzyskanej ojczyzny – rozmiękły kartofel w ręku, tępy nożyk, serpentyny obierków zsuwające się do kubła. Na palcach ziemia, wilgoć, piwniczny brud.

Popijając na przemian otarda grand cru i herbatę z porzeczkami, znowu przegadali cały wieczór. Wanda była niby taka sama, ale jednak nie taka. Nie dziwił się. Przecież niemożliwe, żeby nic się nie złamało. Musiało się złamać, bo u wszystkich, których znał, się łamało. Wielka woda rozwalała tamy, wyrywała drzewa, wyrzucała na brzeg tyle śmierdzącego śmiecia. To, co stare, przypomniane, dobrze znajome plątało się i kiełbasiło z nowym, dziwacznym, nieznanym.

Miała tę samą twarz, rysy nawet nie pogrubiały, włosy nosiła tak samo. Tylko jej sylwetka nabrała ciężaru, ruchy straciły wdzięk. Wtedy, przed wielką wodą, bulwersowała, gorszyła, wzniecała plotki. Za dnia znana w mieście dentystka, żona wziętego kardiologa u progu wielkiej kariery, w sobotnie noce dzika śpiewaczka jazz-bandu. Bogata, rozpieszczona, skłonna do szaleństw. Kobiety dostawały przez nią ataków furii, mężczyzn deptała jak wyplute niedopałki. Ojciec, łacinnik i członek Chóru Cecyliańskiego, za drzwiami sypialni walił w nocny stolik skryptem *Myśli serafickich* świętego Bonawentury we własnym tłumaczeniu i oburzony perorował do matki: „Jeżeli Karol ją w końcu rzuci, jeżeli zażąda rozwodu, to sam pójdę i będę jego świadkiem. Rozumiesz, Bubo, co ja mówię? Jego świadkiem! Zwykła uczciwość tego wymaga, bo to porządny człowiek! A my, kogo my wychowaliśmy, Bubo?". Teraz, gdy siedziała naprzeciw w żółtym świetle słabej żarówki i z niezwykłym namaszczeniem pociągała z kieliszka do wódki prawdziwy francuski koniak, znowu dostrzegł w niej to, czego przedtem nigdy nie widział. Od początku, od spotkania na peronie wydawała mu się zawstydzona, jakaś taka skulona w sobie, niepewna, jakby wiecznie przestępująca z nogi na nogę. Światy w rozsypce, światy roztłuczone w moździerzach wielkiej wody i potem na nowo zlepione w inną całość! Byle jak, z okruchów dopasowanych na siłę, spartolone, pokraczne! Choćby tamto jej mieszkanie przy Skarbkowskiej i teraz ten tu zagrzybiony pokoik z trzeszczącą podłogą. Tam salon bauhaus, modernizm prosto z Berlina, drewno i metal, na ścianach Jaremianka ze

Strzemińskim, łazienka – żywy kamień i czerwona miedź, tu szafa podparta cegłą, koślawe krzesła, każde inne, zamiast umywalki poobijana miska, wychodek z kawałkami gazety nadzianymi na gwóźdź. Albo ubrania, którymi chwaliła się przed Ryśką, płaszcze od Wyborskiego, żakiety à la Mae West, kapelusze z Mediolanu; teraz niezgrabne łachy z grubej gabardyny, szare, wiecznie wygniecione, krzywo zapięte garsonki, suknie jak bezkształtne toboły. Światy napuchłe od wilgoci, wypłukane, oślizłe, gnijące. Światy – przetasowane karty, wytłuszczone, zgrane; przecież brydż taki modny w tym kraju!

Nie pytała o niego i jego życie. Dopytywała się o głupstwa, chciała rozmawiać o głupstwach, o zachodnich duperelach, które wywlekały tutejsze gazety. O aktorkach i skandalach, o telewizji, o sklepach, towarach, o tym, jak smakuje coca-cola. Żałowała, że nie przywiózł paru butelek, martwiła się, że może nigdy nie będzie miała okazji spróbować.

– Przecież przedtem bywaliście z Karolem za granicą, jeździliście do Wiednia, do Włoch. Powiem ci, że nawet zazdrościłem po cichu, bo ja zawsze tylko do roboty, czasem nawet nie mogłem na ląd schodzić, a wy, wielcy państwo, na zakupy, na narty, do muzeów...

– Nie uwierzysz, ale ja nic z tego nie pamiętam. Nic! Jakby ktoś zamazał olejną farbą, gęstą jak klej. Kiedy myślę o tamtych czasach, to nie widzę nawet obrazów, tylko litery, które nic mi nie mówią, są zupełnie bez sensu, jakbym zmuszała się do czytania książki w niezrozumiałym języku.

Kiedy następnego dnia rano pił kawę w kuchni Wandy, ktoś zapukał do drzwi. Nie zamierzał otwierać, ale stukanie było natarczywe, przymuszające do subordynacji, prawie urzędowe. Na zewnątrz stał facecik w prochowcu i w berecie zsuniętym na potylicę, pod pachą ściskał ceratową teczkę.

– Czy pan Apanowicz Fabian?
– I owszem.
– W nieodległej wsi spłonęła dzwonnica, dymu nie widać.
– Słucham?
– W nieodległej wsi spłonęła dzwonnica, dymu nie widać – powtórzył wolniej, czyściej, dobitniej.
– Ale co jest? Czego pan sobie życzy?
– W nieodległej wsi spłonęła dzwonnica, dymu nie widać! – upierał się nieznajomy.
– Wypieprzaj pan stąd, wariat pan jesteś? Tu nie przyjmuje żaden psychiatra! – wrzasnął Fabian niewyraźnie, bo żuł kajzerkę. Mokre grudki ciasta plasnęły o wygolony policzek natręta.
– To ja w takim razie przepraszam. Ja najmocniej przepraszam! – facecik stropił się, zwinął w ukłonie i szybkim krokiem zrejterował do furtki, włażąc przy tym w sam środek kałuży i chlapiąc błotem na boki.

Fabian wzruszył ramionami. Idąc do siebie, zatrzymał się w holu. Znalazł kontakt, zapalił światło. Pod gołą ścianą ze śladami po półkach czy ramach obrazów stało pianino. Stare, zakurzone; nazwa firmy wypisana wytartą, kiedyś złocistą cyrylicą z ledwo widoczną datą „1899". Klawisze miało żółte jak zęby nieboszczyka, uchwyty na świeczniki wyrwane z mięsem, górnej klapy nie było, zamiast niej przygniatały instrument równie zapomniane i zakurzone pluszowe łachmany, pewnie resztki dawnych kotar czy draperii.

Wystukał pierwszą lepszą melodyjkę. Rzecz jasna, nie stroiło, wydawało dźwięki jak ze skrzyni z węglem, białe „h" w ogóle milczało. Skrzywiony, jakby z plastrem cytryny w gębie, próbował jednak dalej. A może by tak drugą łapą? Czemu nie, byle wesoło, akordami, głośno! Kucnął przed klawiaturą, bo nigdzie nie znalazł stołka ani krzesła. W zrujnowanym wnętrzu *Mack the Knife* Weilla sam wlazł pod paluchy i z całą energią załomotał o wyblakłe tapety i popękane deski sufitu. Fabian nie był dobrym pianistą, podobno „nie miał ręki", nie panował nad harmonią ani siłą uderzeń. Ale taka gra, rozchwiana, niedokładna, ordynarna, skojarzyła mu się nagle z ponurą duszą jazzu, spelunką w zaułkach wielkiego portowego miasta, gdzie śmierdzi podrabiana whisky, a na spoconych twarzach jak ostrza brzytew błyskają białka przekrwionych oczu. Nie znosił jednak takich nastrojów, miał gdzieś niewolników, dokerów, parowce na Missisipi i plantacje bawełny, kochał tylko swing, wolał błyszczeć i unosić się wysoko nad ziemią niż przekuwać w toporną muzyczkę prawdziwe czy wymyślone cierpienia prostego człowieka albo udawać, że chce powiedzieć więcej, niż mówi rytm jego płuc, nadęte policzki, palce na suwaku trombonu. Że w ogóle istnieje coś więcej niż ta chwila, którą od dna aż po brzegi wypełnia dźwięk.

– Kto tam tak bębni, do kurwy jednej! Łeb mi pęka! – usłyszał gdzieś z góry głos, którego nie mógłby nazwać inaczej, tylko damskim basem w najniższych rejestrach.

Na bocznych, krętych schodkach ujrzał postać Bayerowej. Ledwo się tam mieściła. Poły szlafroka nie mogły się nawet ze sobą zetknąć na brzuszysku, wystającym pod brudną koszulą dobry decymetr poniżej równie potężnego zwału biustu. Włosy miała posklejane, z ust sterczała cyfka z ogarkiem papierosa.

– A, braciszek! Mówiła, że on taki zmęczony, chory, musi pod opieką trochę pobyć. A tu widzę – zdrów jak kaczan kapuściany! Łeb mi pęka, kurwa jedna! Nie ma czego od bólu głowy?

– Przepraszam, nie bardzo rozumiem...

– No, wódy żadnej nie przywiózł?

Speszony zerwał się z kucek, pobiegł do pokoju, wrócił z butelką.

Bayerowa zawołała go, wlazła tymczasem do łóżka i stamtąd wyciągnęła rękę ze szklanką brunatną od herbacianego osadu. Posłusznie napełnił ją do połowy, ale nie cofnęła ręki, więc dolał do trzech czwartych. Całą zawartość okrągłym ruchem natychmiast wlała sobie do gardzieli, na tym samym oddechu zaciągnęła się i z ulgą wypuściła dym.

– Kto tu jeszcze wie, jak to smakuje? Wszyscy jesteśmy prze! Niech leje, czego się gapi?

Wychyliła drugą szklankę speyburna i umościła się wielkim tyłkiem na łóżku, aż zajęczały sprężyny.

– Mieszka w pokoju Reichmana, łachmyty jednej. Nawet trochę podobny – mówiła już spokojniejszym głosem, iskając się gdzieś pod kołdrą i zaglądając sobie w wycięcie koszuli. – To moje pianino. Też gram. Kiedyś dawno byłam nawet taperem w kinie, tu, w Sfinksie. Tfu, czym ja nie byłam? Wszystkim, kurwa jedna, byłam.

Wygrzebała zapałki spod poniewierających się w pościeli poplamionych majtek, dziurawych skarpet, jakichś chustek, ścierek, fartuchów, i w skupieniu przypaliła sobie nowego żeglarza, a peta po poprzednim zgniotła w solniczce, na talerzu pełnym skorup od jajek. Zgubiła cyfkę, szukała, bluzgała przy tym jak... No właśnie, jak? W świecie, który rozmyła wielka woda i którego Fabian był bezwolnym rozbitkiem, takich wyrażeń nie można było usłyszeć właściwie nigdzie, nawet od machających bez przerwy łopatami umordowanych palaczy na „Polonii", nawet w wojskowej stajni, nawet w burdelach gorszego sortu, skąd „nieprzyzwoitych" gości od razu wyrzucano na zbitą mordę, ponieważ personel się gorszył. Słowa Bayerowej działały na niego jak szpile wbijane od wewnątrz, rozlewające po twarzy fale głupiego gorąca. Uspokajał się, że to przecież tylko kilka dźwięków zestawionych tak, a nie inaczej, w sposób umowny pobudzających emocje, nic więcej. Że zgodnie z duchem czasu i warunkami powstaje nowy język, którego narodzin jest świadkiem, do którego będzie się musiał przyzwyczaić, potem opanować, w końcu kiedyś uznać za własny.

Nie bardzo wiedząc, co dalej, stał przy łóżku prawie na baczność, z otwartą butelką trzymaną w pogotowiu. Bayerowa budziła respekt, w tytoniowych oparach wyglądała jak posąg tłustego Buddy otoczony kadzidłem, ze szklanką w ręku i wymiętym papierosem, przylepionym do wargi grubości rowerowej dętki.

– No, niechże leje, co się tak zamyślił? Filozofie nowoczesne układa?

– A pani teraz... choruje? Chora pani jest na coś? – zapytał grzecznie, żeby w ogóle cokolwiek mówić.

– He, he, chora! Chora! – wybuchnęła ciężkim, bulgocącym śmiechem. – Toć chyba, że chora! Tak jak wszyscy chora! Ale oni jeszcze nie wiedzą, że jedyne, co ma sens, to wleźć do łóżka. Wleźć i leżeć. Niech się nie boi, nie boi, wszyscy kiedyś wlezą. Będą gnić w betach, kurwy jedne, i już nikt się nie odezwie, że tylko Bayerowa jedna taka fiśnięta. Będą pierdzieć pod siebie i jeszcze krzyczeć, jak to im dobrze w smrodzie, że smrodu by bronili jak życia swego. Potem będą sami sobie naciągać pierzyny na łeb i narzekać, że ciemno, że nic nie widzą! Jesteśmy prze! Każden jeden prze! Diabeł lata po podwórkach, wczoraj, kurwa jedna, śmietnik tutaj u nas rozwalił. Jak braciszek dobrze się przyglądnie, to go też na pewno zobaczy. Ale niech się nie boi, nie boi, niech leje! I niech się przyzna, co mu takiego odpieprzyło, że tu przyjechał? Czy tam, w Anglii, już nie leczą fiksum-dyrdum? Wszystkie domy wariatów pozamykali?

– Przyjechałem grać swing.

– Swing? Tutaj? Na pianinie?

– Na puzonie.

– Na puzonie! – Siorbnęła głośno i przełknęła pół szklanki whisky. Wzdrygnęła się po raz pierwszy. – Może i ma rację. Jedyne, co tutaj tak naprawdę można ze sobą zrobić, to nadmuchać sobie w puzon!

Na dole ktoś znowu dobijał się do drzwi. Bayerowa przerwała, zjechała w łóżku do pozycji horyzontalnej i nagarnęła na siebie wszystkie szmaty, jakie napotkała w zasięgu rąk. Kazała mu powiedzieć, że jej nie ma, nie było i nie będzie, i żeby nikogo nie wpuszczał.

Z dworu uderzyły zimno i wilgoć. Fabian zobaczył milicjanta na służbie, w czapce, z paskiem pod brodą. Milicjant odsunął go bez słowa, wszedł do środka. Był wielki, chudy, ogromną, podłużną głową przypominał turonia z orszaku wiejskich kolędników. Bezceremonialnie rozsiadł się w kuchni Wandy, przed sobą położył raportówkę z przytroczoną rzemykami czarną pałką. Zażądał paszportu, kartkował go długo, śliniąc palce i przybierając nieprzeniknioną maskę. Krótkimi, urzędowymi zdaniami pytał o datę przybycia, meldunek, odzyskanie polskiego obywatelstwa. Fabian odpowiedział, że ta ostatnia sprawa była załatwiana jeszcze przez ambasadę w Londynie i że w związku z tym czeka na wezwanie do Warszawy. Milicjant potakiwał, mruczał przez nos, wreszcie rozpiął raportówkę i podał Fabianowi złożony na pół świstek.

– Czytajcie. Dzisiaj znalazłem wetknięte we drzwi.

Na kartce z zeszytu ktoś pracowicie wykaligrafował wielkimi literami:

ZAWIADAMIAM UPRZEJMIE, ŻE W POSESJI NALEŻĄCEJ DO OB. BAYER LUDMIŁY, KAMIENICZNICY, ZAMIESZKUJE PODEJRZANY OSOBNIK PŁCI MĘSKIEJ PRZYBYŁY Z KRAJU KAPITALISTYCZNEGO. PODAJE SIĘ ON ZA BRATA SUBLOKATORKI OB. BAYER,

NIEJAKIEJ APANOWICZ-PATRAS WANDY, REPATRIANTKI Z ZSRR. ZAWIADAMIAM UPRZEJMIE, ŻE OSOBNIK ÓW W DNIU WCZORAJSZYM O GODZ. 10 MINUT 7 RANO, DZIAŁAJĄC POD WPŁYWEM ALKOHOLU, DOPUŚCIŁ SIĘ ZGORSZENIA PUBLICZNEGO POPRZEZ ODEGRANIE NA INSTRUMENCIE DĘTYM Z BALKONU W/W POSESJI HEJNAŁU MARIACKIEGO. PODKREŚLAM, ŻE PUBLICZNE WYKONYWANIE HEJNAŁU MARIACKIEGO NA DWIE GODZINY PRZED OFICJALNYM CZASEM NADAWANIA GO PRZEZ POLSKIE RADIO JEST NIE TYLKO ZAKŁÓCENIEM RYTMU CODZIENNEJ PRACY MIESZKAŃCÓW NASZEGO UZDROWISKA ORAZ PROFANACJĄ MELODII ZWIĄZANEJ Z REWOLUCYJNYMI TRADYCJAMI NARODU, ALE TEŻ PODWAŻENIEM AUTORYTETU SOCJALISTYCZNYCH ŚRODKÓW MASOWEJ PROPAGANDY, CO SŁUŻY REWIZJONISTYCZNYM, AMERYKAŃSKIM I ADENAUEROWSKIM SZCZEKACZKOM DYWERSYJNYM, TAKIM JAK RADIO WOLNA EUROPA ORAZ RADIO MADRYT.

PATRIOTA POLSKI

— No i? — uniósł brwi funkcjonariusz. W tym „No i?" zadźwięczał cały majestat władzy oraz bezkompromisowość w dochodzeniu do prawdy.

Fabianowi zaraz przypomniały się artykuły „Głosu Żołnierza" i książki z czytelni londyńskiego Domu Polskiego, typu *Za kulisami bezpieki i partii* czy *W krwawych szponach czerwonej bestii*. Nie przestraszył się jednak ani trochę, przeciwnie, miał nawet lekkie poczucie dumy, że jego pierwszy kontakt z reżymem przybiera postać znaną z fresków narodowej martyrologii.

– No... inteligent musiał to pisać. Bardzo stylistycznie. Wykształcony pewno. Może i ze świadectwem maturalnym... – podrwiwał sobie, wpatrując się w donos.

– Nie błaznujcie mi tu. Graliście wczoraj rano? Przyznajecie się?

Daszek czapki, której milicjant nie zdjął, siadając, zalśnił złowrogo.

– Owszem, grałem.

– Mariacki hejnał?

– Nie. *I Get Sentimental*... Taki tam sobie kawałek...

Rysy twarzy przesłuchującego, do tej pory jakby wyrzeźbione scyzorykiem w pniaku do rąbania drzewa, raptem rozciągnęły się dziwnie, rozjaśniły i straciły ostrość. Chwycił Fabiana za przegub, niepostrzeżenie przechodząc na „pan".

– Uff! Właśnie dlatego przyszedłem. Jak pan grał? Linią klarnetu jak u Goodmana? Czy może jak „Hoe" Dexter Junior? Kompletnie nieznany, ale niezwykły, przypadkiem mam płytę, musi pan posłuchać. „Master Voice" z czterdziestego drugiego!

– Gram na trombonie.

– Niech pan zagra jeszcze raz. Teraz. Bardzo proszę. Chcę usłyszeć, koniecznie. Aha, niech się przedstawię. Stypa jestem. – Milicjant wyciągnął rękę.

Fabian spojrzał spode łba. Cóż było robić. Zanim poszli do holu, Stypa podarł na drobne kawałki kartkę z donosem, otworzył drzwiczki pod schodami, wrzucił wszystko do wychodka i spuścił wodę.

– Idź gówno do gówna! – zawołał przy tym.

Fabian przyniósł instrument.

– Celpharus. – Stypa schylił się i odczytał nazwę. – Rzadka firma, ale słyszałem, ktoś z moich znajomych miał podobny. Przedwojenny?

– Kupiłem w Halifaksie, okazyjnie. Miałem lepszy, bardzo drogi, Conna robionego na zamówienie, szkoda mi go było do pracy, no i został gdzieś tam... Może teraz jakiś mołodiec dmucha nim marsze w pionierskiej orkiestrze.

Stypa zauważył pianino, otworzył je, z wahaniem przegrał dwie gamy, klnąc przy tym pod nosem, a potem przyciągnął z korytarza kosz do bielizny i zasiadł na nim przed klawiaturą. Zdjął pas z pistoletem, kurtkę mundurową rozpiął, zrzucił za siebie. Przyglądał się, jak Fabian przeciera ustnik szmatką namoczoną w whisky, odruchowo próbuje butem gruntu, jakby stał na rozmokłej ziemi, a nie na starej, zakurzonej podłodze, bierze kilka dźwięków, szuka sobie miejsca, jakby naprawdę było ważne, czy stoi krok bliżej, czy dalej, wreszcie podnosi trombon i przez chwilę wytrzymuje zimny dotyk metalu dookoła ust.

Rozpoczął powoli, nisko i łagodnie, jakby nie był to środek listopada, ale trawnik w Central Parku rozgrzany popołudniowym słońcem. Stypa wszedł po kilku taktach, jego zniszczone, pozornie toporne palce wydobyły z rozklekotanego rupiecia nuty niezwykle delikatne, podobne do plusku wody. W pewnej chwili skinął głową i Fabian „wpuścił" go na solo, zbyt jednak rzewne i cukierkowate nawet jak na tę sentymentalną melodię. W mętne powietrze ponurej jesieni wsączały się iluzja i nierealność. Obydwaj rozumieli doskonale, że swing nie ma nic wspólnego z rzeczywistością. Że to mit, w którym spotykają się najgłębiej ukryte, nieskomplikowane marzenia szarych, małych, często podłych i głupich ludzi. Pastelowe kwiaty, krajobrazy-sielanki, tkliwe uczucia i radość, miłe i piękne twarze jak z kinowego ekranu albo wyretuszowanej fotografii. Ktoś powie "kłamstwo", "lukier", "karnawał obłudy". Ale co jest warte życie bez mitów? Od szóstej rano do dwudziestej trzeciej, od przełknięcia do wydalania, od smaku do smrodu, od czkawki do śmiechu, od narodzin do ustania biologicznej funkcji. Ile jest warte życie w strachu, bez świadomości tego, co najpiękniejsze, z wykręconą zgryźliwie gębą, z przeżyciami sprowadzonymi jedynie do złości, biadolenia i kpin?

– Fortepian? – zapytał Fabian, gdy skończyli i zapadła cisza.

– Ależ tam... Blacha, blacha. Trąbka.

– A to? – wskazał na mundur i pas ze skórzaną kaburą, rzucone koło kosza, oraz na milicyjną czapkę, którą Stypa zapomniał zdjąć z głowy.

– Długo by gadać... Przed wojną pracowałem w studio Syrena-Electro na Chmielnej, słychać mnie u Ordonki, u sióstr Felskich w *Królewnie Śnieżce*, trąbiłem też po dancingach, opłacało się. Potem byłem na stałe w orkiestrze u Kataszka. Zresztą, co tam, niech pan wie: inaczej się też nazywałem, żyję tylko dzięki swojemu wyglądowi, a raczej dlatego, że wyglądałem inaczej, niż się nazywałem. Słomianym blondynkiem byłem, prawie albinosem. Kapujesz pan?

Podniósł ręce, wydął wargi i popatrzył po sobie tak jak człowiek, który pierwszy raz włożył nowe ubranie.

Fabian skinął głową, że kapuje.

– I z pałką woli pan chodzić? Teraz przecież też są tu taneczne orkiestry, sam słyszałem w radiu. Nie wrócił pan?

– Czasem nawet jest do kogo wracać, ale nie ma do czego. To najgorsze, co może być. Czasem się też zwyczajnie nie chce do niczego wracać. A pan nie musi mi nic o sobie mówić. Przed chwilą wszystko już pan powiedział – spojrzał na puzon Fabiana. – Teraz chodź pan lepiej ze mną do knajpy. Tu jest jedno miejsce, gdzie przychodzi paru takich, co też by sobie trochę pograli. Zupełnie niedaleko.

To „zupełnie niedaleko" okazało się drugim końcem miasteczka. Zostawili za sobą żelazne ogrodzenie parku, przecięli plac za kościołem, minęli szpital wojskowy i duże sanatorium Warszawianka. W milczeniu szli ulicami, na których wiatr wzbijał ostatnie mokre liście. Ludzie opatulali się, czym mogli, znad kołnierzy i szalików łypały jednak na nich źrenice badawcze i czujne, bo musieli wyglądać jak konwojent z aresztantem.

Stanęli wreszcie pod szyldem z wypisaną złotymi, zakręconymi literami nazwą Jadłodajnia Współczesna, kategoria III. Lokal mieścił się na parterze solidnej murowanej willi, oddzielał go od ogródka i chodnika oszklony taras, w którym wybite szyby zastąpiono kawałkami płyty pilśniowej, a te jeszcze całe zasmarowano od środka jakimś białym mazidłem. Główne wejście było zatarasowane stosem desek i gratów, wchodziło się z boku, małymi drzwiami, pod zapaloną nad nimi, mrugającą żarówką. W środku jakby trwał permanentny remont. Kable wyłażące ze ścian, ślady po obtłuczonej gipsowej sztukaterii, wykute dziury pośpiesznie zachlapane cementem i liszaje starej, miejscami zeskrobanej farby. Mimo to jadłodajnia była czynna, przy stolikach, nad którymi fruwały żagielki papierowych serwetek, kłębili się konsumenci, prawie sami mężczyźni. Całość wnętrza spowijał jak ciemna chmura papierosowy dym o gęstości gazu bojowego, wymieszany z odorem wódki, smażeniny, parą od gotowanego mięsa i zgnilizną niepranych ścierek.

Wejście umundurowanego milicjanta w towarzystwie nieznanego indywiduum z cygarem w gębie zrobiło wrażenie. Gwar na sekundę przycichł, niektórzy ukradkiem odwrócili się od stolików, żeby zaraz pochylić się nad nimi mocniej i udawać, że ani jeden, ani drugi nic ich nie obchodzi.

Stypa poprowadził Fabiana na koniec sali, do dużego stołu ukrytego za węgłem, gdzie stała tylko zepchnięta w kąt, nieużywana szafka na talerze.

– Mamy tu wykupione obiady – wyjaśnił.

Przy stole kończył drugie danie wytworny staruszek ubrany w szary smoking z muszką w grochy. Pokrzywionym widelcem i tępym nożem posługiwał się z taką dystynkcją, jakby to były srebrne platery u Ritza, a zaróżowioną wodę ze szklanki z rozmoczonymi kostkami rabarbaru na spodzie popijał jak wystałego burgunda albo co najmniej hiszpańską tempranillę. Stypa zdążył szepnąć, że to emerytowany nauczyciel muzyki oraz historyk literatury amator, nieco już stuknięty, po czym staruszek wstał i przedstawił się Fabianowi nazwiskiem „Zuppe".

Między stolikami biegał człowiek niskiego wzrostu, na krótkich, krzywych nóżkach, ale z wielkimi bicepsami, byczym karkiem i wąsikiem jak Adolf Hitler. Kraciastą chustką ocierał pot z czoła, policzki miał czerwone. Zupełnie nie zwracając uwagi na gości, bezustannie szturchał jednego z dwóch kelnerów w brudnych, kiedyś białych kurtkach i wrzeszczał nienaturalnie wysokim głosem, twardym jak stalowa struna:

– Panie Ostaszewski! Panie Ostaszewski! Pan byś chciał, żeby tu wszystko było rozpierdolone! Żeby śledzie pływały w ogórkach! Co pan masz w tym graniastym łbie? Czysta z wiśniówką na jednej kupie! Ciastka tortowe na podłodze pomieszane z serwolatką, wędzone szproty do sracza upchnięte! Zbieraj mi pan to zaraz, ułóż pan to jakoś! Skrzynki z czystą pod jedną ścianę, kolorowa pod tamtą, oranżada do piwnicy! Porządek musi być!

– Porządek, porządek! – stawiał się Ostaszewski. – Ten pana porządek to był dobry, ale pięćdziesiąt lat temu! Pan zapomniał, że zegarki chodzą? Że młodość idzie i śpiewa? Na cholerę on potrzebny tym, tu, teraz, ten pana porządek? – wściekle machnął w stronę sali zadymionej, skrobiącej łyżkami, mlaskającej, siorbiącej i dzwoniącej grubym szkłem o grube szkło. – Pan mnie obraża tylko! A może ten rozpierdol to wcale nie żaden rozpierdol, ale właśnie sens? Mój! Inny niż pana! Co to, ja nie wiem, skąd flaszkę wyjąć albo skąd kiszonego na talerz nałożyć? Sam pan se zbieraj! Sam pan se układaj! Mnie za to nie płacą!

– To Habertas – tym razem Zuppe objaśniał Fabianowi. – Kiedyś właściciel. Ho, ho, drogi panie! Prezydent Mościcki, gdy bywał w Ciechocinku, przyjeżdżał tu na żur i zrazy kujawskie. Ta restauracja nazywała się Cztery Wiatry. Jak mu zabrali, został kierownikiem, niedużo już ma do emerytury.

Tymczasem Habertas podbiegł bliżej, nachylił się nad Stypą i przez trąbkę z dłoni instruował półgłosem:

– „Górskich" nie bierzcie, mielonych nie bierzcie. Któryś cymbał zapomniał zanieść mięso do lodu. Dopiero wczoraj znalazłem, w papierze pod kredensem, zielone. Trzeba było pod kranem szorować, solą nacierać. Kiełbasę z wody weźcie, dobra, dziś przywieźli, dwa tygodnie czekałem. Jeżeli do wódki, to jaja w szynce nie bierzcie. Jajo sine jak dupa wisielca, szynka wyschnięta, przez noc moczona była, galareta już kwaśna, sraczki dostaniecie. „Samuraja" weźcie, świeży, sam robiłem, jeszcze mi łapy cuchną.

– Panie, panie! – obruszył się Zuppe. – Przecież przed chwilą osobiście serwował mi pan mielonego, jak prosiłem, ze skórką chrupiącą!

– Panie kochany, pan to wszystko strawi! Jak koza, hi, hi... – parsknął Habertas i już gonił za drugim kelnerem: – Panie Cuber! Panie Cuber! No zajdźżeż pan gościa od prawej, jak pana w szkole uczyli! Szklanka pusta stoi, nalejżeż pan tej mineralnej, do ciężkiej cholery! Mam panu łopucha i pokrzywę do kamaszy uwiązać, żebyś pan wiedział, kurwa mać, która lewa, która prawa?

– Pan my tu szkoły nie wypominaj, ju? – odburknął Cuber, tęgi i ospały, widać mniej elokwentny niż Ostaszewski. – Co to ja, gosposia czyja jezdem, żeby komu usługiwać? Niech se zamanuwszy służącą zgodzi, to mu bedzie durch lać!

Tymczasem naburmuszony Ostaszewski przyniósł salaterkę śledzi po japońsku i butelkę wódki, w przeciwieństwie do innych butelek wódki podawanych w tym lokalu, zimną oraz okręconą białą serwetką.

Do stołu dosiadł się czwarty mężczyzna, przedstawiony Fabianowi jako doktor Cyryl Vogt, specjalista balneolog. Szpakowaty, wykwintny, o wypielęgnowanej twarzy. Zamówił tylko kawę; o dziwo, ekspres działał, kawa była mocna, pachnąca, choć podana w wyszczerbionym kubku.

Zuppe, mimo pozorów uprzejmości, w towarzystwie Vogta najeżył się i nasrożył jak kogut przed walką. Odsunął nieco krzesło, założył rękę na rękę, nogę na nogę i, co chwila przenikliwie spoglądając to na doktora, to na Fabiana, zaczął ni stąd, ni zowąd opowiadać jakąś bzdurną historyjkę o tym, jak to w majątku jego wuja, jeszcze przed pierwszą wojną, rządca o nazwisku Grzela przyłapał trzech parobków podglądających dziewuchy w łaźni. Ustawił ich w rzędzie, kazał spuścić portki i wypiąć gołe tyłki, a następnie sprawił im manto pasem od uprzęży. Ale nie tak, żeby za mocno bolało. Właściwie to chodził tylko naokoło, plasnął od czasu do czasu, bardziej tam zaglądał, niemalże paluchem wiercił, i głośno wydziwiał, co widzi. Niby to karcił, ale gadał same sprośności. Na tym wszystkim zdybał go wikary, franciszkanin z klasztorku w Drohoczy, i tak się zgorszył, że zrobił z Grzelą to samo, tyle że z miejsca walił go po gołym dupsku sznurami od habitu, jak, nie przymierzając, ksiądz Robak

Hrabiego w warzywniku. Pech chciał, że potem napatoczył się jeszcze stójkowy...

Zuppe, w dalszym ciągu kłując lodowatym wzrokiem po kolei Fabiana i uśmiechniętego z zażenowaniem doktora, nie dotarł do żadnej puenty, nie powiedział, co takiego zrobił policjant z ojczulkiem, tylko nagle zmienił temat i zaczął opowiadać, jak to niedawno w Toruniu leczono mu prostatę. Nużący wywód zakończył efektownym zdaniem:

– No, a po południu przybiegli tacy dwaj kowboje w białych kitlach i wsadzili mi zakrzywioną rurę w dupę!

Triumfalnie spojrzał przy tym na Fabiana i szczególnie na Vogta, a ten ostatni odwzajemnił mu się pobłażliwym grymasem.

Wszyscy nareszcie mogli odetchnąć i zamilkli na dłużej, krojąc kiełbasę, napełniając kieliszki, które – ku uciesze Fabiana – Stypa nazywał w nowym języku „pięćdziesiątkami".

Potem oczywiście chcieli rozmawiać o Anglii. Ale bynajmniej nie o rządzie emigracyjnym, nie o generale Andersie czy młodej królowej, nawet nie o klubach jazzowych w Soho. Zuppe dopytywał się o buty, o gatunki skóry i z lubością pociągał nosem, kiedy Fabian musiał do znudzenia, ze szczegółami opisywać mu wielkie magazyny w West Endzie, gdzie można dostać każdy rozmiar, każdy fason i każdy odcień. Stypa chciał wiedzieć, czy to rzeczywiście prawda, że w Londynie można kupić polską chałwę, kabanosy i polską szynkę konserwową, których tu na miejscu w ogóle nie ma w sklepach. Nawet doktor Vogt, powściągliwy gentleman, z błyskiem w oczach pytał o angielską herbatę, chciał wiedzieć, która lepsza, Lipton czy Twinings, wzdychał, że parę lat temu dostał od znajomego paczkę angielskiego darjeelinga z granatową etykietą, parzył sobie ten specjał raz na tydzień i do dziś nie może zapomnieć smaku.

„Przecież oni wszyscy tu tęsknią, wariują z tęsknoty. To zaraza jakaś, psychoza zbiorowa; im bardziej który rozgarnięty, im więcej myśli, tym mocniej tęskni. Czy chociaż wiedzą za czym? Za obfitością rzeczy, za światłami wielkich stolic, a może jeszcze za czymś, o czym nie potrafią powiedzieć wprost? Czy ja też będę taki? Czy to tylko masowy kompleks, czy może jest w tej tęsknocie jakaś siła, która coś wyzwoli? Może to jedyna rzecz, jaka została? Malutka, malutka, ostatnia resztka dobrej ambicji, która, gdy się wynurzy głowę z gnojówki i zobaczy, że inni mają sucho, pachnąco i czysto, każe ich za to podziwiać, a nie nienawidzić. W tęsknocie – siła. Co za bzdura! Już raz ktoś się porządnie przejechał na takim myśleniu. A może nie? Może to dobrze? Może to wielka sprawa – budzić tęsknotę swingiem?"

Fabian wypił pięćdziesiątkę czystej i zapoznanym tu zwyczajem „popchnął" ją łykiem krystynki, miejscowej wody, słonawej, w smaku przypominającej vichy.

Opowiedział im jeszcze na deser o amerykańskim wynalazku, nowych, coraz bardziej powszechnych sklepach, w których towar leży na półkach, każdy może podejść, wybrać, co zechce, zapakować do koszyka i zapłacić kasjerce przy wyjściu.

– U nas to by nie było możliwe. Wszystko by znikło w pięć minut. W gaciach by wynosili, pod podszewki kładli, w gumaki upychali, przecież to naród złodziei. Albo przy każdej półce postawić milicjanta z pepechą, panie Stypa! – zarechotał Zuppe.

Kiedy wyszedł na ulicę, było już ciemno, alkohol pulsował w skroniach. Tamci zostali, Vogt zamawiał jeszcze raz kawę i butelkę likieru Cacao-choix, który wszyscy nazywali „kakaja szuja".

Skręcił w jakąś przecznicę, prosto pod wiatr, na twarzy poczuł igiełki drobnego śniegu, postawił kołnierz i mocniej naciągnął baskijkę. Naprzeciw starego gmachu sanatorium Pomorzanka, którego nazwę oświetlała jedna jedyna paląca się latarnia, zobaczył kilka kolorowych żarówek. Znienacka usłyszał dźwięk saksofonu i przebiegł po nim elektryczny dreszcz. Nie zastanawiał się, przyśpieszył kroku.

Wewnątrz kawiarni czy restauracji, ładniejszej, o niebo lepszej niż Współczesna Habertasa, było jasno i ciepło. Trwał tu młodzieżowy „fajf", kręciło się kilkanaście par, wyondulowane dziewczyny w kloszowych sukienkach, chłopcy w kusych garniturkach i jaskrawych krawatach. Na podium szalało trio: saksofonista, kontrabas i bębny, tak samo bardzo młodzi, widać jeszcze uczniowie i amatorzy. Najlepiej brzmiała perkusja, głęboka, twarda, dokładna jak maszyna rytmiczna, saksofon gorzej, wciąż „spadał ze skali", kontrabasista też czasem nie nadążał albo – Ralf Wolfram kiedyś tak mawiał – „ślizgał się po kiszce". Nic to jednak nikomu nie przeszkadzało, było szybko, żywiołowo, głośno, jakby wezbrany strumień wyrywał klepki z parkietu.

Szatniarz, biorąc od Fabiana płaszcz, spojrzał podejrzliwie i bąknął coś w rodzaju: „Wchodź pan se, i tak zara kuniec".

Nad barem widniała wywieszka z napisem, w którym ktoś wydrapał ostatnią literę: „Alkoholu nie sprzedajem", obok stały skrzynki z oranżadą. Czuwająca nad nimi kelnerka puściła oko do Fabiana. Odpowiedział tym samym. Kobieta schyliła się pod bufet, szurgała, trzeszczała, marudziła, przesuwała tam coś, wreszcie podała Fabianowi napój. Pociągnął wielki łyk bąblującej, landrynkowej cieczy i raptem gardło stanęło mu w ogniu, zachłysnął się, pociekły łzy, mało nie upuścił szklanki.

– Dla takiego chłopa całe pół na pół. Spiryt, nie żadne tam siki panny Weroniki – szepnęła, pokazując w uśmiechu żelazny siekacz.

Szybko zapłacił, ile kazała, i zaraz uciekł pod okno, bliżej orkiestry. Coś zaczęło go nagle uwierać; szkiełko Edzia, zdołał już o nim zapomnieć. Prędko wygrzebał je z kieszeni, przyłożył do oka.

Tłumek tańczących zmienił się w języki jaskrawej lawy, rozmigotanej, buchającej żarem i gorączką.

Poczuł się lekki, błyskotliwy, gotów do lotu, jak nigdy od zejścia z „Piłsudskiego", od pierwszej fali „wielkiej wody".

Zaczęli grać latynoski rytm, chyba jakąś melodię własnego pomysłu, do której wykrzykiwali słowa bez sensu:

Hu-la escuda bermuda!
Hu-la la la carracuda!

Fabian podbiegł do stolika, gdzie siedziały dwie dziewczyny, najwyżej maturzystki, jedna mocno wysztafirowana, z włosami w koński ogon à la Bardotka. Druga pucołowata, ostrzyżona „na Simonę".

– Czy któraś z pań zatańczy?

Spojrzały na siebie, potem na Fabiana, potem jeszcze raz w dół, po bluzkach, i buchnęły jazgotliwym śmiechem.

– Panu się coś pomyliło. „Dansu" jeszcze nie ma, babcie z sanatorium przyczłapią dopiero po ósmej!

– Jak im doktór lewatywę na rozpęd zasoli! – pisnęła druga.

Podbiegł do następnej, piegowatej, siedzącej z boku, zapatrzonej w lusterko z fotografią Jeana Marais.

– Czy mogę panią prosić?

– Mie? – podniosła zdumione oczy, wielkie jak śliwki.

– Tak, panią.

– Mie? Pan? Nigdy!

Wreszcie w połowie utworu udało mu się wyprowadzić na parkiet jakąś przerażoną blondyneczkę, stąpającą niepewnie w za dużych, pożyczonych szpilkach.

Nogi niosły same. Mięśnie stóp, bioder, brzucha i rąk zaskoczyły jak automaty, jak uruchomiony po latach, doskonale zakonserwowany mechanizm. Partnerka nie umiała mu sprostać, robiła głupie miny, kręciła się to w jedną, to w drugą stronę i tylko czekała, aż orkiestra skończy.

Fabian taniec miał we krwi od zawsze, jak muzykę. Tańczył też na scenie, w Palais de dance z Wandą, kiedyś w Warszawie nawet z Żabką Nowosielską, długonogą, rewiową gwiazdką, która teraz szoruje podłogi w domu starców gdzieś pod Edynburgiem. „Wielka woda", „wielka woda"! U Łopatowskiego tańczył nawet quick-stepa, grając solo na puzonie w *China Boy*; nikt nie powtórzył tej sztuki. „Taniec jest dla ciała tym, czym swing dla duszy – marzeniem o pięknym człowieku" – zakołatało mu w głowie.

W następnej melodii z trudem rozpoznał *Opus One* Olivera, popisowy numer koncertów Dorseya. Boże jedyny, ależ ten Buddy Rich walił tam po bębnach!

Niespodziewanie wyrosła przed nim ta piegowata, z oczami jak śliwki.

– No to może jednak ja? – rzuciła bezczelnie.

Czuła rytm, czuła krok, była sprężysta i zwinna, zgrali się natychmiast. Wymyślał szaleńcze figury i zwroty, biała falbana wirowała wokół chudych kolan, śmigła ciemnych warkoczy rozcinały powietrze, obcasy biły w deski jak karabin maszynowy. W końcu to oni zaczęli nadawać tempo muzykom, którzy, mokrzy i zziajani, powtarzali te same frazy coraz szybciej i mocniej, jakby byli tłokami rozpędzonej na oślep lokomotywy. Wszyscy inni przestali tańczyć, rozsunęli się, zrobili miejsce i klaskali, nawet wtedy gdy orkiestrze zabrakło już tchu.

– Panie starszy, na słówko można? – chwycił go za ramię jakiś osiłek z podwiniętymi rękawami. – Panie starszy, odpindol się pan od Luchy! Grzecznie proszę, póki co! Wstyd panu nie jest? Wnuczką by mogła być! Bikiniarz-rencista, kurna jego mać!

– Daj spokój, człowieku, to przecież swing! Dureń jesteś! Nic nie wiesz!

Spirytus i rozpalone zmysły działały jak dynamit. Fabian, nie panując już nad sobą, odtrącił gówniarza i wskoczył na podest.

– Panowie, nic więcej nie róbcie, tylko zasuwajcie na dwa! – wrzasnął do basu i perkusji. Nie protestowali, nie zepchnęli go z rampy. Zagrali posłusznie, jak zahipnotyzowani, a on, kołysząc się w monotonnym rytmie, wyjął ustnik trombonu, który zawsze nosił przy sobie; megatonowy, lepiej łapiący "doły", przyłożył do ust i długo, rozwlekle wyciągnął *Karawanę*. Młodzież zawyła. Po drugim refrenie przerwał, rozpiął marynarkę, uniósł ręce i zaczął stepować. Chciał krzyczeć, że to najwyższe wtajemniczenie, że to esencja swingu! Pewnie nic nie było jak trzeba, ani zelówki, ani scena, ani dźwięk – ale nikt nie tańczył; stali, słuchali, bili brawo.

Saksofonista nazywał się Dąbal, kontrabasista Pobijak, bębniarz Krasinkiewicz.

– Z pana to fa-chowiec! – gwizdnął przez zęby pierwszy.
– Albo cyr-kowiec! – syknął drugi.

Trzeci w ogóle się nie odezwał.

Fabian nie mógł ochłonąć, wyszedł ostatni, kiedy szatniarz i kelnerka przepędzili już całe towarzystwo. Od parku Sosnowego, od ogrodu przy Dworku Prezydenta wiało chłodem, porywy wiatru przynosiły szum gałęzi podobny do szumu morza.

Po drugiej stronie ulicy ktoś przechadzał się w ciemności tam i z powrotem. Gdy tylko zobaczył Fabiana w oświetlonych drzwiach, zaraz przebiegł przez jezdnię. Był to Zuppe, zmarznięty i zdenerwowany, cuchnący wódką. Wsunął mu rękę pod mankiet.

– Czy mogę pana odprowadzić? Pięknie pan tańczył z młodymi. Pan tak dla przyjemności czy z nawyku?

– Bo ja wiem... Z nałogu.

– Przepraszam, że tak bezceremonialnie – sumitował się staruszek – ale postanowiłem jak najprędzej, jeszcze dzisiaj, uprzedzić pana o pewnej sprawie zasadniczej wagi.

– Jakiej sprawie?

– Ten Vogt... – Zuppe przełknął ślinę. – Doktor Cyryl Vogt to czciciel Saturna.

Fabian przystanął, szukał czegoś po kieszeniach płaszcza.

– Znaczy co?... Poganin?

– Nie. Pederasta.

– Panie... Zaczekaj pan – odsunął go od siebie. – Cygarko muszę zajarzyć.

– Proszę pana – ciągnął Zuppe – przepraszam za te opowieści dzisiaj u Habertasa, ale ja je nazywam „fabułami probierczymi". Opowiadałem dlatego, żeby pan zauważył reakcję. Pan się śmiał, inni się śmiali, a tylko on jeden poczuwał się do wstydu. Nie ma lepszego sposobu diagnozy! Proszę pana, ja się zajmuję homoseksualizmem w sposób naukowy, od lat prowadzę systematyczne studia, piszę rozprawę o wpływie tego zboczenia na literaturę. Musi pan wiedzieć, że wszyscy polscy pisarze, a zwłaszcza już poeci, są homoseksualistami. Nie w takiej postaci, to w innej.

– Panie Zuppe...

– Wiem, wiem... Zaraz mi pan powie „absurd", „nonsens", „kompletne bzdury". Ale fakty są faktami, potrzeba tylko dowodów, a ja zbieram ich coraz więcej, mam całą kartotekę! Teczka za teczką przybywa, proszę pana, nawet sam nie wiem, kiedy. O, już na miejscu jesteśmy, tu pan przecież mieszka. Hm, Pension Zaświecie! Świetni goście, niektórzy nawet ekstrawaganccy. Stroiłem tu kiedyś fortepian, często przechodziłem, idąc z pociągu do brata. Pamiętam, latem wieszali w ogrodzie chińskie lampiony, takie smoki i krokodyle papierowe. Smoki czerwone, krokodyle żółte.

IV

Wieczorami całe uzdrowisko skrzypiało, trzeszczało, łomotało jak wysłużony żaglowiec, herbaciany kliper szarpany falami oceanu. Wiatr się wzmagał, odsłaniał na chwilę gwiazdy, poruszał konarami kasztanów i brzóz. W starych pensjonatach deski napierały na deski, stukały okna, dzwoniły rynny. Fabian zwykle nie mógł zasnąć, godzinami leżał przy zgaszonej lampie, patrzył na smużki światła pełzające po tapecie. Dotkliwie odczuwał też przez ścianę ponure istnienie szeregu pomieszczeń wypełnionych mrokiem tak zsiadłym, gęstym, że można by nim pastować buty. Gdy przez wybitą szybę wleciał jakiś ptak i tłukł się gdzieś o sufit albo po korytarzu buszowały bezdomne dachowce, był przekonany, że słyszy najgorsze, najbzdurniejsze, najbardziej ohydne myśli mieszkających tu kiedyś ludzi, uwolnione pod ciśnieniem czasu, wypłukane przez wielką wodę i teraz ze wszystkich stron dobijające się do jego głowy jak ogłupiałe krople rtęci. Srebrzyste, rozbiegane, trujące robaczki, jeden przez drugiego wrzeszczące cienko: „Jesteśmy prze! Jesteśmy prze!".

Każdej nocy nie mógł się doczekać poranka i kawy. Gdy tylko za przegniłą balustradką tarasu zaczynało szarzeć, zrywał się z piaskiem pod powiekami, prędko mył twarz zimną wodą i zbiegał na dół.

Odprowadzał Wandę do gabinetu w Łazienkach nr 3, a potem, zgarniając ciekawskie spojrzenia, z postawionym kołnierzem, baskijką nasuniętą na oczy i wielkim jak torpeda cygarem w gębie włóczył się po kurorcie, często kilka razy przemierzając tam i z powrotem tę samą ulicę.

Obchodził naokoło zamknięty budynek teatru, gdzie jeszcze powiewały z gabloty resztki afisza *Ich czworo* Zapolskiej, pamiątka po skończonym sezonie. Oglądał przygarbione wille i pensjonaty z wieżyczkami, opuszczone, zapuszczone, podobne do Zaświecia Bayerowej, patrzył na nowe bloczyska sanatoriów, od których o tej porze niósł się szczęk talerzy i swąd przypalonego mleka. Obojętnie odczytywał nazwy. Układały się w długi ciąg: Janówka, Ormuz, Home, Pionier, Młoda Gwardia, Janek Krasicki, stare i nowe, czynne i nieczynne, burżuazyjne i socjalistyczne, wszystko jedno. Napotkał też dwa place budowy; na pierwszym akurat nikt nie pracował, na drugim bulwiaste, ublocone postacie wykłócały się o coś zajadle, paląc papierosy i spluwając do dołu z wapnem.

– Jo go żem nie widzioł! Ale stary Janke widzioł, Wróblewska widziała i Kalinowska, i Drużbakowa, i Siejka! – upierał się czerstwy, z rozwianymi sznurkami przy uszance. – Z rana albo nad wieczorem lota, płoty obala, babie na "białych domach" ściągnął pościel ze sznura! Na wygląd normalny jest, jak to diabeł, rogi ma, kopyta, ludzie gadają, że siarką, ale naprawdę to gównem zajeżdża. Jak Boga kocham! Wojna będzie, kurwa mać!

– Głupoty pieprzysz, zaboboniarzu jeden! – darł się inny, młodszy. – Jaki diabeł? Dzie diabeł? Diabła księża wymyślili, żeby forchę od ludzi wyciągać! Toć to zboczeniec grasuje! Ma jesionkę wojskową do ziemi, pod nią jeno buty i skarpety, a tak cały goły. Jak kobita podchodzi, to on sru! – zza drzewa, rozpięty, poły na boki i fifrakiem wywija, którego ma jak taką cienką faję, z cybuchem na końcu, do tego jajeczka malutkie, czerwone jak rzodkiewki. Irka, ta, co wagony sprząta, mi mówiła. Szła, on do niej, pokazuje, a ona w śmich, że takiego farfocla jeszcze nie widziała! To się tak zawstydził, że zara zwiał!

Nagle wszyscy zamilkli i spojrzeli na Fabiana, który nasłuchiwał zza ogrodzenia, szczególnie na jego długi, nieprzemakalny płaszcz. Odwrócił się zmieszany i prędko odszedł.

Dotarł też do targowiska, gdzie furmanka przy furmance, niektóre kanciaste jak niemieckie, inne jakby ze Wschodu, z kabłąkiem nad końskim karkiem, na okutych obręczą kołach. Sprzedawano uwalaną ziemią marchew, osełki masła i biały ser oraz kury, wedle życzenia od ręki mordowane zakrwawioną siekierką na kawałku podkładu kolejowego obok zawsze zajętej, sterczącej wśród kałuż drewnianej ubikacji. Z megafonu na słupie rżnął akordeon, a ludowy chórek zawodził piskliwie:

A to prosie osrało-sie,
A ta gęś – kuprem trzęś!

Zaglądał do targowej knajpy pod niewymyślnym szyldem Pijalnia, ale ani razu nie odważył się wejść. Spacerował także wzdłuż tężni. Właściwie bez sensu, bo akurat zdejmowano tarninę, z której paruje lecznicza solanka. Pierwsza z tych dziwacznych budowli świeciła gołymi belkami i wyglądała jak szkielet monstrualnego wieloryba wyrzucony na brzeg.

Czuł się podobnie.

Nie było to uczucie ani złe, ani bolesne.

Nigdzie nie znalazł cukierni. Natknął się jednak na lokal o nazwie Bar Mleczny z wypisaną na pasku brystolu reklamą: „Specjalność zakładu – bułka z masłem". Kiedy zmęczył się już łażeniem, właśnie tam zasiadał w kącie nad kubkiem bardzo słodkiego kakao, usiłując czytać tygodniki i gazety. Tygodniki pisały o rzeczach błahych albo kompletnie dla niego niezrozumiałych, gazety, mimo jego najlepszych chęci, zupełnie nie dawały się czytać, więc jak detektyw z przedwojennego kryminału spoza rozpostartych płacht „Trybuny Ludu" bądź „Toruńskiej" śledził ludzi wewnątrz baru i za szybą, na ulicy.

Nie wiedział – silić się na refleksję czy jeszcze nie? Czy jakikolwiek jego punkt widzenia w ogóle tutaj do czegoś przystaje? Wreszcie – czy ma do niego prawo? On – który czasem, zwłaszcza nad ranem, myślał sobie, że jest jak szczypas w tyłek nowej polskiej rzeczywistości?

Zauważył też, że znikły z ulic pewne typy ludzkie, na przykład otulone futrami eleganatki, pewnie podążające naprzód wystudiowanym do najdrobniejszego szczegółu kroczkiem albo mężczyźni o skupionych, ściągniętych rysach i władczym spojrzeniu, stanowczy, mówiący do przesady gramatycznie. Znikli też ludzie pokorni i ufni, skromnisie, poczciwcy, prostaczkowie boży, na których widok kiedyś zgrzytał zębami. Tłum pędził przed siebie, niosąc jednakowe, blaszane twarze, nabzdyczone, zaciśnięte, z obłoczkami pary, bez przerwy w stadium najwyższej mobilizacji – żeby w każdej chwili gryźć, kopać, walić między oczy. Wystarczy drobna oznaka zniecierpliwienia, nie takie słowo gdzieś wypowiedziane, pytanie nie tak postawione, a już pięści zbite w supły, gęby nabierają powietrza, oczy miotają ołowiane gromy, na językach wszystkie plugastwa Matki Ziemi. Kolory straciły wyrazistość – czerwień była albo wyblakła, albo brudna, czerń – nigdy głęboka, zawsze jakby przysypana pyłem, zieleń podbiegała ciemnymi plamami i nie wiadomo czemu kojarzyła się ze starością. Inaczej niż przed wielką wodą, w ulicznym tłumie nie pojawiali się nędzarze. Nędza nie wyłaziła z przedmieść, nie wyglądała z suteren, nie jęczała pod kościołem, budząc litość i niesmak. Ten świat cały, od początku do końca, był nędzny. Jak gdyby wymiętoszony, swędzący, niedomyty, poobwiązywany. Nędza pełzała w gazetowych tytułach, wraz z trupami much z minionego lata oblepiała wystawy sklepów, wiła gniazda pod kapeluszami, pilotkami, beretami ludzi rozchodzących się z wieczornych pociągów. Obsesyjnie dostrzegał ją w każdym głupawym uśmiechu, w psim pysku waluciarza, któremu sprzedawał funty, rzuconym głośno przekleństwie, strzyknięciu żółtej śliny na płytki chodnika, słyszał w każdej piosence puszczanej przez radio.

A może był zaślepiony? Może mu się tylko wydawało? Jak nazwać stan, w którym człowiek wie, co mówi, ale nie wie, co myśli?

Kiedy bardzo chciał zobaczyć coś innego, przykładał do oka soczewkę Edzia. Ale widział tylko spękaną skorupę, jakby pumeks, skamieniały popiół, obraz księżycowego krateru z ilustracji do powieści Verne'a.

Codziennie około drugiej po południu zaskoczony spostrzegał, że osobliwym zbiegiem okoliczności znajduje się akurat w pobliżu jadłodajni Współczesna. Po krótkiej walce ze sobą stwierdzał, że przecież nie wypada nie wstąpić. Już za trzecim razem czuł się rozpoznawany i zadomowiony. Kelner Ostaszewski na jego widok krzywił swoją kwaśną facjatę i z miną rewolucjonisty walił pełnymi talerzami o obrus tak, żeby koniecznie choć trochę rozlać, utytłać, ufajdać. Niezdarny, gamoniowaty Cuber roznosił szczawiówkę, ogórkową, jakieś tłuste ochłapy z kartoflami, i widząc Fabiana, z wyrzutem wybałuszał na niego małe, załzawione oczka, jak człowiek, którego siłą zmusza się do czegoś, na co nie zasłużył. Zawsze też spotykał w jadłodajni umundurowanego Stypę, przychodził Zuppe, czasem Vogt. Lądowali przy stole dla "swoich", Fabian zjadał, co mu na ucho polecił Habertas, wypijał dwie "pięćdziesiątki" pod szklankę "krystynki" i dzwonko śledzia w oleju z cebulką.

Prawie nie rozmawiali o swingu. Stypa nie robił tajemnicy ze swoich milicyjnych spraw. Otwierał raportówkę, wyciągał donosy, całe ich wachlarze rozkładał między popielniczką, łyżkami i kubkami z niebieskim szlaczkiem, a potem odczytywał uroczyście i głośno. Na doktora Jędrysza, ortopedę, że od miesiąca stoi u niego komplet nowych mebli politurowanych, ciemny orzech, niewiadomego pochodzenia. Na starą Zagumienną, że kradnie śmietanę z przedszkola i wozi księdzu do Aleksandrowa. Na niejakiego Lipkę, kierownika Referatu Budowlanego, że kupił sobie telewizor siedemnastocalowy radziecki, ponadto ma kochanicę w Brześciu Kujawskim, z tą kochanicą jeździł na wczasy orbisowskie do Bułgarii, a jego ojciec to przedwojenny oficer śledczy, szczęściem nieżyjący; przy tym wszystkim ta kanalia należy do partii. Na Wandę też się znalazło – sprzedaje srebro do plomb prywaciarzowi z Torunia, a ludziom w zęby pakuje opiłki stalowe od ślusarza Bańkowskiego, poza tym pije alkohol, co nieraz wyczuwają pacjenci.

Zuppe zazwyczaj siedział milczący i zgnębiony, z widocznymi na czole śladami wielkiego wysiłku umysłowego, ożywiał się tylko w obecności Vogta. Odkładał nóż i widelec, siorbał kompot, spoglądał w sufit, potem toczył wzrokiem po współbiesiadnikach i wypalał:

– A wiecie panowie, że Mickiewicz był pedałem?

Zaraz zawieszał głos, czekał efektu, badał reakcję doktora i Fabiana, sposobił ostrza argumentów.

– Panie Zuppe... – jęczał Vogt. – Na szczęście to nie ja będę stawiał panu diagnozę. Nie moja specjalność.

Zuppe prychał tylko sarkastycznie, sięgał do kieszonki smokinga, nakładał okulary, chrząkał i zaczynał czytać, a właściwie deklamować z tekturowej fiszki:

Ja w mej chacie spać nie mogę,
Chcę u ciebie spać, kolego,
Moje okna są na drogę,
A po drodze poczty biegą.

A gdy w nocy trąbka dzwoni,
Tak mi mocno serce skacze,
Myślę, że trąbią do koni,
I potem aż do dnia płaczę.

Dania mięsne Habertasa stanęły wszystkim w przełykach. – No i co? – zapytał Zuppe retorycznie po chwili ciszy, z uśmieszkiem odkrywcy-demaskatora. – Jak panowie sądzą, co to znaczy: „trąbka w nocy dzwoni"? No? No? Przecież jasne – ohydne obscena płciowe. Nie rozumie, kto nie chce rozumieć. I czemu raptem – „do kolegi spać", zwłaszcza akurat wtedy, jak „dzwoni"? Przecież okna na drogę wychodzą, drogą ułani kłusują, powstanie trwa. No, ale dzwoni, dzwoni ta trąbka cholerna, serce skacze, spać nie można, o ojczyźnie myśleć nie można, o poezji też nie, no bo w nocy, szczególnie w nocy, to dopiero dzwoni, aj, dzwoni, dzwoni! I jeszcze ten „koń"! Samo słowo „koń", jak ono w tym zestawieniu pornograficznie brzmi! Aż mdło się robi. Kuoń, kuoń, kooń, kooń! Kuń!!! – drażnił się sam ze sobą, mlaskał, wydymał wargi. – A u kolegi ni du du! Cisza, drzwi na trzy kietki zamknięte, kołkiem podparte. No więc, co zostaje? Płacz aż do dnia zostaje. Tak! Znamienne! Wbrew pozorom nic tu szczególnego nie ma. Nawet nie zniewieściałość, ale zwyczajne romantyczne mazgajstwo pederastyczne i tyle, histeria odrzuconego kochanka.

– Panie kochany – pierwszy ocknął się Stypa – ja gimnazjum w Warszawie skończyłem, miałem nauczyciela komunistę, co tylko szydził, świętości szargał, brudy wyciągał; wszystko pamiętam. Przecież Wieszcz to raczej kobieciarz był! Zęby zepsute miał, zgniłym od niego jechało, ale żeby zaraz do mężczyzn?... Przecież Maryla, Kowalska doktorowa, jakaś tam hrabina z Poznańskiego!...

– Legendy, legendy, legendy! – ripostował zadowolony Zuppe, skrzętnie zbierając widelcem grudki ziemniaków i taplając je w resztkach sosu – Nigdzie, w żadnej szkolnej czytance nie znajdziesz pan tego wiersza. „Brązownicy" ukryli! Rączka rączkę myje. W tym wypadku zgadzam się z Boyem, choć to wyjątkowy błazen, libertyn i, co tu dużo gadać, tak samo kryptopederasta!

Po takich zapasach intelektualnych Fabian najczęściej żegnał się pośpiesznie i rozgrzany wódką pędził do Kameralnej albo do Miłej, gdzie na przemian odbywały się fajfy. W obydwu miejscach grywali Dąbal, Pobijak i Krasinkiewicz. Z nikim nie nawiązywał tam znajomości, nikomu się nie przedstawiał. Tańczył. Mógł tańczyć przez kilka godzin bez przerwy. Dziewczyny już nie chichotały na jego widok, ich kawalerowie pod krawatami na gumkach dali mu spokój, uznając, że jest nieszkodliwym starym wariatem. Prosił tylko takie, które umiały dorównać mu na parkiecie, był wybredny i bezwzględny. Potrafił w połowie rumby czy slow-foksa niecierpliwie machnąć ręką i odstawić panienkę pod ścianę. Mimo to żadna nie odmawiała, a te najbardziej pewne siebie same pchały się do niego przed każdym tańcem. Czasem, w lepszym humorze, mówił im, jak powinny się poruszać, w jakim kolorze im do twarzy, co mają ładnego, co mogłyby uwydatnić. Piegowata, wielkooka Luśka, najzdolniejsza, przychodziła niemal co wieczór i próbowała go zagadywać. Przez skowyt saksofonu Dąbala przebijało coś tam, że w domu nudno, że technikum spożywcze, dojazdy, wstawanie o wpół do szóstej, że się zabije, jeżeli będzie musiała tak całymi dniami zaiwaniać w zakładach mięsnych albo fabryce pierników. Zbywał to, pokazywał, jak najlepiej stawiać nogi, pracować czubkami palców, robić zwroty, trzymać głowę i ręce. Raz, rozpalona, uwiesiła mu się na szyi, musnęła policzkiem, napierała twardymi piersiami. Odsunął ją szorstko:

– Co ty sobie wyobrażasz, zabieraj mi te brykiety! Miętosić to się będziesz pod pierzyną z absztyfikantem! To jest taniec, rozumiesz? Tańczyć to znaczy rozpływać się w pięknie! I brać z tego rozkosz! Jak z morskiej wody w upał! Z tego! Z muzyki! Z gracji! Nie z macanek!

Łypnęła zimno brązowymi oczyskami.

– Pan to by tylko tańczył i grał. A kiedy pan żyje, do cholery? Czy pan normalnie śpi, je kaszankę, do ustępu chodzi?

– Normalne życie – złapał ją za rękę – jest tam! – wskazał ciemne okno zalane strugami deszczu, osrebrzone na chwilę światłami przejeżdżającego samochodu. – A piękno tu! – skinął głową na splecione pary, scenę i cienie muzyków desperacko zmagających się z *Serenade In Blue*.

– Wdechowo pan tańczy, ale głupio pan nawija!

Wykonał miękki półobrót, nabrał powietrza i zupełnie spontanicznie wywalił na nią jęzor. Bezwstydny, czerwony, wilgotny, lśniący w blaskach kolorowych żarówek.

– Ale z pana świnia! No, przepraszam... Chciałam tylko, że ten... No, że w ogóle pana nie rozumiem.

– Nie musisz! Guzik mnie obchodzisz! Nic mnie nie interesujesz! Tylko wtedy, jak grają!

Któregoś razu zabrał ze sobą instrument i ku osłupieniu zespołu wskoczył na podest. Wiedział, że będzie jeszcze śmieszniejszy niż do tej pory, ale nie wytrzymał. Kiedy długo nie wzbudzał podziwu, kiedy długo nikt go nie słuchał, nie bił brawa, odczuwał dręczący, prawie seksualny ucisk w okolicach podbrzusza. Jakiś eter, który rośnie, oblepia serce, rozpiera od środka żebra, atakuje mózg. Który trzeba uwolnić – i być szczęśliwym.

Ruch zamarł, muzyka ucichła, wszyscy stali w miejscu i przyglądali się rytuałowi. Najbardziej zainteresowała ich butelka bowmore islay, nigdy nie widzieli.

– E! Ojciec! Nie szkoda ci takiej ekstrawódy?! – wrzeszczał ktoś z ciemnego kąta, kiedy Fabian długo i dokładnie przecierał ustnik flanelką zmoczoną whisky. – Zwykła karbidówa nie poplaży? Toć prądu więcej! Mam połówkę, zamienim się?

– Ale po co w ogóle pan to robi? – oburzała się mała wąsata brunetka o imieniu Iwa.

– Dla smaku. Wyłącznie dla smaku! – odpowiedział, unosząc puzon. Strzelił palcami i krzyknął do zespołu: – Panowie! Byle co, proszę bardzo!

Posłuchali bez sprzeciwu, tylko Krasinkiewicz za bębnem postukał się pałeczką w czoło.

Fabian paroma tupnięciami i wariackimi kuksańcami w powietrze narzucił rytm kontrabasiście i perkusji, jak zwykle spróbował butem gruntu, a potem zaczął grać *Bei mir bist du schoen*, melodię starej piosenki, która w ostatniej chwili przyplątała mu się nie wiadomo skąd. Dawno temu Martha Tilton śpiewała ją z bandem Goodmana.

Szło trochę jak jazda na tępych łyżwach po źle wylanym lodzie. Dąbal stał obok z saksofonem i nie wiedząc, co robić, kiwał się do przodu i do tyłu. Zaraz jednak wszedł nieśmiało, trochę za wysoko, ale inteligentnie, aż Fabian mrugnął z aprobatą znad wydętych policzków. W półmroku huczała rozmowa dwóch głosów, tony wzbierały i gasły, jakby dwie szybkie serpentyny, złota i srebrzysta, migotały nad głowami tańczących. Jednym tchem, bez przerw, przeszli do *American Patrol*, potem do szlagierów – *Chattanooga Choo Choo* i w finale – do szykownego *In the Mood* Razafa–Garlanda.

– Jeszcze! Jeszcze! – ryczała sala.

Wreszcie zdyszany zeskoczył z rampy.

Przy stoliku, gdzie zostawił futerał, siedziała śliczna kobieta. Czarnowłosa, młoda, ale dużo starsza od smarkul hasających po parkiecie. Nie widział jej tu przedtem.

– *Not because of your concert, mister-beaster!* – zaczęła pokracznie, twardo i ciągnęła dalej polską angielszczyzną wyuczoną z książek, świszczącą i szeleszczącą: – Pan przyjechał z Anglii?

– A skąd pani wie?

– Wszyscy wiedzą. Nie zna pan małych miasteczek?

Trio dla wytchnienia zagrało jakiś wymyślony na poczekaniu, liryczny temat bluesowy. Poprosił ją do tańca, ręce miała zimne, spocone.

– Czy my po polsku nie możemy rozmawiać?

– Właśnie nie. Właśnie dlatego chciałam pana poznać, żeby rozmawiać po angielsku. Tylko dlatego. Wyłącznie dlatego, mister-leaster! – spojrzała groźnie. – Uczę angielskiego, tu niedaleko. Strasznie ciężko o kontakt z żywym językiem, a jeszcze w małej miejscowości...

– Co tam za żywy język! Gadałem tyle, co musiałem, i już.

– A ja? Jak ja mówię? Jak pan ocenia?

– A bo ja wiem? Anglik pewno by się zdziwił, że tak też można. Zresztą, tam i tak każdy gada inaczej.

Po kilku krokach wiedział, że ona tańczy znakomicie. Odpowiadała na każdy ruch, gest, obrót. Robiła wrażenie. Pod dotykiem dłoni, w zwarciu ramion Fabian czuł nareszcie ciało prawdziwej kobiety, a nie patyki i wiechetki młodych dziewczyn. Miękkie, ale mocne, pewne swojej wyższości, pewne swojej przewagi, z namiętnością nielękającą się przebudzenia.

Na koniec wyciągnęła rękę.

– Modesta – wypowiedziała dziwne imię.

– No dobrze, a dalej?

– Dalej nie, master-plaster. Teraz idę do domu.

Odwróciła się gwałtownie i bez słowa zostawiła go zbaraniałego na środku sali.

Następnego dnia we Współczesnej Stypa ostrożnie zapytał, czy nie zagraliby razem przed publicznością.

– Będzie bal noworoczny lekarzy, w holu Łazienek czwartych, bardzo niebanalnym miejscu – wyduszał z trudem, kręcąc w palcach guzik munduru. – Tylko parę numerów, ze dwa, trzy, całość i tak obsługują kotleciarze z Bydgoszczy. Wie pan, całe lata mi takie coś chodziło po głowie, zapalałem się, potem zaraz wydawało się bez sensu, śmieszne, błazeńskie, i tak w kółko. Pan mi dodał odwagi. Dla mnie byłoby to pierwszy raz od piętnastu lat. Może apopleksji dostanę ze strachu, ale chcę. Trudno.

Fabian zgodził się bez wahania. Nie siedzieli dłużej, wypili po dwie wiśniówki i poszli do Zaświecia dokładnie obejrzeć pianino Bayerowej.

– Gdzie pan tak dmuchał te piętnaście lat temu? Za granicę pan jeździł? – pytał Fabian, zwalając z instrumentu szmaty i krztusząc się kurzem.

– W Warszawie.

– Przecież piętnaście lat temu to czterdziesty drugi, okupacja.

– Co z tego? To tylko teraz uczą dzieci, że każdy wtedy latał z gazetkami, do żandarmów strzelał spod kapoty albo pociągi wysadzał. Jeszcze dziesięć, dwadzieścia lat i naród uwierzy. A tu owszem, były dobre lokale. Ekskluzywny dancing, prawdziwy szampan, ruletka dyskretnie, za kotarą. Balet, girlsy do towarzystwa. Tego wszystkiego Niemcy ze sobą nie przywieźli ani nie nakazali, z nieba nie spadło. Można było zarobić, niejeden nie chciałby żyć w innych czasach. Niektórzy i dzisiaj, tu, w tym kraju, jeszcze świetnie z tamtego żyją. Nigdy by pan nie pomyślał, co? Panie, czego ja wtedy nie widziałem! Nikomu nie mówię i nie będę mówił, bo to od razu kryminał albo i gorzej. Różne szyszki z podziemia – po nazwisku mógłbym – przy chablis i ostrygach z gestapowcami, bohaterów narodowych handlujących kokainą, wiszącego na łańcuchu Oberführera SS – zboczeńca, którego dwie gołe polskie kurwy okładały nahajami i wpychały w tyłek zapaloną świeczkę, aż rzęził z rozkoszy. Ponoć jakiś akowiec fotografował to przez specjalną dziurę w suficie, potem go złapali i zabili. Ale mnie nic nie obchodziło. Na przekór wszystkiemu, nawet samemu sobie, stałem na obitym pluszem podium i grałem na trąbce, cały w czerwonym świetle jak we krwi, a goście tańczyli, byli przymilni, uprzejmi, czasem przybiegali stuknąć się kieliszkiem.

W pianinie brakowało jednej struny, należało wymienić kilka kołków, porządnie wyczyścić bebechy. Fabian wyrzucił z dna pudła zdechłą mysz, skorupy po zielonym wazoniku i zbutwiałą podstawkę od niemieckiego piwa Spaten. Myśląc jednak o jakimkolwiek użytku, trzeba było instrument przede wszystkim nastroić, stroiciela nie oglądał od ćwierćwiecza. Stypa powiedział, że mógłby się tym zająć Zuppe. Kiedyś, gdy w kurorcie trzymano po pensjonatach fortepiany i pianina, dorabiał w taki sposób. Ma jeszcze przybory i oryginalnie zapakowane przedwojenne struny, bo teraz trzeba zamawiać w sklepie na specjalną legitymację i czekać pół roku.

Zuppe dał się uprosić, przyszedł już nazajutrz rano, przyniósł walizkę pełną śrubek, haczyków, zapasowych młoteczków i drewnianych oraz metalowych kluczy. Rozejrzał się po obskurnym wnętrzu.

– Wzywali mnie tu kiedyś, ale nie bardzo mogę poznać. Był też fortepian, dobry, koncertowy, chyba skądś wypożyczali. Jakiś wielki artysta miał tu akurat recital, nie pamiętam kto. Paderewski na pewno nie.

Nic więcej nie powiedziawszy, odpiął muszkę, zdjął smoking, potem spodnie. Stojąc przez chwilę w przykrótkich kalesonach, ściśniętych podwiązkami do skarpet, wymownie spojrzał na Fabiana i wciągnął na siebie wyjęty z walizki szary kombinezon.

– A teraz idź pan stąd. Muszę mieć czyste ucho.

Po trzech godzinach Fabian zastał go wielce zdegustowanego, zacierającego ręce z zimna nad otwartym pudłem. Rozlał whisky, Zuppe łyknął z przyjemnością, odkaszlnął, łyknął jeszcze raz.

– No, Schumanna to pan na tym nie stukaj. Z grobu wyfrunie, przyleci i napluje panu za kołnierz.

– Będziemy grać taneczny jazz.

– Filce sparciałe, długo nie potrzymają tonu, choćbym nie wiem jak nakręcił. O, niech pan posłucha! – wziął kilka akordów w moll i w dur. – Zresztą, cholera tam, niech nie trzymają, wsio rawno, każda muzyka, jazz nie jazz, to i tak tylko zwyczajna hucpa i kuglarstwo, nic więcej.

– Co pan powiedział?

– Mówię, co wiem, proszę pana. Siedemdziesiąt lat się tym zajmowałem. Rodzice chcieli mieć Mozarta. Inni pamiętają z dzieciństwa konie na biegunach i babki z piasku, ja pamiętam solfeże. Co to za wielka sztuka, proszę pana, że jeden hochsztapler ułoży parę dźwięków w jakiejś tam kolejności, a drugi publicznie je odstuka, oddmucha albo odskubie tak, jak ma napisane na kartce? Zgadzam się, gawiedź spazmuje, bije brawo, bo trzeba do tego trochę wprawy i sprytu, jak do połykania ognia, ale do czego, proszę pana, nie trzeba na tym świecie wprawy i sprytu? Nawet do karmienia świń trzeba. Muzyka to nie jest sztuka.

– To co w takim razie jest sztuką? – pytał oszołomiony Fabian.

– Szycie ubrań, proszę pana.

Opustoszały od lat, pokryty pajęczynami hol Zaświecia stał się więc salą prób. Codziennie Fabian palił tam w dymiącym piecu, a wczesnym popołudniem, prosto ze Współczesnej przychodzili Stypa i Vogt. Doktor od młodości grywał na klarnecie, jak mówił – sam dla siebie. Był całkowitym amatorem, nigdy przedtem nie przyszło mu do głowy, żeby występować przed kimkolwiek. Fabian zdziwił się, kiedy za drugim czy trzecim razem ujrzał w ich towarzystwie kierownika Habertasa z futerałem saksofonu altowego. On również grał, teraz dopiero można było zrozumieć rację osobnego stolika i przyczynę względów dla wybranych gości jadłodajni. Muzyków przybywało zresztą z dnia na dzień.

Vogt przyprowadził dwóch puzonistów ciechocińskiej Orkiestry Zdrojowej Karpeckiego, Habertas jakiegoś młodego człowieka w kolejowym mundurze, który dopiero uczył się grać na trąbce. Inni przychodzili sami, na przykład gruby i łysy saksofonista Zagaj, zwany „Soprano", kierownik ogniska muzycznego. Ponieważ zbliżał się adwent i kawiarnie przestały urządzać fajfy, naturalną koleją rzeczy dołączyło trio Dąbal, Pobijak, Krasinkiewicz, przywiózłszy pewnego dnia dorożką bębny i kontrabas. Fabian nie wierzył własnym oczom, było jak na filmie z Fredem Astaire'em – naokoło sami artyści, wystarczyło kiwnąć palcem i wyłazili z każdej dziury, w jednej chwili tworzył się skład jazzowego big-bandu.

Choćby dlatego, że wszyscy niesłusznie uznawali go tu za gospodarza, zaczął kierować powstającą orkiestrą. Długo i mozolnie dobierał repertuar, kilkakrotnie zmieniając utwory, jakby nie chodziło o jeden występ, ale o całe tournée koncertowe. Dwoił się i troił, wieczorami odtwarzał z pamięci melodie, aranżował po swojemu, nocami rozpisywał nuty. Codziennie musiał też obłaskawiać Bayerową. Przywiezione zapasy whisky już się prawie skończyły, dlatego w porze transmitowania przez radio hejnału mariackiego pędził na górę z butelką wyborowej albo jarzębiaku i paczką żeglarzy, bo ani playersów, ani luksusowych belwederów z rysunkiem kominka premiera Cyrankiewicza wewnątrz pudełka Bayerowa nie chciała palić. Raz ocknęła się, zeszła na półpiętro i zatkawszy uszy, przerwała swoim basem kakofonię strojonych akurat instrumentów:

– Ja jestem wredny babsztyl, każdemu, kurwa jedna, zawsze kurewsko przygadam. Ale jak pana widzę, panie Vogt, to już nic nie mam do dodania!

Vogt zaczerwienił się, udawał, że nie słyszy, chrząknął, zaczął oglądać swój klarnet pod światło i ścierać chusteczką niewidzialny brud.

Próby szły opornie, Fabian nieraz trząsł się z wściekłości, ale nie dawał tego po sobie poznać.

– Panie Bandurek! – pokrzykiwał do puzonisty, który uciekał z tonacji – za takie coś u Dorseya przez trzy dni nie dostałbyś pan ani daniel'sa ani nawet kentucky gold, tylko najtańsze wińsko meksykańskie musiałbyś pan żłopać, od którego gęba zwija się w rogala!

Nie można było znaleźć pianisty. Co prawda, każdy po kolei mógł od biedy wchodzić w tę rolę, ale Fabian nie chciał zubożyć zespołu. Stypa zaproponował więc, żeby zagrał Zuppe. Habertas od razu zaniósł się swoim kocim chichotem:

– Zuppe przy pianinie! To jak krowa za szynkwasem!

Na starcu propozycja nie zrobiła jednak najmniejszego wrażenia.

– Proszę pana – przygładził resztki siwych kłaków na skroniach – ja mogę zagrać wszystko i na wszystkim. To nie ma żadnego znaczenia co. Proszę mi dać taką gitarę włączaną do prądu, to zagram rock and rolla. Abym tylko miał partyturę. I widoki na jakieś wynagrodzenie.

Fabian zaczął od końca, tak jak to robił dawno temu Theo Langerfeld w Palais de danse. To znaczy do znudzenia, całymi godzinami szlifował finał programu. Ostatni numer, po którym powinny pozostać upojenie i zachwyt, przebój nad przeboje, siódme niebo swingu – *Moonlight Serenade*.

– Słyszeliście, panowie, jaka jest tajemnica brzmienia Glenna Millera? – pytał muzyków, którzy rozsiedli się półkolem na kulawych krzesłach, skrzynkach, odwróconych donicach. – Panie Vogt! Panie Dąbal! Klarnet i saksofon tenorowy grają te same nuty, ale zawsze z interwałem oktawy! Macie to zapisane. I musi brzmieć jak gęsty, gorący karmel, jak twarde, świeże, perfekcyjnie sztywne bezowe ciasto, kiedy wbijacie w nie zęby!

Ani słowem nie wspomniała mu o bólu. Miała dni lepsze i gorsze. Niekiedy ból zamierał, przysypiał na dłużej gdzieś w ciepłych jamach ciała, pozwalając na odprężenie, nawet dobry humor. Takie chwile nazywała sama dla siebie „przerwą w odbywaniu kary". Coraz częściej jednak wracał znienacka, w najgłupszej sytuacji, gdy dłubała zgłębnikiem w zębie pacjenta albo zaczynała rozmawiać ze spotkaną przypadkiem znajomą. Wtedy nagle szarzała jej twarz, zostawiała przerażonego delikwenta w fotelu, zdębiałą rozmówczynię na środku trotuaru i plotąc jakieś słowa bez związku, uciekała dokądkolwiek, żeby się zamknąć, przeleżeć atak. Ludzie opowiadali sobie po cichu, że jej odbiło, że zrobiła się nie do zniesienia, napastliwa i wulgarna. Coraz mniej miejscowych przychodziło na wizyty.

Powrót Fabiana niewiele zmienił w jej życiu. Odnosiła wrażenie, że znudziła mu się już po kilku pierwszych dniach. Wstawał wcześnie, niedomyty i rozespany przychodził na śniadanie, potem odprowadzał ją do pracy i znikał gdzieś w mieście. Przegadali raptem dwa wieczory, następne spędzała tak samo jak przedtem, przy radiu, coraz częściej odurzona zastrzykami. Dawał jej mnóstwo pieniędzy. Nie chciała brać, ale siłą wciskał całe garście stuzłotówek i pięćsetek. Namawiał, żeby wydawała na nowe buty, futra i torebki, żeby kupowała ciężkie sowieckie złoto o czerwonawym połysku.

Brat, taka namiastka mężczyzny w życiu.

Wystarczy.

Tak chyba najlepiej.

Nie znosiła przeszłości, bliższej ani dalszej, ale zwłaszcza podczas ataku, gdy skulona czekała, aż pyralgina zacznie działać, katowała się myślami o swoich niedawnych łapczywych kochankach, jakby jeden ból mógł być ujściem dla innego. Rokicki z Inowrocławia, niby inżynier, przemądrzały, nachalny i uciążliwy, choć przystojny; Drabikowa zaraz szeptała: alimenciarz. Kiedy zażądał pożyczki, trzech tysięcy, odliczyła banknoty natychmiast, z ulgą, słusznie przewidując, że więcej się nie pojawi. Jeszcze Obolewicz, pięć lat młodszy – kompletna pomyłka – drobny geszefciarz bazarowy: dewocjonalia, lizaki, korkowce. Najpierw zadomowił się u niej, składał towar, a potem wpadał tylko raz na tydzień zaspokoić potrzebę erotyczną, zresztą niewielką. Potrzeby kobiety są nieporównywalne. Ogromne, niesprecyzowane nadzieje, które wpychają w uległość, każą się poddawać, robić rzeczy najpodlejsze i najgłupsze, znosić upokorzenia – tylko po to, żeby na końcu zawsze przegrać.

Fabian nie zachwycał sobą, raczej przynosił wstyd. Miała do niego pretensje, o których jeszcze bała się powiedzieć głośno. Nie wyglądał na zbulwersowanego tym, co zastał i zobaczył w kraju, nie był też wcale przybity ani zagubiony. Przeciwnie, zaistniał w kurorcie od razu, od razu też zaczęto o nim plotkować i pokazywać palcami. Andersowiec – dziwak, paradujący z cygarem w gębie, co to po pijanemu odtrąbił hejnał mariacki z balkonu! Drabikowa donosiła usłużnie, że pije z dzielnicowym, a potem włóczy się po młodzieżowych fajfach, obtańcowuje nieletnie uczennice, robi z siebie błazna, skacze po scenie, przeszkadza zespołowi muzycznemu i wyprawia brewerie.

Najgorsze, że zaczął sprowadzać do cudzego domu całą menażerię dziwolągów. Jacyś chuligani, uczniowie obszczymurki, Habertas śmierdzący przypalonym tłuszczem, ten obrzydliwy milicjant wielkolud, bohater napisów na murach „Stypa – grypa, Stypa – pipa", na dodatek jeszcze niedołęga Vogt, no i Zuppe, stuknięty dziadek ubrany jak do trumny, za którym całe uzdrowisko ogląda się na ulicy. Fabian regularnie upija Bayerową, nosi jej wódkę, a potem urządza próby orkiestry, aż szyby dygocą. Całe szczęście, że krzaki, ogród i nie tak bardzo słychać naokoło.

Z tygodnia na tydzień odkładała badania u doktora Garfinkla, a kiedy w okolicach sanatorium Pionier, dawnego Wersalu, gdzie przyjmował, widziała z daleka tego pomnikowego starca, szybko przechodziła na drugą stronę. Co lepsze? Złudzenia, niepewność czy solidna prawda, poparta „pasażem jelit" i holecystografią, a za nią rutynowa droga – operacje, łóżko, szpital, z którego się nie wraca? Co mocniej trzyma przy życiu, co naprawdę pomaga wierzyć, co uczłowiecza? Była lekarzem, ale im cięższy atak, im bardziej doskwierający ból, tym mniej miała wątpliwości – co.

Zdrzemnęła się przy lampce, czytając stary „Przekrój" ze sterty obok tapczanu. Na okładce krążownik „Aurora", na końcu półgoła Kay Douglas w siatkowych pończochach, w środku wywiad z Saganką po powieści *Za miesiąc, za rok*. Prawdziwa mapa duszy polskiego inteligenta nowych czasów. „Dla mnie moralność zasadza się na buncie, na woli ignorowania pewnych rzeczy. To prawie kwestia estetyki". Tak, tak! Właśnie tak! Tylko że ten ból...

Obudził ją basowy kaszel, zobaczyła nad sobą najpierw pomarańczowy ognik, a potem brzuszysko i biust Bayerowej.

– Śpisz, Wandzia? – zadudniła. – Twój braciszek przyniósł dzisiaj koniak węgierski, trzygwiazdkowy. Nie powiem, nie odmówiłam, dobry, ostry, choć, kurwa jedna, trochę chamski, w nosie kręci. Ty wiesz, ja nagle potem słyszę coś! Jakiś pisk, jęczenie, skrobanie. E, nie – myślę – zdawało mi się! Ale gdzie tam, grzyndoli, glemięzi zza szafy. Mysz jakaś czy pszczoła w butelce, kurwa jedna! Wstaję, lecę, walę łbem o zegar, do szafy zaglądam, pod szafinerkę też. Ba, no no, nie ma nic, cisza! Ja z powrotem do wyra, znowu brzęczy! Czy mi tak w mózgu od tego zegara jazgocze, czy w brzuchu gwiżdże od tej wódy? Kapcia w rękę i do spiżarki – nie ma! Do zachowanka – nie ma! Do kibzika, gdzie wiadro na szczyny – też nic! W końcu na korytarz idę. Już sama nie wiem, skąd drynda, na dole jeszcze twój Fabian piłuje dżezy, uszy puchną, ale przecie dyndoli i dyndoli, zdaje się, spod tych gratów, co na kupie koło okna. No to odwalam całe badziewie, te, wiesz, sprężyny od łóżek, dechy, papierzyska, patrzę – telefon. Już sama zapomniałam, że tam został, ty nawet nie pamiętasz. Biorę tubkę i mówię: „Halo, halo, kurwa jedna!". A ona chrząka i: „Czy pani Bayerowa, posesja taka a taka, ulica taka a taka?". Ja: „I co z tego, że taka a taka?". Ona: „Informuję o włączeniu pani numeru telefonicznego". Ja: „Przecież iśta mi zabrali w czterdziestym szóstym, jedenaście lat temu, a jeszcze ten ubek, ten pokurcz Kuryl czy Czuryl, kpił se, że na zawsze. Żeby was szlag wszystkich najjaśniejszy pokręcił!". To ona: „Ludowe państwo nigdy nikomu niczego nie zabiera. Po prostu – gospodarka w rozwoju, telefonów przybywa, więc zwracamy, jeśli możliwe. A obywatelce w imieniu narodu wielkie dzięki za użyczenie numeru dla dzieła odbudowy". I widzisz, Wandzia? Jesteśmy prze! Kurwa jedna, prze! Każden jeden – prze!

– Ale co, pani Bayerowa? To chyba dobrze? – ziewnęła Wanda półprzytomnie.

– A kto w tym kraju zrobił kiedy komu, ot, tak sobie, dla przyjemności, dobrze? Toć tu zawsze bardziej podejrzany nie złodziej, tylko ten, kto nie ukradł, jak miał okazję! Ubecka robota!

– Pani Bayerowa, nie ma przecież UB. Nie czytała pani?
– Wandzia! UB to już zawsze będzie. Jak nie tu, to tu! – pokazała gdzieś przed siebie i na własną głowę w siwych, skołtunionych kędziorach. – Świat się do góry nogami, kurwa jedna, obali, a UB na zawsze zostanie! Ten diabeł, co

ludzie powiadają, to już od dawna lata, nie tylko tutaj u nas. Sztorbecka gadała, że uciekł wtedy, jak Gomułka przepędził Chruszczowa z lotniska pod Warszawą. Pamiętasz, nie? „Wolna Europa" podawała.

Na początku grudnia, tego samego dnia, kiedy po raz pierwszy mocniej sypnęło śniegiem, listonosz przyniósł urzędowe zawiadomienie o odbiorze mienia przesiedleńczego. Żeby być w Gdyni rano, trzeba było wsiąść do jednego z dwóch wagonów bezpośrednich, odchodzących z podmiejskim pociągiem do Torunia przed drugą w nocy.

Fabian, zły, z bolącą głową, przyszedł wcześniej, spodziewając się tłumów jak zawsze. Tymczasem dworzec jakby skostniał w bieli i zimnie, po peronie krążyło ledwie kilkoro podróżnych, a wagon pierwszej klasy, z wyświechtanymi pluszowymi kanapami, był zupełnie pusty.

Kiedy lokomotywa ruszyła, zgasił światło, zdjął buty i okrył się płaszczem; ogrzewanie jeszcze nie działało. Zazdrościł tym, którzy mogli spać w pociągu, on nigdy nie mógł, nawet nad ranem, najbardziej zmęczony, nawet kiedyś, w wygodnych pulmanach sypialnych. Powieki piekły, stopy drętwiały, przewracał się na kuszetce albo wiercił się w fotelu, wychodził, wracał, palił cygara. Nocne podróże były koszmarami.

Nie zdążył dobrze się wyciągnąć, kiedy drzwi przedziału odskoczyły w bok i wkroczył konduktor. Światło zabłysło znowu. Fabian, mrużąc oczy, zaczął szukać biletu. Konduktor jednak dał znak, że nie trzeba, i oznajmił cicho, ale do przesady wyraźnie:

– W nieodległej wsi spłonęła dzwonnica, dymu nie widać.

Fabiana zatkało.

– Czy mam powtórzyć?

– Co powtórzyć?

– W nieodległej wsi...

– A idź pan do jasnej, najcięższej cholery!

Przypomniał sobie typa stukającego do mieszkania Wandy, wezbrała w nim nagła furia, sczerwieniał ze złości i tracąc wszelkie hamulce, wrzasnął histerycznie:

– Czego pan chcesz?! W japę pan chcesz zarobić?! No co, no co, gnoju jeden?!! W japę?!! W japę chcesz?!! W gilona dawno żeś nie oberwał?!

Tamten cofnął się jak oparzony, zaklął, głośno tupiąc, uciekł na korytarz. Fabian wskoczył w buty i wybiegł za nim. Na oświetlonym pomoście koło toalety mignęły mu już tylko poły kolejarskiego płaszcza. Zniknął całkowicie, rozpłynął się, zapadł pod ziemię jak upiór. Za oknami majaczył przez ciemność i śnieżną kurzawę otłoczyński las, kilku żołnierzy piło wódkę z flaszki krążącej w torebce od cukru, jakaś matka, półsiedząca, pochylona, drzemała na trójce dzieci z rozcapierzonymi rękami, jakby bojąc się, że jej kto ukradnie.

W którymś wagonie z przodu napotkał dwóch konduktorów.

– Tylko my mamy służbę. A jak wyglądał?

Fabian żachnął się, ale nie umiał odpowiedzieć.

– Taki... Właściwie nie wiadomo jaki. Ani okrągły, ani pociągły. Raczej wygolony. Ani młody, ani stary, taki przeciętny...

– Panie, idź pan, prześpij się pan – doradzili niecierpliwie.

Nie próbował jednak spać, mazał palcem po wilgotnej szybie, palił i pociągał brandy z piersiówki, patrzył na pola pod śniegiem, liczył pojedyncze dalekie światła.

Wysiadając o świcie w Gdyni, nie myślał już o nocnym zdarzeniu. Miasto znał dobrze, przyjeżdżał tu wiele razy, stąd wypływał do pracy. Szkiełko Edzia, przez które rozejrzał się wokoło zaraz po wyjściu z dworca, zadziałało jak okulary słoneczne. Wszystko pociemniało. Szedł Starowiejską, skręcił w Świętojańską. Wyloty ulic znajome, ale jak za szkłem okopconym, te same budynki, ale nie te. Wielka woda zabrała piwiarnię z pokojami do śniadań, w hotelu reklamującym okrągłe amerykańskie łóżka, gdzie kiedyś miał letni kontrakt, rezydowała jakaś instytucja spółdzielcza, nie było też sklepów, do których zdarzało mu się zachodzić, na ich miejscu jeden przy drugim komisy z drobnicą przywożoną przez marynarzy; guma do żucia, camele i chesterfieldy, sok pomarańczowy w puszkach, nylonowe halki i biustonosze.

W urzędzie celnym blisko Nabrzeża Francuskiego kazano mu czekać. Po zapachu trafił do kantyny, zjadł talerz kwaśnego bigosu i wypił herbatę. Został wreszcie wezwany, podpisywał kwity i deklaracje, a później urzędniczka z naręczem papierów zaprowadziła go na dół, przez podwórko, do ciemnej hali magazynowej. Celnik, nieduży, wyperfumowany, zmierzył go bystrymi ślepkami, zaczął studiować dokumenty i żądać następnych.

– Dowód zameldowania proszę.

– Nie mam jeszcze stałego zameldowania.

– Przepisy nic nie mówią o zameldowaniu tymczasowym. Nie mogę panu niczego wydać. Proszę przyjść, jak pan będzie miał meldunek – oświadczał zwycięsko; w podobnym tonie także po następnych żądaniach promes, potwierdzeń, zaświadczeń, których interesant nie posiadał i nawet nie wiedział, że musi posiadać.

Fabian nie przejmował się, potem nawet nie słuchał, stanął na palcach i zajrzał za uchylone, szerokie wrota w przepierzeniu. Na palecie transportowej stał tam, jeszcze obwiązany linami, jego żółty vauxhall-vagabond i radośnie szczerzył swoje niklowane, lśniące kły jak pies po długim niewidzeniu pana.

Celnik miał wątpliwości co do każdej rubryki, co do każdego podpisu, każdej pozycji w rejestrze przywiezionych rzeczy i każdej pieczątki.

– Co to jest? – pytał zły i podminowany.

– Stempel jest. Trójkątny. „Customs Office 4B East. Europort Rotterdam" – sylabizował Fabian.

– Dlaczego Rotterdam? Przecież przez Hoek van Holland pan płynął?

– A bo ja wiem, taki przystawili.

– To niezgodne z przepisami, nieprawidłowa odprawa. Czemu w Rotterdamie, a nie w Anglii? Dover, Folkestone? Przecież z Anglii pan przybył? Dokumenty brytyjskie, odprawa holenderska! Musiałby pan wrócić i wyjaśnić, ewentualnie cofniemy mienie, niech odprawią ponownie. Nic tu się nie zgadza, nie mogę przepuścić.

Fabian musiał argumentować, przekonywać, bronić się, udawać głupka. Celnik patrzył w papiery, potem w sufit, kwadransami milczał, wstawał, siadał, drapał się po głowie i pod pachami, zaczepiał kogoś przechodzącego, sam wychodził i przychodził. Kiedy za okratowanym okienkiem zrobiło się ciemno, a ludzie liczący obok jakieś pakunki oraz sprzątaczka z kubłem poszli już sobie, zażądał dowodu osobistego.

– Przecież pan dobrze wie, że nie mam! Nie mam nawet jeszcze obywatelstwa!

– To jak ja na podstawie brytyjskiego paszportu mogę stwierdzić, że pan wrócił na stałe, że nie przywozisz pan tego całego majdanu jakiemuś spekulantowi na handel, a sam zaraz czmychniesz z powrotem? Niejeden taki tu był! No dobra, dobra, późno już – urzędowa twarz celnika zrobiła się raptownie szczurowata, przeleciał przez nią cienki uśmieszek, oczka błysnęły, język nabrał cwaniackiego zaśpiewu:
– Funciaki pan masz, co nie?

Fabian nie odpowiedział, za to gruntownie wysmarkał nos, potem z namysłem wyjął portfel, a z niego banknot studolarowy. Ręka celnika wyciągnęła się pożądliwie, ale Fabian zrobił krok do tyłu i – zawisła w powietrzu. Dygotała.

– Najpierw umyj łapy. To bardzo dużo pieniędzy.
– Co?
– Umyj łapy.
– Żartujesz pan? Ja ryzykuję, uprzejmość wyświadczam!
– Mówię jeszcze raz. Idź, umyj łapy! – powtórzył, powiewając banknotem jak chustką.

Celnik dysząc, rozglądając się na boki, posłusznie przypadł do zielono malowanego zlewu, odkręcił kran mało nie urywając kurka i zaczął gorączkowo rozchlapywać wodę.

– Z mydełkiem, brudasie! – cedził Fabian.

– Co, co, co?

– Z mydełkiem, powiedziałem.

– Skąd mydło? Jak mydło? – celnik rzucił rozbiegane i pełne nienawiści spojrzenie, ale wybiegł gdzieś i wrócił z krzywo ułamanym kawałkiem „szarego jelenia". Klnąc, zajadle mydlił, bryzgał, szorował, aż zamoczył rękawy, brzuch, a pod zlewem zrobiła się kałuża.

– Co za nieokrzesany cham! – mruczał później, po odjeździe Fabiana, starannie składając studolarówkę w kwadracik i upychając do tylnej kieszeni mundurowych spodni.

– Oni wszyscy stamtąd tacy! A jaki pazerny! I jeszcze wielkiego pana zgrywa, złodziej śmierdzący!

V

To się dopiero nazywa rozkosz – chwycić obiema garściami twardą kiść kierownicy, usłyszeć pomruk sześciu cylindrów i czuć pod podeszwą pieszczące stopę drżenie. Nareszcie spokój, nareszcie u siebie, jakby wrócił z podróży do jedynego domu, jaki miał. Zaciszny łoskot deszczu o brezentowy dach, znajomy zapach skóry – popękanej trochę i wyświeconej, korbki szyb i obwódki zegarów połyskujące w blasku lampki znad środkowego lusterka. Zapalniczka, cygaro, potem zaraz intymny mrok, przed oczami niecierpliwie drżąca strzałka szybkościomierza, zielona skala radia jeszcze nastawionego na BBC 2, miękki puls opon, odczuwany całym ciałem.

Pod uniesionym szlabanem Urzędu Celnego wyjechał na ciemną ulicę. Wycieraczki zgarniały wielkie, pojedyncze krople, w słupach reflektorów kołowały płatki mokrego śniegu, jak pierze rozdmuchiwane przez wiatr.

Zatankował benzynę na małej stacji gdzieś za Orłowem. Jadąc dalej Alejami wzdłuż torów kolejki, po których przelatywały zatłoczone pociągi, uświadomił sobie nagle, że jest zmęczony i głodny, że przed nim dwieście kilometrów w zamieci śnieżnej, nocą, że boli go głowa i nie ma nawet mapy. Niewiele myśląc, skręcił w lewo, pod najbliższy wiadukt, tuż przed nosem trolejbusu, którego kierowca zahamował, aż iskry sypnęły z pałąków, i wściekle pogroził kułakiem.

Dobry kwadrans kluczył po kiepsko oświetlonych uliczkach, rozglądał się, przeklinał, wreszcie zatrzymał vauxhalla przed białymi kolumnami wejścia do Grand Hotelu.

Z wywieszki na wahadłowych drzwiach bił w oczy napis: „Od godziny 22-giej stroje wieczorowe". Wewnątrz świeciły mosiężne i kryształowe żyrandole, było nadspodziewanie wielu ludzi. Między dwiema palmami nieruchomy portier w liberii, młode, barwne kobiety dumnie przemierzające hol, czarne garnitury mężczyzn, wygolonych, obowiązkowo przypalających, palących lub właśnie gaszących papierosy w srebrzystych czaszach popielniczek. Z restauracji na wprost dobiegała cicha muzyka.

Recepcjonistka miała tlenione włosy, policzki poorane zmarszczkami, na nosie prawdziwe pince-nez, a spoza nich spojrzenie jak dźgnięcie stalowym prętem. Mówiła twardo, głosem niskim, matowym. Natychmiast wyobraził sobie, że trwa tu, w Zopott, od początku wieczności, przed wielką wodą tańczyła w Indrze albo Czarnej Kakadu – wysokie buty, pejcz w ręku, zmysłowe ostinato klarnetów i puzonów – a popołudniami spacerowała po promenadzie z młodą lamparcicą na smyczy.

Zapytał o pokój.

– Skierowanie proszę.
– Nie mam. Pieniądze mam.
– E, tam. A co to pieniądze? Skierowanie! Teraz, poza sezonem, są same rezerwacje grupowe, zjazdy, konferencje, delegacje. Nie będzie nic wolnego.
– A w sezonie?
– A w sezonie turyści. Też wszystko zajęte.

Z trudem maskując niechęć, poradziła mu, żeby udał się do hotelu Dworcowego przy placu Wolności albo do PTTK na ulicę Sępią, może tam coś znajdzie, choć to i tak niemożliwe. Potem zaczęła kreślić coś niewidocznym ołówkiem w niewidocznych papierach, ukrytych pod kontuarem, uznając sprawę za zakończoną.

Odszedł jak zmyty. Nie zdobył się na puentę. Kiedyś w końcu musi zabraknąć puent, przecież tutaj wszystkiego braknie. Bezsilność poniża bardziej niż porządny prawy prosty w zęby, jasny, o czytelnych intencjach.

Ale może jej też trzeba się nauczyć, oswoić ją, zaakceptować, jak wyrażenia, frazy i idiomy nowego języka? Żeby cieszyć się lekkością życia, trawić bez zaburzeń, spać bez koszmarów?

Postanowił przebić się przez coraz gęściej padający śnieg do dworca Gdańsk Główny i przesiedzieć noc w bufecie. Kiedy już ruszał z hotelowego podjazdu, zobaczył na ganku chudą, niekobiecą sylwetkę. Recepcjonistka dawała gwałtowne znaki spod płaszcza narzuconego na ramiona. Wyłączył silnik i wysiadł. Przypadkowo znalazło się jednak jakieś wolne miejsce.

Kiedy wypełniał formularz meldunkowy, obracała w palcach jego brytyjski paszport i spoglądała spod pince-nez inaczej, wzrokiem pełnym respektu.

– Ależ pan plecy masz! – cienkie usta zadrgały w podziwie.

– Plecy? Co znaczy: plecy?

– Zaraz jak tylko pan wyszedł, telefon był. Ale ciii!... Ja nic nie wiem.

– Żartuje pani sobie. Ja tu przecież nikogo nie znam.

– Tak, tak! Dobra, dobra! Telefon! I to jaki!... Do kierownika zmiany.

Fabian roześmiał się w duchu, podpisał blankiet, zabrał klucze. Wrócił jeszcze do samochodu, z upchniętego w bagażniku kufra wyszarpał pierwszy lepszy krawat i pogniecioną koszulę. W hotelowym pokoju strzepnął ją tylko i rozwiesił na krześle. Pokój był niewielki, zastawiony poniemieckimi meblami, pewnie jeden z gorszych, choć z łazienką. Za oknem, za ścianą śnieżycy, cicho szumiało morze.

Szybko ochlapał się pod prysznicem. Tak odświeżony, nie czekając na windę, zbiegł do restauracji.

Migdałowe światło, ciągnące się, jakby posłodzone. Kelnerzy przystojni i młodzi, albo starsi, zażywni, budzący zaufanie; w smokingach i aksamitnych muszkach. Gdzież tam do nich glamdzowaty Cuber i mądrala Ostaszewski! Nawet gwar inny niż u Habertasa we Współczesnej, podszyty dystynkcją, jak fontanna w wypielęgnowanym niedzielnym parku sprzed wielkiej wody. Na kelnerskich tacach płonące półmiski, pieczona dziczyzna z borowikami oraz święty Graal Polski Ludowej, o którym wielu słyszało, że istnieje, ale mało kto go widział – butelki z owalną naklejką, piwo żywieckie.

Usiadł przy stoliku zwolnionym akurat przez dwie rozbawione damy i oficera żeglugi wielkiej ze złotymi galonami na rękawie. Kelner zmienił obrus, wręczył menu, okrążył Fabiana parę razy, taksując go od stóp do głów, a potem pochylił się niby nad kartą.

– Pan sam? Coś do sprzedania pan ma? Nylony? Ciaćki? – zapytał szeptem.

– Co znowu za „ciaćki", na rany Boga? Najpierw „plecy", potem „ciaćki"! Czasem zupełnie was nie rozumiem!

– No, zielone. A może chce pan poznać kogoś? Ekstralalunie, ciekawe świata – kiwnął głową w stronę baru, gdzie nad szklankami wody sodowej przycupnęły melancholijne panny w oczekiwaniu na klienta.

– A jak panu powiem, że z milicji jestem? – Fabian wybałuszył oczy, nadął policzki, jakby dmuchał w ustnik, i zacmokał tak przeraźliwie, że obejrzeli się wszyscy siedzący dookoła.

Kelner, przyzwyczajony do rozmaitego dziwactwa, w ogóle nie zareagował. Z kamienną miną wyciągnął bloczek, przyjął zamówienie na kołduny w rosole, bryzol z polędwicy i – od razu – trzy piwa.

Fabian jadł bez pośpiechu, popijał przesadnie zimnym, szczypiącym w język żywcem. Przedłużając przyjemne doznania smaku, tłuste swojskości majerankowe, cebulowe, grzybowe, przyglądał się ładnie ubranym ludziom. Fryzury „na Zośkę" i „na Fanfana", ciekawe profile kobiet. Sądząc po mimice, rozmowy epickie, rozmowy komiczne, rozmowy intelektualne, połyski i refleksy sztucznej biżuterii. Kelnerzy tu, kelnerzy tam, wiaderka lodu, uśmiechy, czarna kawa i wina półsłodkie importowane, tort czekoladowy. Po przeciwnej stronie sali, daleko, zawodowcy w marynarkach bordo sączyli zdającą się nie mieć początku ani końca nowoczesną balladę na fortepian, bas, saksofon i perkusję z miotełkami.

Poszukał szkiełka Edzia, wytarł o spodnie, spojrzał przed siebie znad szklanki piwa.

Obraz spłynął do środka soczewki, stał się przerażająco wyrazisty. Kolory kłuły i piekły, widoczny był każdy grymas ust pokrytych dziesiątkami odcieni szminek, pęczniały żyłki w płatkach cieplarnianych różyczek, dawały się odczytać drobne litery na etykietach wyborowej i radzieckiego szampana. Ale dookoła rozlewała się kleista, mętna zaćma, jakby cała ta jaskrawość była tylko pawim oczkiem pływającym w balii z mydlinami wielkości Zatoki Gdańskiej.

– Co pan takiego tam chowa, mister-twister? Zdjęcia pan robi?

Wzdrygnął się jak ukąszony.

Stała nad nim Modesta.

Zupełnie inna niż na fajfie w Miłej. Przypierająca do muru. Do wszystkich murów, wież i bastionów Europy! Wąska suknia i kontury ciała – koncert wysmukleń, sklepień, cienistych miękkości i pełnych, ale niespokojnych linii; czarne włosy spod kapelusza z szerokim rondem, długie rękawiczki jak u Rity Hayworth, puder i tusz, które wyostrzały oliwkową, ormiańską twarz.

Odruchowo zerwał się z miejsca, wrzucił szkło do kieszeni.

– Do licha!... Pani? Skąd?

– Równie dobrze to ja mogłabym spytać.

– Sama tak? Tutaj?

– A to ważne – „sama"? Niech mi pan tylko nie bredzi, że *happy coincidence* albo *good stroke of luck* – strofowała go swoją książkową angielszczyzną.

Usiadła bez zaproszenia i zaczęła zawile tłumaczyć, że jest w Sopocie na sześciodniowym kursie dla lektorów, ale kurs skrócono, bo profesor Goraj odwołał jutrzejsze zajęcia. Wszyscy rozjechali się wieczorem, a ona nie miała już pociągu, chociaż właściwie miała, tylko nie chciało jej się tłuc po nocy i dwa razy przesiadać, w Bydgoszczy i w Toruniu.

– No i czy to nie jest *stroke of luck*? Nie wiem tylko, czy *good*. Ja o mały włos spałbym na dworcu. Niech pani sobie wyobrazi, że w recepcji pomylili mnie z jakimś ważnym towarzyszem, w sprawie którego telefonował ktoś „z góry".

– Ohoho, jaki skromny! – roześmiała się. – Może to dzwonił *ambassador United Kingdom*?

Miała nienaturalnie białe zęby, oczy zwężone w skośne, świetliste szparki, przez które chciałoby się podglądać ukrytą za nimi, tajemniczą krainę.

– Więc jednak *stroke of luck*. Jutro możemy wracać razem.

– Naprawdę? Zabierze mnie pan do swojego pięknego angielskiego auta?

– A skąd pani wie, że mam samochód?

– Niech pan zawsze pamięta, że ja wszystko wiem. Jestem czarownicą, master-faster.

Nieoczekiwanie powiedziało jej się to tak chłodno i opryskliwie, że oboje speszeni zamikli. Wyjęła z torebki cienkiego papierosa, którego przypalił damską, ronsonowską zapalniczką, a zaraz potem, żeby przerwać niezręczną ciszę, huknął na całe gardło:

– Szampana!

Sąsiedzi obejrzeli się ponownie.

– I czego mordę drze? Czego? – zżymał się przechodzący właśnie siwy, dostojny kierownik sali, bez złości jednak, raczej z politowaniem i dobroduszną przyganą. – Tu nie Warszawa, tu kultura obowiązuje. Najlepszy lokal na Wybrzeżu. Szanowny pan konsument nieprzyzwyczajony do kategorii. Widać.

Do zmrożonego sowietskogo igristogo Fabian zamówił kawior, krewetki i roladę z wędzonego łososia. Modesta rzuciła kapelusz na krzesło, śmiała się, piła kieliszek za kieliszkiem, mówiła coraz więcej, zupełnie o niczym. O koleżankach z kursu, o podrywających ją maturzystach, o przyjaciółce, która zerwała z kochankiem, ponieważ nie palił i nie znosił alkoholu.

Kelner patrzył na nich zakłopotany – mimo wieloletniej praktyki nie potrafił określić ani wycenić tych gości. Gdyby nie gburowata hałaśliwość, wymięty garnitur i nieświeża koszula, wyglądaliby jak dyrektor departamentu i sekretarka na delegacji. Ot, taki powszedni, ludowo-demokratyczny romans służbowy, jakich wiele, odskok od podstarzałej żony niepracującej i naiwnego męża – wojskowego trepa najprawdopodobniej. Ale tu jeszcze ten angielski! Do kelnera oboje po naszemu, do siebie po angielsku! Nic do niczego nie pasuje – jak w duszy i rozumie Polaka!

Orkiestra grała *Love Letters in the Sand*, przebój Pata Boone'a, do znudzenia katowany jesienią przez rozgłośnie z Cardiff i Bristolu. „To jednak tak blisko!" – pomyślał. Wyszli na parkiet. Dopiero teraz naprawdę zobaczył, jak piękną była kobietą. W tańcu jego stanowczość dopełniała wdziękiem, jego siłę – lekkością, szorstkość – delikatnym zwilżeniem ust, pysznym odrzuceniem do tyłu lśniącej gęstwiny włosów. Jej każdy krok, każdy ruch ramion i warg, pochylenie głowy, zmrużenie powiek były o dwie sekundy dłuższe niż powinny, co odbierało mu oddech, wytrącało z krwi pewność siebie, powodowało drżenie dłoni.

Rozstali się przed pierwszą w nocy. Odprowadził ją na piętro. Nie pojechali windą, idąc po schodach, nieśmiało wzięła go pod ramię.

– Który numer? – zapytał cicho, niby niechcący muskając policzkiem włosy. Zapachniały gorzko. Z restauracji słychać było jeszcze fortepian i dudniące nuty kontrabasu.

W jednej chwili powiało od niej chłodem, w oczach zatrzasnęła się kolczasta bariera.

– Dwieście trzy. Może pan myśli, że będę się przed panem krygować z numerem pokoju? Że taki albo owaki, albo że nie powiem, niech pan zgaduje? Do tego poziomu zażyłości nigdy nie dojdziemy, mój panie! – oświadczyła ostro i nareszcie po polsku. – Jeszcze raz: pokój dwieście trzy. Proszę przyjść jutro rano, mam ciężką walizkę.

Powinien teraz wziąć kąpiel i bezczelnie stanąć przed tymi drzwiami, od razu w piżamie, jedwabnym szlafroku, ze złocistą szyjką butelki szampana między palcami i pudełeczkiem gumowych specjalności miłosnych głęboko w dyskretnej kieszonce. Na pewno zrobiłby tak dwadzieścia lat temu, kiedy bez zbędnych ceremonii otwierały się dla niego wszystkie takie drzwi. Stanął jednak tylko przed lustrem w łazience i puścił dwa bąble z nosa na widok tego, co w nim zobaczył.

Pod kołdrą ogarnął go krótki, płaczliwy przypływ tęsknoty. Dom. Ale nie klitki w Luton, Cardiff czy Penybont, nie pokoik na górce u Wandy. Nie kajuty na statkach i nie setki hotelowych numerów. Białohorszcze. Obrazek już nie z tego świata. Płaty słońca na tapecie i oszklonej szafie, otwarte okno, mokra zieleń z ogródka. Ile czasu zdążył tam przemieszkać między rejsami, między kontraktami orkiestry? Pół roku? Mniej niż pół? Obok Edzio w łóżeczku, za ścianą Ryśka głośno powtarza rolę:

Dobranoc, niebo krzyż ten na mnie zsyła,
Bym trwała w dobrym, nie złym złe płaciła.

Jakie te słowa wyraźne, jak dźwięczą, jak one dźwięczą, zaraz dzieciaka obudzą! „Złym złe, złym złe, złym złe! Dobra-noc, dobra-noc, dobra-noc!" „To nie byłem ja!" – bronił się sam przed sobą. „Nie. Inaczej. Tam nie było mnie! Umówmy się, że nas nie było!"

Rano posłusznie pobiegł do Modesty. Nie wpuściła go, wystawiła tylko walizkę, którą zwiózł windą na dół i zamknął w samochodzie.

Spotkali się przy śniadaniu. Nad stolikami wisiały dręczące opary kaca, tytoniowy dym drażnił oczy, przesiąkał wonią mocnych wód toaletowych, jajecznicy i smażonego boczku. Przed wyjazdem poszli jeszcze na spacer. Nie zostało śladu po nocnej zawierusze, tylko powietrze było ciężkie od wilgoci, tu i tam topniały spłachetki śniegu, podobne do białych rozrzuconych ręczników. Minęli molo, idąc plażą w stronę Jelitkowa. Modesta miała taki sam jak jego długi, ciemny płaszcz z kapturem, wyglądali jak para morskich stworów dopiero co wyrzuconych na brzeg przez siniejące z zimna fale.

Jakby zapomniała o wczorajszym pożegnaniu na schodach. Była pobudzona i rozmowna, opowiadała jakieś historyjki ze studiów, z obecnego kursu, z poprzedniego w Szklarskiej Porębie. Mówiła, że do liceum w Ciechocinku dostała nakaz z kuratorium, a do tej pory prowadziła szkolne chóry w różnych miasteczkach, bo nie było pracy dla anglistów, ale teraz, po Październiku, powoli się to zmienia.

– Chóry?

– Tak, tak, śpiewałam. Byłam nawet dwa lata w szkole muzycznej.

Zwierzyła się też, że marzy o lektoracie na uniwersytecie, przedtem jednak chciałaby pojechać do Anglii; rozmawiała w życiu tylko z jednym prawdziwym Anglikiem, niestety, starym, głuchym, fafluniącym i do tego komunistą.

– Niech mi pan powie, mister-beaster, ale tak szczerze, czemu pan stamtąd wrócił? – padło wreszcie pytanie, które musiało paść.

Fabian podskoczył, odetchnął aż do dna płuc, odbiegł kilka kroków naprzód i, przytrzymując beret, wystawił twarz na wiatr.

– To już nudne. Każdy o to pyta. Zaraz będzie o polskiej szynce i czy buty w Londynie można dostać. Ale powiem, szczerze, pani pierwszej. Ja znikąd nie wróciłem. Nie musiałem. Cały czas jestem tam, gdzie zawsze byłem, bo nic się nie zmieniło. Tylko niektórym palantom tak się wydaje.

– Głupoty, mister-fister! Ale przecież zza jakiejś granicy pan przyjechał? Co, też nieprawda?

– „Przyjechał" to co innego. Owszem, przyjechałem. Przez Dorseya, wyłącznie przez niego. Rok temu, dwudziestego siódmego listopada, dokładnie we wtorek, szedłem sobie w Londynie po Percy Road i nagle zobaczyłem twarz Tommy'ego Dorseya na wystawie sklepu radiowego. Była chyba w dziesięciu telewizorach naraz, większych i mniejszych, w tym w jednym kolorowym, takim za tysiąc funtów. Nieczęsto się to zdarzało, więc biegiem wpadłem do środka. Podawali, że zmarł poprzedniego dnia, miał pięćdziesiąt jeden lat, wziął za dużo proszków nasennych. Ale potem kilka gazet napisało, że było inaczej. Że umarł z przejedzenia. Tak jest – umarł z przejedzenia, droga pani.

Im dalej w głąb lądu, tym więcej śniegu. Pędzili wąską szosą w szpalerach nagich drzew, prawie zupełnie pustą. Czasem tylko mijali furmanki z zakutanymi w kożuchy woźnicami, niezdarne ciężarówki i wlokące za sobą dymne zasłony spalin, niebieskie, poszarzałe od ponurego dnia autobusy PKS.

Vauxhall wyrywał do przodu, naokoło rozwijał się krajobraz. Bajora jeszcze niezamarznięte, wokół kępy łozy, pola pod cienkim śniegiem, samotne chałupy. We wsiach świnie na drabiniastych wozach, dzieciaki nadgryzające po drodze wielkie bochny chleba, w miasteczkach błoto i kocie łby, kolejki przed sklepami z mięsem i kiełbasą. Grało radio, pomiędzy dziennikami i „rozmaitościami rolniczymi" kujawiaki i oberki, potem zespół mandolinistów Ciukszy, taneczna orkiestra Wicharego, piosenkarze – Hanna Rek, Kurtycz, Koterbska.

– Ale pan musiał wczoraj zabulić. Zwłaszcza jak się panu później zachciało tego francuskiego szampana. Kwaśny jak sok z ogórków – skrzywiła się Modesta.

– Jaki tam szampan. Wino gazowane i tyle. O takiej marce nawet nie słyszałem.

– Z tysiąc pan wywalił. Na pewno.

– Zaraz może być więcej, niech pani patrzy.

W zupełnie bezludnej okolicy, przy motocyklu z koszem zarytym w zaspę, stało dwóch milicjantów. Jeden wyglądał jak kościelny fidybus do gaszenia świec – długi, z haczykowatym nosem; drugi miał obandażowane gardło. Obaj machali lizakami. Fabian skręcił na pobocze. Ten z krogulczym nosem obszedł samochód i zastukał w okno od strony Modesty.

– Prawo jazdy, dowód, karta wozu, karta paliwa, pozwolenie podróży! – wyrecytował, gdy opuściła szybę, a potem zgiął się wpół i próbował wetknąć łeb do wewnątrz, zaczepiając hełmem o dach. Zatkało go, rysy rozciągnęły się w zdumieniu.

– Aaa... gdzie jest usytuowane koło kierownicze? Czym obywatelka pojazd prowadzi?

– Zygmuś! Toć to angielski wóz, wszystko na szmanią mańkę! – wychrypiał obandażowany, zanim Modesta zdążyła cokolwiek odpowiedzieć.

– Angielski? Angielski? W takim razie wysiadka, natychmiast! – zakomenderował, poprawiając raportówkę. Jeszcze raz okrążył auto drobnym kroczkiem gejszy, znalazł się naprzeciw Fabiana i gestykulując, pokazując coś, zaczął sylabizować dobitnie, na cały głos, prawie że krzycząc:

– Pro-szę wy-sia-dać z sa-mo...

Fabian wysiadł.

– Pan rozumie po polsku? – cieszył się milicjant. – Bardzo dobrze. Bo to głupio, żeby tak przystępować do czynności od razu w języku obcym...

Zaraz też zapomniał o dokumentach, jego uwagę bardziej zaabsorbował vauxhall, rozglądał się po kabinie, prztykał przełącznikami, sprawdzał, czy kanapy miękkie, pogwizdywał z podziwu.

– Patrz no, Winiek – mówił podniecony do obandażowanego kolegi, szarpiąc dźwignią biegów przy kierownicy – nawet gulojkę ma po lewej stronie! Panie kierowco, jak się panu tym jeździ po naszych polskich drogach? Niewygodnie, co?

– Ależ to dziecinnie proste – odparł Fabian. – Trzeba się tylko przyzwyczaić, że lewa to prawa, a prawa to lewa.

– Prawa to lewa, lewa to prawa. Dziecinnie proste – powtarzał ze zrozumieniem milicjant.

Nie kontrolowali już niczego, sypali żarcikami, dopytywali się o silnik, o moc, szybkość maksymalną, o jeżdżenie po Anglii, przebywane trasy. Doradzili jeszcze, żeby ze względu na pogodę włączyć światła, oddali papiery i zasalutowali uprzejmie.

Kiedy czerwone lampy vauxhalla rozpłynęły się gdzieś na styku szosy z niebem, obydwaj podnieśli kaski, otarli pot z czół; lizaki, raportówki i pasy z kaburami wrzucili do przyczepy motocykla. Zza krzaków wyszedł facet w skórze, zamykając futerał aparatu fotograficznego.

– No, koniec kabaretu. Wszystko mi teraz spiszecie dokładnie. Raport na jutro, przed operatywką, na ósmą piętnaście. Z dokumentacją – oschle rozkazał obandażowany.

Zajechali prosto przed willę Konstancja, w której Modesta wynajmowała pokój. Był to pensjonat z dziwaczną szklaną piramidką pośrodku płaskiego dachu, naprzeciw parku Sosnowego, obłożonego teraz plastrami śniegu jak watą. Kazała mu jednak zatrzymać samochód dalej, nie pozwoliła wysiąść, sama mocowała się z walizką.

– Oddam panu połowę za wczoraj! – krzyknęła na pożegnanie.

Z szopy Bayerowej, gdzie kiedyś trzymano bryczkę do przejażdżek gości po okolicy, Fabian wytoczył wózek na piszczących kółkach, wyprowadził dwa zardzewiałe rowery, wyrzucił na bok sparciałe węże ogrodnicze, jakieś widły, szpadle i grabie. Wjechał do środka, a potem lewarkiem uniósł przód vauxhalla. Stękając i sapiąc, wczołgał się pod wóz, zaświecił latarkę. Nakładka na miskę olejową, zamówiona u blacharza Callendera w Willersley, była na swoim miejscu, przylutowana do niej niewidoczna od spodu puszka po kakao – również, co zdążył jeszcze szybko sprawdzić rano, po omacku, przed Grand Hotelem. Wykręcił sześć śrub, zdjął blaszany czerep, brudząc ręce smarem grafitowym, którym wymazał go dla niepoznaki. Potem wstał, kłębem szmat wyczyścił blachę podobną do żółwiej skorupy i nareszcie mógł otworzyć puszkę. Odetchnął. Nic się nie stało. Zawinięta w kilka plastikowych torebek i oklejona taśmą zawartość odbyła podróż nienaruszona.

Wanda przybiegła z pracy wcześniej niż zwykle.

– Jaki ty jesteś! No wiesz co!? Nawet mi nie powiedziałeś! Jaki piękny kolor! Śliczny! Piaskowy! Cały śliczny jest! – dotykała chromowanych klamek vauxhalla. – Dwa, trzy lata temu od razu by ci zabrali. I nic mi nie powiedziałeś, ty wredoto jedna! Jak mogłeś wytrzymać?

– Bo to miała być niespodzianka.

– Niespodzianka! Może ta paniusia, co ją przywiozłeś, to też niespodzianka, braciszku? – puściła oko.

– Już wiesz?

– Aha.

– Nic takiego. Spotkałem ją w Gdańsku. Miałem nie zabrać? Odmówić? Dlaczego? Była na kursie, uczy tu u nas angielskiego w liceum.

– Aha. Ciekawe. Znam wszystkich nauczycieli. W naszym liceum od paru lat w ogóle nie ma angielskiego. No, ale teraz pewnie to się zmieni. Taka młoda siła pedagogiczna i podobno na dodatek bardzo zdolna. No, no...

Po obiedzie poprawił zasłony w oknie, pobiegł na chwilę do swojego pokoju, a potem wręczył Wandzie trzy zwitki papierów wielkości filiżanek do barszczu.

– Co to jest? – rozerwała celofan, w który był zapakowany każdy z nich. Zobaczyła ciasne zwoje banknotów, funty i dolary, mocno ściągnięte czerwonymi gumkami.

– Zgłupiałeś! – cofnęła się przerażona. – Nie wiesz, że w tym kraju idzie się za to siedzieć?

– Spokojnie, spokojnie. Co oni z wami zrobili? Żeby nawet pieniędzy się bać? – upominał ją cicho. – Dobrze to schowaj, najlepiej w kilku miejscach. Będziemy sprzedawali rzadko, ostrożnie, w różnych miastach. Pojeździmy sobie, nawet przyjemnie będzie. Można też więcej złota pokupować.

Już bez strachu, z niedowierzaniem i błyskiem w oczach przekładała paczki z ręki do ręki.

– A... ile tego jest?

– Policzysz, jeśli zechcesz. Może nie taka znowu fortuna, ale wystarczy do... końca. Zaczekamy parę lat, aż się do mnie przyzwyczają, kupimy nieruchomości, działki, jakiś dom kupimy albo może zbudujemy, zobaczymy. Wszystko twoje. Urządzimy też prywatny gabinet.

– Fabian, przepraszam cię, ale czy... Skąd ty tyle tego masz?

Roześmiał się.

– Już tylko sobie byle czego nie wyobrażaj. Na pewno nikogo nie skrzywdziłem. Mam, no to mam. Jednym Zachód prze-gniły, innym Zachód prze-miły. I co? I o!

Wyjął ustnik trombonu i przewracając oczami jak Satchmo, odegrał refren *When the Saints Go Marchin' In*.

– A może byś zaśpiewała z nami, z big-bandem? *On the Sunny Side*... jak kiedyś?

– Co za bzdury pleciesz. Ja? – chwyciła się za bok, jakby chcąc uprzedzić atak bólu.

– Jakie bzdury? Serio pytam. *On the Sunny Side*... tylko ten jeden numer. Pamiętasz? – stanął przy piecu, wydmuchał na ustniku kilka taktów, kręcąc przy tym jakąś osobliwą, powłóczącą nogami figurę taneczną.

– Zwariowałeś!

– Wandzia! Dzień w dzień słucham twojego głosu i widzę tylko nuty, jak wróble na drutach; machają skrzydłami, fruną do góry, siadają z powrotem, kiedy przestajesz mówić. Głos cały czas ten sam, w żadnym miejscu ani jednej, choćby małej ryski, cienia, fałszywego dźwięku!

– Kompletnie zgłupiałeś! Zupełnie! Codziennie z tobą gorzej, już ludzie gadają! – krzyczała. – Ja mam śpiewać? Tyle lat przeszło, tyle rzeczy się stało, a ja mam śpiewać? Zresztą, nie obrażaj mnie! Nie widzisz, jak ja wyglądam? – rzuciła wściekle zwojem pieniędzy, który trzymała w ręku. Gumka puściła, szarobłękitne wizerunki młodej królowej rozsypały się po dywanie.

– No i co, że tyle lat? Co było, to było, co przepadło, to przepadło, ale swing się nie zmienił. Mogą wszystko zasmarować gównem, wszystko ci odebrać, cały twój świat rozpieprzyć, ale w swingu zawsze jest siła, która jednoczy. Choćby we wspólnym oczarowaniu, marzeniu, fascynacji. Pamiętasz, co zrobiłaś, kiedy pierwszy raz proponowaliśmy ci występ u Langerfelda w Bristolu? Jak tornado wywaliłaś na ziemię wszystkie kiecki z pięciu szaf, złapałaś się za głowę, tupałaś i wrzeszczałaś: „O Jezusie święty, w co ja się ubiorę!", aż matka przyleciała, bo myślała, że znów się bijemy. A Ralf Wolfram piał z zachwytu: „Gwiazda, gwiazda! Toż to prawdziwa gwiazda!".

Zanim zaczęła się próba, wszyscy obstąpili vauxhalla, dumnie zaparkowanego przy furtce. Każdy chciał dotknąć, popukać, położyć rękę na kierownicy, rozbujać – niby to sprawdzić, czy miękki, jak się ugina. I znowu – ile wyciągnie? Jaka moc? Na jakiej benzynie chodzi? Fabian tłumaczył cierpliwie, że wóz nie najmłodszy, po wypadku, szpachlowany, lakierowany, nic szczególnego. Ale oni, Stypa, Habertas, Krasinkiewicz, puzoniści, trębacze, rozpływali się w uznaniu i komplementach, mieli też wątpliwości – czy w kabriolecie pod płóciennym dachem za bardzo nie wieje, czy motor nie pali za dużo, skąd wziąć części, jeżeli się zepsuje; półośka pójdzie albo sprzęgło się utnie, może od warszawy by coś podpasowało, może od skodzianki. Dąbal pytał nawet o szczegóły, o których właściciel nie miał pojęcia – odstępy styków przerywacza, skrzynię biegów – jakie przełożenia, rozrząd – czy napędzany zębatką, czy łańcuchem. Tylko Zuppe trzymał się w bezpiecznej odległości i spacerował z rękami założonymi do tyłu, demonstracyjnie pochłonięty obserwacją stada kawek dziobiącego coś pod śniegiem na sąsiednim podwórku.

Próby szły coraz lepiej. Zbieranina ludzi w różnym wieku i o różnych umiejętnościach z tygodnia na tydzień stawała się zespołem. Fabian sam się dziwił; nie tylko, że to w ogóle możliwe, ale że – w gruncie rzeczy – takie łatwe. Wystarczy konsekwencja, stanowczość. Żmudne, nieustępliwe, nieefektowne obrabianie wciąż tego samego kamienia. Wspólne cyzelowanie, drążenie, odkrywanie coraz to nowych odcieni i żyłek. Muzykom widocznie bardzo zależało na występie, rzadko marudzili, nie spóźniali się, choć niektórzy dojeżdżali pociągiem, pekaesami, zdezelowanym poniemieckim motocyklem. Przychodzili też nowi – fenomen – bo przecież nikt niczego nie ogłaszał, o przedsięwzięciu nie pisała żadna gazeta. Nie przyjął tylko jednego – smutnego staruszka z Izbicy Kujawskiej, ponoć wirtuoza tuby eufonicznej i szałamai.

Orkiestra nabierała już szyku, ognia i perlistości big-bandu, ale cały czas tylko w jednym utworze. *Serenada księżycowa* wybrzmiewała każdego wieczoru po dziesięć, piętnaście, a jeśli ciśnienie było niskie – nawet dwadzieścia razy.

– Do takiej pracy trzeba się zmusić, przegryźć w sobie, zacisnąć, najpierw zohydzić, potem pokochać, bo to nie płynie w naszej krwi, my tego nigdy nie umieliśmy! – perswadował Fabian z miną bossa-twardziela, gdy w końcu odezwały się pomruki kilku niecierpliwych i znudzonych. – U obydwu Dorseyów, u Pollacka, Goodmana, Artie Shawa, u wszystkich największych ćwiczyło się okrągły tydzień od rana do nocy, żadnych tam dni wolnych, żadnych urlopów, nagrania i koncerty to były jedynie przerwy w próbach dla niezbędnego zarabiania pieniędzy. – Panie Vogt! Panie Dąbal! Kolego Soprano! Interwały! – przypominał, bijąc pięścią w pulpit zaimprowizowany na wysokim drewnianym stojaku do kwiatów. – Panie Piaszczyński! – karcił przysypiającego ukradkiem trębacza – to nie wóz strażacki! Dmuchaj pan sercem, a nie brzuchem!

Któregoś razu po próbie doktor Vogt zaprosił Fabiana do domu na herbatę. Wieczór był jasny, lekki mróz, śnieg chrzęścił. Przeszli przez pusty skwer przy teatrze, a potem ze Zdrojowej skręcili w cichą, krótką uliczkę zabudowaną willami, z resztką żywopłotów przy chodnikach.

– Kiedyś ta ulica nazywała się Nowa – objaśniał Vogt. – Gdy przyszedł czas zmieniania nazw, nazwali ją Nowotki. Nie można powiedzieć, żeby panowie z komitetu miejskiego nie byli błyskotliwi.

Weszli do piętrowego domu z przysadzistą, kwadratową wieżą. Przed wejściem walała się pogięta wanna, wewnątrz ogarnęły ich obłoki pary i odór gotowanej kurzyny. Z włączonego gdzieś radia dobiegała melodia grana na bałałajkach, daleko, za wieloma ścianami, płakało dziecko. Na korytarzu, wśród porozrzucanych kaloszy, jakichś misek, wiader, połamanych sanek leżały nieruchomo trzy wyprężone małe dziewczynki. Jedna z nich otworzyła oczy i zerwała się jak wańka-wstańka.

– A my się bawimy w trupy! – krzyknęła na widok Fabiana, rozdziawiając szczerbatą buźkę.

— Oto willa Korab, panie Fabianie. Tu mieszkam. Długie lata własność familii Dorohostajskich, a potem nagle czary-mary: „komunałka" — Vogt pociągnął gościa w lewo, do ciasnej klatki schodowej, pękiem kluczy otworzył drzwi na dole, potem drugie, na półpiętrze, zabezpieczone żelaznymi kantówkami. Były jeszcze trzecie, gustowne, z owalną szybą, za którymi czekała starsza, nieufnie patrząca kobieta w grubych okularach.

— To moja niania, nazywam ją Niunia — krótko przedstawił Vogt.

Wprowadził Fabiana do małego salonu i stamtąd wyżej, krętymi schodkami do pokoju w wieży. Czas był wciąż ten sam, tylko przestrzeń całkowicie odmieniona — ani odgłos, ani zapachy, nic nie przedostawało się z pozostałych części budynku, jakby przestały istnieć. Salon wypełniała słodkawa woń woskowanej podłogi i lśnienia politury ciemnych mebli, w ciszy tykał staroświecki zegar z widoczkiem górskiego jeziora na cyferblacie. Natomiast pokój w wieży był na pewno gabinetem doktora, chociaż mało co przypominało tam jego profesję. Biurko, kilka otwartych książek, jak Fabian zdążył podejrzeć — powieści kryminalne i przedwojenne wydanie *Przeminęło z wiatrem*. Książki, stosy gazet, zeszyty nutowe także na parapetach obydwu półkolistych okien, pod ścianą luksusowe radio Ericsson z adapterem, w drzwiach balkonowych teleskop umieszczony na wysokim statywie, mosiężna tuba wycelowana w niebo. Usiedli przy stoliku z wygrawerowanym rysunkiem tłustego maharadży na słoniu. Niunia przyniosła zaraz prawdziwy, dymiący samowar, szklanki w srebrnych koszyczkach i makowiec.

- Herbatę piję tylko w taki sposób. Niech pan zobaczy, nawet te paprochy, które u nas sprzedają, w samowarze parzą się na czarny rubin – Vogt podsunął cukiernicę. – Nie mógłbym żyć bez herbaty i samowara, chociaż z pochodzenia jestem Niemcem. Mój dziadek przyjechał instalować porcelanowe wanny z Pikenhammer do kąpieli solankowych, później urządzał inhalatoria, żył jedną nogą tu, drugą w Niemczech. Rodzice przenieśli się już na stałe, ojciec sprawował nadzór nad aparaturą elektropatyczną w całym uzdrowisku, konserwował, naprawiał. Dobrze mówił po polsku, matka gorzej. Był bezwzględnym, nieustępliwym szwabem, brutalnie zmusił mnie do studiów medycznych, bo ja przecież chciałem zostać muzykiem. „To zawód dla syfilityków i łachmaniarzy!!!", darł się po niemiecku, głośno, szczekliwie, pamiętam: czerwiec, upał, otwarte okna, aż zagłuszył go jeden potężny, zbiorowy gwizd; akurat w pensjonacie obok miała jakiś mityng Młodzież Wszechpolska. Ale studiowałem, bo musiałem. Lipsk, Berlin, powiedzmy – ciekawe czasy, pierwsze lata kanclerza Hitlera. No i stało się – „doktór mimo woli", „lekarz z rozsądku".

Gospodarzowi nie zamykały się usta, jakby się bał, że Fabian zaraz mu przerwie, zdenerwuje się i pójdzie sobie.

– Wróciłem ze studiów, pracowałem tu od wiosny trzydziestego siódmego, najpierw jako internista. Niemcy weszli, ojciec umarł na zawał na samym początku wojny, matka wyjechała do siostry do Dortmundu, obie zginęły w bombardowaniu. I tak zostaliśmy we dwoje z Niunią, która rzeczywiście kiedyś była moją nianią. Sam już nie wiedziałem, czy jestem Polakiem pod niemiecką okupacją, czy Niemcem –

okupantem w podbitym kraju. Ciechocinek przemianowano na Hermannsbad, od razu też, jako Polaków, wyrzucili nas z domu. Ale z kolei jako niemiecki doktor po niemieckich studiach zaraz zostałem przymusowo zatrudniony w szpitalu wojskowym na etacie cywilnym, a burmistrz Leschner, esesowiec, dał mi służbowe mieszkanie. Dyżury, dyżury, całe tygodnie bez wychodzenia ze szpitala, im front bliżej, tym więcej zgonów, po dziesięć albo i więcej na dyżur. Po wojnie miałem z tego paskudne kłopoty, nawet trzy miesiące siedziałem. Ktoś jednak chyba machnął ręką i uznał, że socjalizmowi bardziej się przyda balneolog niż kolejny proces i kolejny truposz w piachu. Znów zatrudniono mnie przymusowo. I gdzie? W tym samym szpitalu wojskowym, na etacie cywilnym, rzecz jasna. Na tym samym oddziale, na tym samym piętrze oraz w tym samym pomieszczeniu. Mieszkanie zostało też to samo. Ludzki los żywi się paradoksami i w ostatecznym rachunku jest śmieszny.

Vogt wyjął z szafki, spośród innych butelek, flaszę zatkaną sterczącym do połowy korkiem.

– Śliwowica domowej roboty. Ma chyba z siedemdziesiąt procent. Co roku przywozi mi przyjaciel spod Nowego Sącza.

Nalał do metalowych myśliwskich kieliszków. Trunek smakował jak kłąb połykanego ognia.

– Nie chcę być niegrzeczny, ale po co pan mi tyle opowiada? Ja panu nic nie opowiem.

– To niech pan popatrzy w gwiazdy.

Fabian wstał, z ciekawością pochylił się nad okularem teleskopu. Czerniejące niebo zapowiadało mroźną noc, gwiazdy były podobne do kryształków rozkruszonego lodu. Kosmos trwał w bezruchu jak uwięziony w zimnym szkle.

– Jaki sens mają wszystkie inne sprawy? – słyszał za sobą głos Vogta. – Sam patrzę godzinami nie po to, żeby ulegać tandetnym wzruszeniom. Patrzę na wielki spokój. Często tak zapominam o świecie, że czuję, jakbym dosłownie pływał w wielkim spokoju. Teraz puszczają sputniki, żeby i tam naśmiecić. Ludzka bezmyślność i natręctwo nie znają przyzwoitości ani granic. Niech pan patrzy, patrzy, może to ostatnia chwila.

– Ale i pesymista z pana!

Vogt ponownie napełnił kieliszki.

– Zgadza się, pesymista. Do tego głupi. Niby mam wszystko, czego mi potrzeba. Wygasłe pożądania, spokojny byt, dobrą herbatę i małą wódkę w ciekawym towarzystwie, jeżeli przyjdzie kaprys. Spacery, wolny czas, jeśli tylko zechcę, kolekcję klarnetów, na których grywam Mozarta. Mam doskonałe radio i muzykę, jeśli samemu nie chce mi się grać. Niedawno kupiłem też telewizor. Był już nawet donos na milicję. Stypa nie czytał panu? Zawsze, gdy ktoś sobie kupuje telewizor, prędzej czy później są donosy. Wczoraj wpadli znajomi, wiadomo – kiedyś chodziło się na podwieczorki, teraz chodzi się na telewizję. Oglądaliśmy „Kabaret Starszych Panów", taki nowy program.

– Wanda widziała to raz czy dwa razy. Była zachwycona.

– Właśnie, oni też byli zachwyceni – ciągnął Vogt, śliwowica wyraźnie podsycała w doktorze potrzebę mówienia. – Małżeństwo, obydwoje lekarze specjaliści, studia w Krakowie i w Wilnie. A ja byłem przerażony. Tak przerażony, że się cały trząsłem, ze strachu albo z wściekłości. Nagle, gdy słuchałem ich śmiechu przed telewizorem, uświadomiłem sobie coś potwornego. Że ta miękkość człowieka wobec człowieka, ta błyskotliwość, lekkość, te dowcipy bez smrodu odchodów i ekscytacji narządami wydalniczo-rozrodczymi, wreszcie ten sposób prowadzenia rozmów, który jeszcze dwadzieścia lat temu nie był niczym niezwykłym i słyszało się go na każdym przystanku tramwajowym – że to wszystko dzisiaj nadaje się już tylko do kabaretu! Na scenę, w wymiar groteskowej fikcji, żeby rozśmieszać jak kiedyś Dymsza przebrany za Cygankę! Ten Przybora i ten Wasowski, chyba nie pomyliłem nazwisk, pierwsi to odkryli i zrobią karierę bez żadnego wysiłku. Oni nie muszą pisać wymyślnych dialogów, wystarczy, że porozmawiają ze sobą o czymkolwiek – a tłuszcza i tak będzie się dziwować. Im więcej lat upłynie, tym bardziej. Ten aplauz będzie miarą schamienia, w które się staczamy.

– Czy pan trochę nie przesadza? Może wcale nie trzeba się aż tak bać, bo to tylko stare formy umierają, normalne zjawisko, nic niezwykłego. Odchodzą, bo pewnie nie były ani naturalne, ani ponadczasowe, więc dla jednych to ubaw, a dla innych nostalgia.

Doktor zaśmiał się nieprzyjemnie. Wypili już po kilka metalowych miarek śliwowicy, twarze poczerwieniały, w oczach zapaliły się świeczki.

– Temu narodowi zaaplikowano truciznę, która nie uśmierca od razu, ale powoli zamienia delikwenta w jego własną karykaturę. Narodowy parkinson! To, co najlepsze, najważniejsze, układ nerwowy, płaty mózgu, serce, degeneruje się i usycha. To, co najobrzydliwsze, cuchnące: flaki, tłuszcz, żyły, olbrzymieje, rozrasta się jak nowotwór. Nic nie powstrzyma nowotworu. Niech pan wyjrzy przez okno i niech pan patrzy, jak ta sinoróżowa mięsna pulpa zatyka ulice, jak wali na rynek, wystaje w kolejkach, kłóci się, ćmi papierosy i rzuca pety pod nogi, chla, a potem rzyga, depcze, pluje przez zepsute zęby, narzuca swoje prostackie racje, swoje dobro, swoje zło. A my chowamy się po dziurach, zamykamy się ze starymi fotografiami w ciemnych pokojach, rozpamiętujemy, mamy kompleksy, obsesje i tęsknoty, wywołujemy zmory z więzień, z cmentarzy, uciekamy do sanatoriów, gdzie już nikt nas nie uzdrowi.

– „Naród", „naród", „naród", panie doktorze! To brzmi jak salwa z haubicy. Ale mną wcale nie wstrząsa to słowo, raczej nudzi, wolę na przykład wschody i zachody słońca albo księżyc, choćby blaszany, oświetlony reflektorem, nad rampą, na której gra się muzykę. Tu można żyć, zaręczam panu, choć jestem tu dopiero trochę ponad miesiąc. Trzeba tylko być cierpliwym, umieć odbijać się od ziemi i wiedzieć, po co wzlatuje się pod chmury. Swing leczy kompleksy. Będziemy swingować na wszystkie tematy świata, póki starczy tchu.

Vogt rozlał resztę śliwowicy.

– Nie wiedziałem, że z pana taki pięknoduch, panie Fabianie. Niech się pan jeszcze napije. Alkohol nie leczy kompleksów.

VI

Zdecydowała się nagle, w chwili odpływu bólu, nad rozwierconym zębem pacjentki, oborowej spod Biłgoraja, jak zdążyła wyczytać jednym okiem w karcie sanatoryjnej. Poprosiła o twardy fleczer, tlenek cynku z olejkiem goździkowym, zaraz potem wstała, rzuciła fartuch i oznajmiła Drabikowej, że tego dnia więcej nie będzie przyjmować.

Drabikowa, bez zdziwienia, ale zadowolona, wytknęła po swojemu głowę przez drzwi i wrzasnęła w tłumek czekających, że koniec na dzisiaj, rejestrację anuluje się, trzeba przyjść jutro, bo telefon był i pani doktór musi biegiem do zarządu.

– Pani doktór słyszała, że ten diabeł, co nocami podwórka demoluje, to wcale nie żaden diabeł, jeno małpa? Z zoo uciekła w Toruniu. Ludzie wczoraj o niczym innym nie gadali w mydlarni na Żelaznej i u Ukraińca; akurat baleron przywieźli, to stałam. Dyrektor ponoć boi się przyznać, protokół zrobili, że niby zdechła, ale ścierwa nikt nie widział.

Żona brata Obrębskiej, tej laborantki z Oriona, ma siostrę, której zięć tam pracuje.

– Wychodzę, pani Drabikowa. Jutro normalnie. Albo nienormalnie.

– A o tym zboczeńcu pani doktor słyszała? – Drabikowa ściszyła głos. – Znowu gonili go na Nieszawskiej. Podobno to profesor uniwersytetu, specjalnie tu przyjeżdża. Załęska, ta kasjerka z warzelni, wczoraj o tym mówiła w sklepie u Marcelowej; właśnie piklingi świeże były. Co to w takim siedzi? Ja pani powiem: każdy chłop to jeden w drugiego obleśny wieprz, każdy, jakby mógł, toby latał po ulicy z tym swoim, tfu, hałabanem na wierzchu albo w garści. Czy pani kiedy słyszała, żeby kobitka zaczepiała ludzi i wystawiała goły tyłek, zwłaszcza na zimno i śnieg?

– Co to mnie wszystko obchodzi, pani Drabikowa? Czego jak czego, ale „hałabana" na pewno się nie przestraszę – zaśmiała się sucho Wanda, biorąc z szafy płaszcz i kładąc rękę na obolałym boku.

Mroźny powiew ostudził jej twarz. Szła alejką między przysypanymi śniegiem parcelami po dywanach kwiatowych, mijając śpieszące się na zabiegi, owiane kłębami pary z ust gromady marnie ubranych, zabiedzonych ludzi z pegeerowskich turnusów przyjeżdżających zawsze zimą.

„A może lepiej by było odejść od zmysłów, zabłądzić i nie wrócić?" – przyszło jej na myśl dziwaczne zdanie i nie chciało opuścić, jak katarynka powtarzała je co kilka kroków.

Do pracowni doktora Garfinkla na tyłach sanatorium Pionier weszła prosto od drzwi, mając gdzieś szmer protestu chorych stłoczonych w poczekalni. „Służba zdrowia!" – warknęła tylko pod nosem.

– Wszystko wiem, wiem wszystko, pani koleżanko. Międzynarodówka pielęgniarska działa. Jest pani na czczo, pani koleżanko? Proszę, niech się pani koleżanka od razu częstuje.

Doktor wstał i podał jej kubek z płynem kontrastowym. Opadający rękaw białego kitla odsłonił kawałek wielocyfrowego numeru wytatuowanego na przedramieniu.

Musiała czekać, zanim płyn rozprowadzi się po żołądku i będzie można zrobić zdjęcie. Siedziała ze wzrokiem wbitym w posadzkę, czując dreszcze i ohydny, słodkawy smak papki barytowej.

– Skąd ta mina, pani koleżanko? Dlaczego pani koleżanka nie zachowuje rozsądku? Nic jeszcze nie wiemy. Równie dobrze może to być jesienny nawrót choroby wrzodowej albo sto innych małych paskudztw, a nie zaraz to, co pani sobie wyobraża. Zobaczy pani koleżanka, skończy się na alugastrinie i diecie łatwostrawnej.

Mówił głosem stłumionym, jakby spod poduszki, ale nie wyglądał na swoje osiemdziesiąt lat. Postawny, wysoki, z aureolą siwych włosów, podobny do Einsteina z kroniki filmowej. Praktykował też jako pediatra i popołudniami jeździł do pacjentów przedpotopowym samochodem marki Hanomag, strzelającym i dymiącym dziwolągiem na wielkich, cienkich kołach, który nieżyjąca już żona przechowała przez wojnę w ten sposób, że własnymi rękami zamurowała go w obórce przerobionej na garaż.

– Jestem lekarzem, panie doktorze, może tym trochę gorszym, ale wiem, coś mi podpowiada, że nie powinnam mieć złudzeń.

– Pani koleżanko! Jeżeli już nie ma złudzeń, to na co potrzebna medycyna? Skoro tak, to niech pani koleżanka odprawi do domu tych swoich ze zgorzelami i *parodontitis*, i tak przecież kiedyś umrą.

Gdy zdjęła ubranie i kładła się na stole do rentgenografii, Garfinkel zapytał jeszcze:

– Przepraszam, pani koleżanko... Czy kiedykolwiek była pani brzemienna?

– Tak. W Rosji.

Do domu wróciła, ledwo powłócząc nogami. Nic jej nie bolało, ale cała była odrętwiała, jak po znieczuleniu. Nie chciało jej się jeść, włączyła grzejnik, nalała sobie pół szklanki herbaty, na ślepo sięgnęła po kilka numerów „Przekroju" ze sterty przy tapczanie. Sylvetta David w pracowni Picassa. Picasso na giętym krześle, ona w bujanym fotelu, pozując z torebką na kolanach, patrzy w ścianę. Jakieś wiersze Préverta w tłumaczeniu Kerna, nie mogła czytać, nic nie rozumiała, bezmyślnie wpatrywała się w fotografię kobiety z Birmy, o niebywale długiej szyi, sztucznie wydłużanej przez nakładanie miedzianych pierścieni.

Po dziewiętnastej usłyszała telefon. Zerwała się, pobiegła na górę, znalazła aparat zostawiony przez Bayerową w ciemnym korytarzu, pod połamanym stolikiem nocnym. Ukucnęła obok, wzięła słuchawkę. Dzwonił Garfinkel, nie spodziewała się.

- Wywołałem rentgenogramy, pani koleżanko. Już wyschły. Mam jednak wątpliwości. Dobrze by było, gdyby pani przyszła do mnie jutro, najlepiej od razu z rana.
- Jakie, jakie wątpliwości? Czy dobrze, czy... – jąkała się.
- A nie można teraz? Ja teraz przyjdę, ja za moment będę...
- Ale już wychodzę do domu.
- No to przyjdę do domu. Na chwilę. Bardzo proszę...
- Jak pani sobie życzy, pani koleżanko. Zabiorę klisze.

Owinęła się szalem, narzuciła na siebie palto, biegła ciemnymi ulicami. Garfinkel mieszkał w oficynie dawnego eleganckiego pensjonatu Piast, zamienionego teraz na jakiś ośrodek szkoleniowy. Ktoś jej otworzył, przeszła przez dwa duże pokoje; była tam para młodych ludzi, bawiła się dwójka dzieci. Gruba kobieta, którą znała z targu, nakrywała stół. Doktor wprowadził ją do gabinetu, zapalił żarówkę za mleczną szybą i oficjalnym, wykładowym tonem zaczął objaśniać zdjęcia. Pokazywał ubytki i naddatki cieni, kręcił głową:

- Niepokoi mnie okolica odźwiernika i obydwie krzywizny, niech pani spojrzy, pani koleżanko. Gdyby to było przynajmniej dno żołądka... No i, jak zawsze, jest dylemat między pragmatyką a praktyką. Pragmatyka nakazuje w tej sytuacji po prostu przez kilka miesięcy spokojnie leczyć wrzody i interweniować dopiero, gdy terapia nie przyniesie efektu. Tyle że ja zajmuję się tym dłużej niż pół wieku; tysiące przypadków, tysiące jam brzusznych prześwietlałem, pani koleżanko. Widzę już chyba lepiej niż lampa rentgenowska i powiem wprost: pani musi być operowana, i to jak najszybciej. Jutro zatelefonuję do Bydgoszczy, do profesora Musiała albo lepiej do Warszawy, do pułkownika Okrasy, to mój uczeń. Za dwa dni będzie pani w szpitalu.

Zdenerwowanie minęło, stała się obojętna, jakby ból, wykryta choroba, zdjęcia jej wnętrzności zwieńczonych gotycką arkadą żeber dotyczyły kogoś innego.

– Czy to coś da? Coś zmieni?

– A co tu można odpowiedzieć? Nie wiem, pani koleżanko. Tego nigdy nie wiedziałem. A jeśli mi się nawet wydawało, że wiem, to zazwyczaj się myliłem.

– Ja nie chcę operacji.

– To pani wybór, pani koleżanko.

Brnąc do domu pod lodowaty wiatr, uspokajała się i na siłę tłumaczyła sama przed sobą. Że tak działa zwykłe prawo fizjologii, że w końcu nie dzieje się nic nienaturalnego, że tę drogę przed nią przeszły miliony i miliony przejdą po niej, a bać się nieuchronnego to najzwyklejsza głupota. Zresztą, czego się bać? Przecież głęboko, z całych sił wierzyła, że „tam" nic nie ma. Czy zdrowy na umyśle człowiek może się bać niczego? Przeciwnie, powinna się czuć wyróżniona – nie zazna starości, niedołęstwa, krzywdy, jest świadoma, zna przyszłość, może zapanować nad czasem, jaki jej pozostanie. Postanowiła od razu, natychmiast powiedzieć o wszystkim Fabianowi, uprzedzić go i przygotować. Żeby się oswoił, nie był zaskoczony, nie przeżywał, żeby wiedział, co robić, co i jak załatwić, ułożył się z Bayerową albo na chłodno pomyślał o innym mieszkaniu, może o wyjeździe. Daleko, w Katowicach, we Wrocławiu, znalazłby chyba kilku kolegów, z którymi kiedyś grał. W radiu, na telewizji u Suleckich nieraz obijały jej się o uszy znajomo brzmiące nazwiska. Kochała go, nie chciała, żeby został sam. Układała sobie rozmowę, dobierała słowa, projektowała całe zdania.

Był u siebie. Od furtki zobaczyła, że w ciemnym szeregu oczodołów hotelowego pawilonu świeci się jego okno. Tupiąc obcasami, wpadła na schody i bez pukania rzuciła się na drzwi. Siedział przy lampce, którą wczoraj kupił sobie w Toruniu, przepisywał nuty.

– Fabian!

– Tak? – odwrócił głowę od światła.

– Fabian, ja...

Stanął przed nią, położył jej dłonie na ramionach, była zziębnięta, na szalu topniało kilka śnieżnych płatków.

– Ty beczysz, Wandziucha! Coś się stało?

– Fabian, ja muszę... To znaczy: ja chcę ci powiedzieć, że... że... Ja chcę śpiewać, tak jak mnie prosiłeś! Śpiewać! Będę śpiewać!

Cmoknął, przewrócił oczami, wykonał szaleńcze taneczne pas i zakręcił nią jak w quick-stepie.

– Gwiazda, gwiazda! Toż to prawdziwa gwiazda!

Gdy po skończonej próbie Fabian wchodził do swojego pokoju, zza węgła, kasząc dychawicznie, wytoczyła się Bayerowa. Dmuchnęła w cyfkę tak, że dymiący jeszcze niedopałek wystrzelił i odbił się od czubka jego buta. Zaraz też zaczęła utykać nowego żeglarza, szło jej opornie, nie mogła trafić.

– Nie miałby czego na otrzeźwienie?

Fabian zaprosił ją do środka.

- O nie, gdzie jak gdzie, ale tam to ja nie wejdę. Za żadne skarby, kurwa jedna! Niech mi na korytarz wyniesie.

Posłusznie zatem nalał whisky i podał przez próg. Przełknęła jednym tchem, jak zziajany rowerzysta szklankę zimnej wody. Wyobraził sobie jej twarz bez worków pod oczami, zmarszczek, obwisłych tobołów tłuszczu. Kiedyś musiała robić wrażenie.

- Jakaś lafirynda do niego cały dzień wydzwania. Spać nie daje.

- Kto taki?

- Nie wiem, nie chciała powiedzieć. Powiedziała, że jeszcze będzie telefonować. Ale niech uważa, ona ma kurewski głos.

- Co znaczy „kurewski", pani Bayerowa?

- No, kurewski – splunęła na podłogę. – Bo ja wiem? Jakiś taki... jak drzazga boląca, kurwa jedna. Niech uważa, uważa. Ja wiem, co ja mówię.

Nie zamykał drzwi, krążył wokół kulawego stolika, pod którym stał telefon, przysiadał, odruchowo wypalił cygaro, nie czując smaku. Wreszcie doczekał się dzwonka.

- Czemu pan się nie odzywa, master-plaster? – usłyszał głos Modesty. – Chcę panu w końcu te pieniądze oddać.

- Jakie pieniądze? Pani nie jest mi nic winna.

- Drogi panie! To ja decyduję, czy chcę mieć u kogoś długi, czy nie. Nie ma żadnego, ale to żadnego powodu, żeby pan za mnie płacił po restauracjach! – słowa zabrzmiały z takim naciskiem, że mało nie wypchnęły na wierzch dziurkowanego denka słuchawki.

– Niech mnie pani nie obraża, do cholery! I niech pani, na litość boską, skończy z tą angielszczyzną.

– Nie skończę. Rozmawiam z panem wyłącznie dlatego, żeby rozmawiać po angielsku, przecież pan dobrze wie. Muszę się z panem spotkać, najlepiej jutro, i będę miała to z głowy. Ja naprawdę nienawidzę zobowiązań, jestem bardzo drobnomieszczańska. Przy wejściu do teatru, o czternastej trzydzieści pięć, bo o czternastej trzydzieści kończę lekcje.

Nazajutrz Fabian pojechał na ulicę Kopernika. Teatr jednak minął i zatrzymał się dalej, przed samym liceum, klasycznym budynkiem obok dawnego hotelu Müllera. Vauxhalla zaraz obstąpili uczniowie w czapkach z daszkiem i z tekturowymi teczkami ściskanymi w rękach. Zaglądali, odczytywali głośno cyfry szybkościomierza, wreszcie zaczęli próbować resory, czyli kołysać wozem, nie zważając wcale, że w środku siedzi właściciel. Fabian wysiadł, zaraz posypało się zwyczajne:

– Ile pan wyciągnie? Ile koni? Dużo pali?

Nie odpowiadał. Wyjął szkiełko Edzia, przyłożył do oka, bez słowa przyglądał się całej grupce. Soczewka wyrównała posturę i wzrost, zobaczył więc szereg jednakowych szarych fantomów, a ponieważ słońce na chwilę przebiło się przez chmury i liznęło miejsce, w którym stali, ich głowy, okrągłe, podłużne, trójkątne, czajnikowate, zapaliły się na moment jak pomarańczowe dynie i zaraz zgasły.

– Rękę bym sobie dał uciąć, żeby taki mieć! – westchnął grubawy brunecik, głaszcząc chromowaną listwę na masce.

– To chyba dupą byś prowadził! A pan co? Mikroby pan ogląda? – krzyknął stojący na uboczu, zgarbiony chłopak w za wielkiej kurtce, przerobionej z wojskowego szynela.

– Święta racja. Dupą w żadnym razie się nie da. Jak masz na imię? – zapytał Fabian.

– Edek! Bo co? – odburknął chłopak zadziornie.

– Edek... – Fabian oparł się o samochód.

Rudzielec, który właśnie wyskoczył ze szkoły, walnął jego rozmówcę teczką w plecy i wrzasnął:

– E, „Francuz", pekaes nam ucieknie!

– Nie jadę. Nie mam na pekaes. Pociągiem pojadę o szóstej. Może będzie ten konduktor z Łazieńca, sąsiad. A jak nie, to „na kamasz". A co! Wędrówką jedną życie jest człowieka!

To ostatnie zdanie zaintonował błazeńsko, jednocześnie ziewając i nie zasłaniając ust.

– Dycha starczy? Mogę pożyczyć – Fabian sięgnął po portfel.

– Nie. Nie biorę pożyczek. Bo nie oddaję i potem mam wyrzuty sumienia.

Zadzwonił dzwonek, z gmachu zaczęli wysypywać się młodsi uczniowie. Nad gromadką dziewcząt wypłynął również czarny kapelusz Modesty. Zobaczyła jego i vauxhalla, najpierw chciała skręcić w przeciwną stronę, potem przejść przez ulicę, w końcu jednak podeszła prędkim, drapieżnym krokiem, z wściekłą miną.

– Mówiłam: koło teatru, a nie tu! Wstyd mi pan przynosi, cholera jasna!

– To niech pani wskakuje szybko.

Trzasnęła drzwiami, naokoło rozległy się owacje i śmiech wychodzących dziewczyn. Fabian ruszył, jechali wolno aleją w kierunku kościoła.

– Zawsze, kiedy się spotykamy, najpierw na siebie krzyczymy, dopiero potem rozmawiamy.

– Proszę, to są pańskie pieniądze. Rozmawiać nie mamy o czym. Proszę mnie zawieźć do domu.

– Ale ja nie przyjmę żadnych pieniędzy, niech mi pani zabiera ten papier. To pewnie cała pani pensja.

– Co pana obchodzi moja pensja!

Jeździli tak w kółko: Kościuszki, Mickiewicza, ulicą Widok i Zdrojową, później Traugutta i Warzelnianą naokoło parku, a nowiutka, szeleszcząca, brązowa pięćsetka z górnikiem przefruwała z jednych kolan na drugie i z powrotem.

Wreszcie Fabian zatrzymał samochód koło poczty.

– A może by tak oddała mi pani ten dług... w nieco inny sposób?

Spojrzała na niego piorunująco, z błyskawicą w czarnych, wilgotnych oczach, potem z politowaniem, na końcu parsknęła śmiechem.

– Panie kochaniutki!... A ciekawi mnie niezmiernie, jakiż to „inny sposób" wykoncypował sobie pan dobrodziej? Oceniając wszelkie przymioty pańskiego ducha, ciała, umysłu i charakteru, byłabym w stanie zrobić dla pana tylko jedno – beret na drutach.

– Zaśpiewa pani z big-bandem.

Zaniemówiła.

– Tak jest, zaśpiewa pani z moim big-bandem. Po angielsku.

– W porządku, zaśpiewam – zgodziła się od razu, innym tonem, bez zdziwienia, bez krygowania, zaskakując Fabiana jeszcze bardziej niż on ją przed chwilą. „Przecież to zwyczajna wariatka" – pomyślał.

– No to niech pani schowa ten banknot. Moglibyśmy sobie teraz pojechać na obiad do Torunia, Pod Orła, to głupie dwadzieścia minut drogi. Uprzedzam – ja będę płacił. Bez żadnych zobowiązań – żeby nie było wątpliwości.

– Niech pan się nie wysila, mister-fister. Nie jadę. Nie chce mi się nigdzie z panem jeździć.

– *Well*. To w takim razie – czy gustuje pani w spelunkach?

Zamieszanie wywołane wkroczeniem do Współczesnej Fabiana w towarzystwie Modesty było większe od konsternacji po jego pierwszym wejściu z umundurowanym Stypą.

Spojrzenia mętne, bure i przekrwione wbijały się w nich jak śrut z wiatrówek strzelających ze wszystkich kątów, głosy grube, piskliwe i charczące utknęły w krtaniach, „pięćdziesiątki" zawisły w połowie drogi do spalonych papierosami gardeł, grudy rozgotowanych, wystygłych kartofli pospadały z widelców.

– No i coś pan tak paszczę rozdziawił, panie Cuber! – wrzasnął Habertas na kelnera, który zastygł w pół kroku z tacą pełną szklanek kompotu rabarbarowego. Nie przepuścił też drugiemu: – A pan, panie Ostaszewski?! Pan chociaż wiesz, jak pan dziś wyglądasz? Pan jesteś podobny do kapoty mojego dziadka, co jeszcze wisi na strychu od powodzi ciechocińskiej! Siano byś pan sobie z kudłów wyczesał, ziemię zza pazurów wyczyścił, bo się konsument jeden z drugim porzyga!

– Do ziemi to sam pan se możesz iść! Najwyższa pora! – bełkotliwie pyskował Ostaszewski, rzeczywiście tego dnia słaby na nogi, wymięty jak stara gazeta i pożerający w kuchni garściami kiszoną kapustę prosto z kamionki.

Pora była obiadowa, więc przy stoliku za węgłem zastali cały komplet. Gdy Fabian przedstawiał Modestę Stypie i Vogtowi, uprzytomnił sobie, że przecież nie zna jej nazwiska. Wyręczyła go zgrabnie, dopiero wtedy usłyszał, że nazywa się Nowak.

Zuppe natomiast oszalał, takiego go jeszcze nie widzieli. Na widok Modesty jakby puściła w nim nagle zakręcona dawno temu na amen zardzewiała śruba. Szastał się naokoło stołu jak wielki człekokształtny pająk, odskakiwał, przyskakiwał, poprawiał wyplamiony obrus, popielniczkę, kubki, strzepywał krzesło, na którym miała usiąść, nieustannie obcałowywał ją po rękach i śliniąc się, wykrzykiwał zadziwiające komplementy:

– Co za rysy! Co za głębia! Nefretete! Tak jest, Nefretete! Bogini! Królowa! Zupełnie jak w gablocie, w Berlinie, w tym tam muzeum... Jesienią trzydziestego pierwszego wszedłem znudzony, wyszedłem zakochany! Tfu, co ja gadam! Przepraszam panią! Jakie tam muzeum, jaka tam gablota... Tfu! Przepraszam jeszcze raz. Pani jest tak piękna, że na pewno nie może pani być kobietą wyzwoloną. Nie jest pani, prawda? Czy nie mam racji? Głowę daję!

– Pomidorówkę bierzcie, dobra, gulaszu, broń Boże, nie bierzcie, jakieś białe, oślizgłe na nim wylazło, kucharka musiała wrzątkiem parzyć! – Habertas jak zwykle pochylił się nad Stypą. – Rosół sama woda, kwaśny, ocet prawie, schabowych też nie bierzcie, jak podeszwa listonosza, świnia chyba stuletnia była! Pierogi bierzcie, mięso to nawet jeden czy drugi bandzior wczoraj schował, żeby wynieść, ale w ostatniej chwili w skrzyni na węgiel znalazłem, kurwa ich mać!

Modesta nie chciała niczego do jedzenia. Jej uroda olśniła nawet zblazowanego Ostaszewskiego, który zapomniał o innych stolikach, łaził tylko obok w tę i z powrotem, wreszcie przemógł się, zaszedł ją od prawej, wykonał coś w rodzaju dygnięcia i zachrypłym półszeptem wykrztusił:

– Czy pani może się czegoś napije?

– Tak. Wódki. Czystej.

– Pani pije wódkę? – gorszył się Vogt.

– Owszem, piję. W pewnych okolicznościach. To się nazywa imperatyw kulturowy, miły panie.

– O! Co to, to nie, królowo! – protestował Zuppe, mamlając pełnymi ustami. – Co prawda, nawet Makuszyński gdzieś napisał, że idioci piją wodę, kobiety terpentynę, stróże nocni wódkę, a mędrcy i poeci wino, ale ja się z tym nie zgadzam. Co znaczy „imperatyw kulturowy"? Że samo miejsce narzuca wybór? Twierdzi pani tym samym, że jak już w mordowni, to można tylko wódkę, w cukierni wyłącznie likier jajeczny, na dancingu wino słodkie Mistella, w bufecie na dworcu, no, to chyba piwo!

– Piwa nie ma! – machinalnie zareagował podsłuchujący z boku Ostaszewski.

– To są wszystko fanaberie i fochy! Co wypada, a co nie. Trunek przywiązany do miejsca, zachowanie przywiązane do sytuacji, w końcu – człowiek przywiązany do światopoglądu, żeby zawsze miał taki sam. Broń Boże, żeby inny we czwartek i inny w sobotę! Trunek to tylko pretekst. Tak naprawdę wychodzi tu obłuda, dziedzictwo skrępowania zasadami, z którym nawet marksiści nie mogą się uporać! – Zuppe płynął już w swoim żywiole, oczy iskrzyły, koło nosa wykwitły fioletowe place. Skończył pomidorową z makaronem, odsunął talerz, usadowił się wygodniej i wywodził dalej: – Wódka wódką, kultura kulturą. Te słowa mają ze sobą związek wyłącznie w społecznościach zniewolonych. Właśnie. À propos kultury i zniewolenia człowieka. Czy słyszeli państwo, że Leśmian był pedałem?

Jak zwykle zrobił pauzę, przeciągnął wzrokiem po słuchaczach i w duchu już zacierał ręce do odpierania ataków.

– Panie Zuppe, dałbyś pan tym razem spokój, przy kobiecie. Strasznie pan dzisiaj gadatliwy. Pan Cuber mówi, że pan już rano pił! – denerwował się Vogt.

– Oszczerstwo! Wstąpiłem tylko, żeby zobaczyć, co na obiad. Dobrze Wolna Europa gada, że każdy kelner to szpicel!

– Znowu pan bredzi – wtrącił Stypa. – Ja tego Leśmiana nie czytałem, ale akurat kiedy umarł, trąbiłem w Arizonie u Freda Melodysty. Słynna awantura, kochanka porwała karawan z nieboszczykiem żonie i córkom sprzed nosa, policja ich goniła na motorze aż gdzieś na rowy marymonckie, cała Warszawa o tym plotkowała. I to miał być pedał?

– To sprawa uczuć kochanki, a nie jego. Żaden argument – wzruszył ramionami Zuppe.

– Przecież pisał namiętne erotyki do kobiet!

– I co z tego? Pisał. Ale czy to, co się rozmyślnie drukuje po książkach i gazetach, może być dowodem? Dowody mam ja, proszę państwa, zbieram je do odpowiednich teczek, analizuję, zestawiam, porównuję indukcyjnie, a jak trzeba, to i dedukcyjnie. Wyciągam wnioski...

– Niech pan mówi, niech pan mówi! Jakie to ciekawe! – Modesta oparła policzki na dłoniach i wlepiła oczy w tajemniczy uśmieszek Zuppego. Fabiana ogarnęła nagle głupia fala zazdrości.

Mile połechtany staruszek wyjął najpierw okulary, popluł na nie, przetarł ceremonialnie, sięgnął do jednej kieszeni smokinga, potem do drugiej, udając, że sprawdza, czy nie zapomniał fiszki. Później dla spotęgowania napięcia, milcząc, bawił się jeszcze przez chwilę tekturową karteczką.

– Mówili państwo o erotykach. Ale na pewno państwo nie znają poematu *Niespodzianiec*. Zresztą, skąd by państwo mieli znać? Brązownicy ukryli. Proszę, wystarczy pierwsza strofa.

Czytał ostentacyjnie, ze staroświecką aktorską starannością, gładko wymawiając „ł" i każdy wyraz obłupując z nieczystych dźwięków:

Kto chędożył pastucha na wskroś, z lasu strony,
że z odgłębi studziennej sam był chędożony?
Kto dąb dębiną drzewił, który popod lasem,
wzwyż niebo rozzieleniał sękatym...

Tu, wznosząc intonację, nieoczekiwanie zawiesił głos.
- Kutasem! - dźwięcznie dopowiedziała Modesta. Zabrzmiało jak podszept szatana w narodowym arcydramacie.
- Otóż i właśnie! Otóż i dowód! - triumfował Zuppe, surowo przy tym spoglądając to na Vogta, to na Fabiana i jednocześnie popatrując, czy deklamacja nie zrobiła aby jakiegoś wrażenia na Ostaszewskim, który zadumany stał przy oknie i grzebał sobie w uchu.

- Natrętny, chorobliwy fallocentryzm. Nawet gdyby w oryginale było zapisane co innego, to przecież na myśl przychodzi jedynie to słowo, tylko ono jedno samo się tu wymusza, ono jedno logicznie wypełnia rym! A co to znaczy „chędożyć pastucha na wskroś"? Tego już nie powiem, darują państwo, przy królowej-bogini Nefretete nie powiem!

Zuppe zabrał się do pierogów, które osobiście podsunął mu Habertas. Rozgniatał je bokiem koślawego widelca i z namaszczeniem unosił do ust. Fabian, Stypa i Vogt również w milczeniu opróżniali swoje talerze.

- Niech pan powie! No! „Chędożyć na wskroś!" „Pastucha chędożyć!" Ależ to takie ciekawe! - niecierpliwiła się Modesta.

- I tak najbardziej pornograficzną, obrzydliwą wymowę ma pozornie niewinne wyrażenie „z lasu strony". Jest to właściwie dowód najistotniejszy, klucz do wszystkiego - Zuppe ukradkiem ocierał kapiące z podbródka krople tłuszczu. - Nic państwo nie rozumieją? Naprawdę nic? Czytać poezji państwo nie potrafią! Otóż jeżeli pastuch w letni dzień pasie krowy na łące pod lasem, to musi te krowy widzieć, żeby gdzie w szkodę nie wlazły, a więc jak leży? Leży w cieniu na trawie, w „stronę lasu" odwrócony. Czem odwrócony? Z przeproszeniem – niumą odwrócony. No i wszystko jasne. Proszę sobie teraz zestawić wyrazy: „na wskroś", „chędożyć" i wypięty w gęstwinę pni o fallicznych przecie kształtach, wiejski, zadziorny, pastuszy zad, młody i jędrny niczym wschodząca seradela. Najohydniejsze obscena płciowe, jakie znam!

Zza ceratowej zasłony wiszącej w przejściu do kuchni wynurzył się Cuber i pociągnął Fabiana za rękaw, obwieszczając, że jest do niego telefon. Aparat był w kantorku Habertasa, kelner zaprowadził go tam przez korytarzyk, gdzie walały się nadgniłe marchewki i buraki, a opary z kuchennych saganów stały gęste jak londyńska mgła.

– Jakem tu przez cztery lata robił, nikt nigdy nie dzwonił do klienta! – ekscytował się Cuber.

– Czy pan Apanowicz? – chrząknęło w słuchawce i ktoś zaraz wyrecytował: – W nieodległej wsi spłonęła dzwonnica, dymu nie widać.

Przypomniał sobie mizernego osobnika sprzed drzwi Wandy, potem konduktora, który uciekał przez cały pociąg i rozpłynął się bez śladu.

– Czego pan chce?! A w ogóle: kto pan jest?

– W nieodległej wsi spłonęła dzwonnica, dymu nie widać.

– Spieprzaj, kutafonie! Następnym razem, jak to usłyszę, od razu walę w mordę, żebyś wiedział, ty luju krakidalski!

Rąbnął pięścią po widełkach, aż na biurku boleśnie jęknęły Habertasowe liczydła.

Tymczasem na dworze coraz bardziej tężał mróz, trzeba było skrobać szyby samochodu, to uspokajało. Wracali we dwoje, jadąc wolno białymi, śliskimi, zupełnie pustymi uliczkami. Reflektory wygarniały z ciemności pnie drzew, fragmenty murów i ogrodzeń – wszystko jakby kompozycja tysięcy zlepionych, połyskliwych paciorków, żywa przez sekundę, pogrążająca się w niebycie, gdy minie ją snop światła. Radio dudniło ciężką, klasyczną muzyką, Haydnem albo Beethovenem, profil Modesty majaczył w półmroku, zielonkawym od świecących zegarów.

Stanęli przy krawężniku, pod willą Konstancja.

– Bardzo panią przepraszam za tego starego kretyna.

– Nie ma za co. Nareszcie coś się działo, nie było nudno. Doskonale się bawiłam – mówiła znowu po angielsku.

– Sam już nie wiem, kiedy pani mówi serio, a kiedy sobie kpi! „Jakie to ciekawe! Jakie to ciekawe!" – skrzywił się ze złością i przedrzeźniał ją damskim głosem.

– Tak panu zależy? Taki pan podatny na kpiny? Wiadomo, „artysta polski"! Wrażliwy jak dmuchawiec na krowim gównie!

– Nie pani jedna ze mnie kpi. Ciągle obcy ludzie robią sobie cyrk, zaczepiają mnie, gadają o jakichś „wsiach", „dymach", „dzwonnicach, co spłonęły". Już sam nie wiem, może za ten koncert na balkonie pierwszego dnia? Wykurzyć mnie stąd chcą czy co? Teraz sobie powiedziałem: z miejsca, bez słowa walę w ryj, nosy łamię, zęby wybijam, szczęki miażdżę!

– Boże, master-taster, jaki pan groźny! Jak pan się sam przed sobą pręży, upaja, ho, ho! Może wyobraźnia zbyt muzyczna, może wódeczki za dużo? Może pan przesadza? Ten Zuppe w gruncie rzeczy bardzo podobny do pana.

– Też sobie pani wymyśliła.

– Taki sam mister-twister. Kręci się tylko i puszy, wszystko robi, żeby go ludzie zauważali i chcieli podziwiać. Ze dwa razy starszy od pana. Że mu się jeszcze nie znudziło.

– Pani ma dziwny dar. Rzuca pani mnóstwo obraźliwych słów, a nie można się na panią obrazić.

Niespodziewanie poczuł ciepło jej ręki na swojej, odruchowo chciał cofnąć, ale przytrzymała ją miękkim uściskiem.

– Wie pan co? Nie mogę się doczekać, kiedy będą już święta i zaczną się fajfy. Uwielbiam tańczyć. Dziko, ostro, mambę, dżajwa. Nigdy z nikim nie tańczyłam tak jak z panem, master-blaster. Dopiero w tańcu prawdziwy z pana Humphrey Bogart. Rzadko spotyka się kogoś takiego, faceci to w większości mendy, pierdziele i fajtłapy. Idę już. Dobranoc. Niech pan mi się tylko nie nadstawia do całowania.

Pili herbatę z porzeczkami w pokoju Wandy. Wróciła z pracy, blada i skulona siedziała na tapczanie, trzymając szklankę w obydwu dłoniach. Fabian dorzucił węgla do pieca, za żeliwnymi drzwiczkami huczał purpurowy żar, radio zapowiadało osiemnaście stopni mrozu w nocy.

– Nie zapalaj lampy. Tak dobrze. Często całymi wieczorami nie palę światła, nie chce mi się.

– To co robisz? Rozmyślasz? O czym? To się dopiero można zanudzić, tak godzinami myśląc po ciemku.

- Właśnie o niczym, zupełnie o niczym. Słucham radia, jest mi coraz cieplej, zasypiam. Człowiek może mieć tak dużo przyjemności z byle czego.

Dość niepewnym głosem powiedział jej, że Modesta także zaśpiewa jedną piosenkę z big-bandem. Uśmiechnęła się na to cienko.

- Ale też ona ma imię! Wiesz, już gadają na mieście o tobie i o tej damulce. Moja pomoc słyszała u Porkiewiczowej, w pasmanterii, że całkiem szykowna z was para i pięknie razem wyglądacie w aucie, które niedawno kupiłeś za dwieście pięćdziesiąt tysięcy złotych od samego premiera Cyrankiewicza.
- Para! Coś takiego! Od Cyrankiewicza? Tego łysego, z policzkami jak kotlety?
- Przecież ona to nawet nie wiadomo kto, braciszku.
- A my? Wiadomo kto?
- Niech śpiewa, jak jej się chce. Jeżeli o mnie chodzi, to mam wyrzuty sumienia z tym śpiewaniem! - ni stąd, ni zowąd wybuchła histerycznie. - Tyle zbrodni, nieszczęść, tyle prostactwa, bezczelnych kłamstw, upokorzenia - i ja mam śpiewać? Moje przyjaciółki, Miśka, Ańka, Gena, śliczne młode kobietki, panie inżynierowe, adwokatowe, do których biegałam na plotuchy o romansach i sukienkach, i które teraz w normalnym świecie powinny by rajcować u fryzjera albo wydawać córki za mąż - wszystkie nie żyją, żadna nie wróciła z tych Aktiubinsków, kołchozów, Magadanów. A twoi kumple, sam grand boss Langerfeld, a Borys Kranz, ten piękny Żyd, z którym spało pół Lwowa, łącznie ze mną? A nasi? Karol, Ryśka, Edzio... A inni? Tadek Bielak, co go zamknęli

w czterdziestym dziewiątym i ślad po nim zaginął? A doktor Gawroński, który zniknął z ulicy w Toruniu? I ja mam śpiewać *Sunny Side of the Street* albo to idiotyczne *I Want To Be Loved*? Zobaczysz te opuchnięte z przechlania mordy, co przyjdą na bal, tych towarzyszy dyrektorów, urzędasów o rozlatanych oczkach. Dla nich mam śpiewać Goodmana albo Millera? Przebierać nogami, mizdrzyć się na scenie? Jeszcze półtora roku temu strzelali do ludzi w Poznaniu! Zamykali „Po prostu" i bili pałkami studentów!

– Co ty w ogóle opowiadasz, Wandziucha? Swing to jedyne, czego nigdy nie zabije żaden marksizm-leninizm, tak jak nawet sto tysięcy pałek nie zatłucze tęczy, słońca na śniegu czy majowej mgiełki. Potworne czasy! Żyjemy w potwornych czasach i sami ze sobą też musimy wyczyniać rzeczy potworne. Na przykład wyłączyć pamięć i włączyć muzykę, żeby zakosztować prawdziwego życia, żeby płynąć. Zobacz, ilu ludzi tego chce. Ilu nagle wyskoczyło nie wiadomo skąd po to, by stworzyć zespół. Musimy być jak Adam i Ewa w raju, goli, niezbyt rozumni, musimy tylko starać się nie obrazić Pana Boga, który jest rozpisany czarnymi znaczkami na pięcioliniach i śpiewa do nas przez drewno i blachę! Wtedy nic nas nie zniszczy, żaden diabeł nas nie weźmie na rogi!

Wanda odstawiła szklankę, wstała i chwyciła się za lewy bok. Fabian już dawno zauważył ten odruch, był przekonany, że to tik nerwowy.

– Niech ci będzie. Skoro Boga nie ma w niebie, to może jest w nutach. Ciekawe, co ta twoja Modesta na to powie.

Jeszcze przed właściwą próbą Modesta i Wanda stanęły naprzeciw siebie w holu Zaświecia, obok pianina. Przez ułamki sekund Fabian widział po obu stronach intensywną pracę gałek ocznych; rejestrację, mierzenie i taksowanie każdego szczegółu twarzy, szyi i fryzury, każdej fałdki ubrania. Wreszcie sucho podały sobie ręce, jak mężczyźni.

– Wydaje mi się, że już trochę panią poznałam – powiedziała przy tym Wanda.

Zuppe odkaszlnął i z miną ciężko pracującej krawcowej schylonej nad maszyną do szycia zagrał temat. Nikt, nawet Wanda, nie wiedział, że Fabian płacił mu pięćdziesiąt złotych do ręki za udział w każdej próbie, a za koncert obiecał dwieście złotych. Zuppe był zresztą nieoceniony. Jak człowiek pianola. Grał z miejsca wszystko, co wjeżdżało mu przed oczy i co tylko można było zapisać na papierze nutowym. Dokładnie, z precyzją mechanicznego urządzenia, jakby w głowie nawijała mu się perforowana taśma. Na każde polecenie bezbłędnie zmieniał harmonię, barwę uczuciową, stylistykę. Robił to obojętny, znudzony, poziewując nieznacznie albo jednocześnie zaglądając do tomików poezji, które kładł sobie przy partyturze. Teraz jednak, wyraźnie podekscytowany, przybierał natchnione miny, uderzając w klawisze, teatralnie wznosił ręce, kręcił się i podrygiwał na stołku do przodu i tyłu.

Zaśpiewały razem, chórkiem, z kartek pokrytych haczykowatym pismem Fabiana, chociaż Wanda od razu przypomniała sobie słowa:

Grab your coat and take your hat
Leave your worries on the doorstep
Life can be so sweet
On the sunny side of the street...

„Śmieszne, jak się pamięta takie rzeczy! Przecież to tyle lat i tyle w tych latach. To tak, jakby spod metrowej warstwy śniegu, brudnego, zmrożonego, nagle wyciągnąć świeże, zielone źdźbło" – myślała, patrząc na poruszające się usta Modesty, pociągnięte ciemną szminką.

If I never made another cent
I'd be rich as Rockefeller
Gold dust at my feet
On the sunny side of the street...

Jak na pierwszy raz, zabrzmiały nieźle, podobały się. Fabian mówił, że mają dobrą „górę" skali, co jest najlepsze przy tej aranżacji, i dlatego chciał spróbować takiego duetu, namiastki chórku.

– Aksamit i miód! Prawie Jo Stafford i Connie Haines albo wszystkie „Sentymentalistki" naraz! – bił brawo Stypa, który tymczasem przyszedł i zdążył już powiesić na klamce raportówkę i pas z pistoletem.

– Dlaczego tylko „prawie"? – jeżyła się Modesta.

– A mnie tam to wcale nie dziwi, panie Stypa. Kobiety przecież zostały stworzone do spraw pięknych i wzniosłych – perorował od pianina Zuppe. – To tylko grecka kultura pederastyczna postawiła je nad balią i wetknęła warząchwie do rąk. Weźmy na przykład takiego Filetasa z Kos, już samo imię – tfu, szczyty sprośności: Filetas, Filetas, Filetas! – i jego *Hermesa Cyrenejskiego*, poemat liryczny, gdzie ci młodzi, półnadzy niewolnicy handlarza oliwą...

Nikt jednak nie chciał go słuchać, bo akurat zaczęli się schodzić muzycy, witali się, rozsiadali na skrzynkach i donicach, stroili instrumenty.

Wanda pociągnęła Modestę do swojego mieszkania. Usiadły, jedna na tapczanie, druga na amerykance, przy piecu.

– Będziemy się lubić? – Modesta wyjęła lusterko i poprawiła włosy bardzo z siebie zadowolona. – Nigdy nie miałam doświadczenia z taką muzyką, tak jak pani. Ale uwielbiam pokonywać trudności... Pani płacze? Dlaczego?

– Skąd... – zaprzeczyła Wanda, wycierając twarz chusteczką. – Ale właściwie tak, tak... Proszę sobie pomyśleć: przez wszystkie lata tutaj bałam się, czy będę jeszcze mogła „wskoczyć na linię", jak kiedyś mówił jeden przyjaciel, mój i Fabiana, saksofonista. Bałam się nawet spróbować, z daleka obchodziłam to stare pianino Bayerowej, czekałam, żeby je wreszcie sprzedała, żebym nie musiała patrzeć... Ale dajmy z tym spokój. O czym innym porozmawiajmy. Pani nie z Ciechocinka, prawda? Skąd pani pochodzi?

– Nieważne. Nie ma już tego miasta – odpowiedziała oschle Modesta.

– Mojego też już nie ma. Nie będziemy się rozczulać. Nie ma co robić tragedii, kiedy można śpiewać.

Śpiewały więc potem z całą orkiestrą. Wypadało to słabo, niespójnie; im dłużej ciągnęła się próba, tym gorzej. Instrumenty wchodziły sobie w drogę, zagłuszały wokale, dźwięki tępo rezonowały w zrujnowanym pomieszczeniu, zaczynały przypominać odgłosy z hali fabrycznej. Fabian wcale się nie irytował, powtarzał tylko jak stary belfer, wywijając niezapalonym cygarem:

– Upór, upór, upór! To słowo jest wam obce! Zaraz byście machnęli ręką, dali sobie spokój, porozłazili się, poobrażali na siebie, jak to Polacy. Zaraz orzekniecie, że ja też jestem do dupy! Uporem można wszystko. Sputniki latają, bo Chruszczow się uparł. Mało dziesięć prób, to zrobimy siedemdziesiąt pięć, a będzie, jak powinno być!

Skończyli krótko po dziesiątej. Modesta nakładała kapelusz przed zakurzoną, zabitą od zewnątrz deskami szybą dawnej werandy. Wyglądała w tym brudnym szkle jak staroświecki portret damy; bladość i czerń, oczy ukryte w cieniu. I to jej nieznośne ułożenie warg, napastliwe, nawet wulgarne, ale też pełne czegoś, czego Fabian nie umiał nazwać ani po polsku, ani po angielsku i co mógłby wyrazić tylko inny język, ten najdoskonalszy. „Zacznę przez nią komponować czy co?" – dziwił się sam sobie, a ona odgarnęła włosy, ułożyła wokół czoła i skroni kształt ronda, delikatnie przesunęła palcami po brwiach.

– Odwiozę panią do domu.

– Nie, dziękuję, chciałabym się przejść.

– O tej porze? No to odprowadzę panią.

– Nie. Nie chcę, nie rozumie pan? Wolę z panem tańczyć niż spacerować, master-claster.

Po swojemu odwróciła się, aż zafurczało i wyszła. W korytarzyku grzebał się jeszcze tylko młody Pobijak. Zawiązywał pokrowiec kontrabasu.

– Przejdę się z panem. Muszę trochę na powietrze.

Pobijak wyglądał tak jak zbuntowana młodzież, wyszydzana przez gazety, radio i Polską Kronikę Filmową. Buty na trzycentymetrowej białej „słoninie", wąskie spodnie, przykrótkie, do kostek, po to chyba, żeby pokazać przeraźliwie kolorowe skarpetki bijące w oczy mieszaniną fioletu, czerwieni i cytrynowej żółci. Do tego kraciasta marynara, w której znalazłoby się miejsce dla jeszcze jednego Pobijaka, na piersi, na tle koszuli w jaskrawe ciapki, niebieski krawat z nagą kakaową Papuaską pod zajadle zielonym pióropuszem palmowych liści. Całości dopełniał kusy płaszczyk i olbrzymia, wywinięta do góry czapa cyklistówka.

Ponieważ Pobijak mieszkał gdzieś daleko, za wałem wiślanym, więc szli wzdłuż tężni prawie po ciemku, ścieżką wydeptaną w mokrym śniegu. Mróz sprzed kilku dni puścił, była odwilż, pod butami chlupotało.

– Słyszał pan Komedę, Trzaskowskiego, Melomanów? – sapał Pobijak, garbiąc się pod pudłem kontrabasu. – Pojechaliśmy w zeszłym roku na festiwal do Sopotu. Szaleństwo. Teraz radio już puszcza czasem jakieś kawałki, wyszły też cztery płyty, ale nigdzie nie można dostać.

– To zgubny jazz.

– Zgubny? Czemu zgubny? Co pan opowiada?

– Bo w ich muzyce nie ma zapachów, dotknięć, nie ma żadnej radości, uśmiechu pięknej kobiety, tylko powściągliwość, smutek, skupienie, konstrukcja dla samej konstrukcji.

– Od pana dużo się nauczyłem, ale duszę bym sprzedał, żeby tak grać jak oni. Byłem na koncertach, chodziłem na dżemy. Są swobodni, improwizują, nie powtarzają się, potrafią za każdym razem mówić ze sceny co innego i inaczej, a nie tylko co noc rąbać w kółko te same stare kawałki.

– Swing to kompozycja, brzmienie i nastrój. Jasne, improwizacja też, ale trzeba umieć to robić ze smakiem i nie pozwalać sobie na wszystko. Swing to smak. Czasem wręcz mam przekonanie, że gdy dmucham w ustnik, wypełniam czyjąś wolę smaku. Może Jego – Fabian wskazał ruchem czoła w górę, gdzie nad niewidoczną galeryjką tężni wisiało czarne niebo, twarde jak betonowy strop.

– Czytał pan *U brzegów jazzu* Tyrmanda?

– Po co?

– A cool pan zna? Getza, Mulligana?

– Właśnie, znakomita nazwa: cool. Lodowata wirtuozeria, lodowata abstrakcja, sopelki, szkiełka, błyskotki. Kiedy tego słucham, czuję się jak w fabryce bombek choinkowych.

– Tak pan mówi, jakby liczyło się tylko to, co pan sam gra, a wszystko inne było do bani. No to po co, według pana, jest jazz?

– Po to, żeby wiedzieć, że życie nie jest ani złe, ani ciężkie, ani krótkie. Jeżeli człowiek zapomni, co w nim ludzkiego, to żeby, słysząc muzykę, sobie przypomniał.

VII

Wielka sień Łazienek nr 4 wyglądała jak sala balowa pałacu kresowego magnata. Wysoka na dwa piętra, z rzędami półkolistych okien po obu stronach błyszczącej powierzchni parkietu, zdobna w gipsowe festony, liście akantu, delfiny baraszkujące na tle muszli Botticellego, przykryta malowanym sufitem podobnym do wieczka staroświeckiej szkatułki. W połowie wysokości obiegał ją palladiański balkon; brzuchate, kute poręcze świeciły dopiero co wypolerowanymi mosiężnymi gałkami. Całości dopełniał wiszący na długim łańcuchu olbrzymi secesyjny żyrandol z małymi, mlecznymi kloszykami o kształcie dzwonków konwalii. Atmosferę wystawnej elegancji psuła tylko wilgoć, kwaśne odory borowinowego błota i pacjenci, gromadnie, dołem i po balkonie przełażący z jednego skrzydła budynku do drugiego, kłócący się z pielęgniarzami o kolejność kąpieli oraz szukający wszędzie notorycznie nieobecnego urzędnika, który miał im stawiać na kartach zabiegowych jakieś pieczątki.

Od świąt Bożego Narodzenia Fabian zachodził tam codziennie, najpierw podziwiał, potem, korzystając z mniejszej liczby kuracjuszy, próbował dźwięku. „Piękna pretensjonalność" – myślał, stojąc na środku, gdy krótki słoneczny strumień rozjaśnił przez chwilę białe ornamenty. „Piękna pretensjonalność. Lukier, bez którego życiu brakuje słodyczy. Jak swing". Ponieważ przynosił ze sobą instrument, wszyscy w osobliwym skojarzeniu brali go za strażaka, a kiedy dmuchnął kilka taktów *Royal Garden*, jakiś tłuścioch, wycierający się akurat ręcznikiem, krzyczał, że to alarm.

Przed występem od rana do nocy w holu Zaświecia trwały mordercze próby. Fabianowi przypominali się dawni szefowie, Langerfeld, Łopatowski, gorączka przygotowań każdego nowego repertuaru. Biegał jak w ukropie, bez pomocy Zuppego ćwiczył przy pianinie z Wandą i Modestą, później oddzielnie z saksofonami, trąbkami, trombonami, basem i perkusją. Po południu pędził do Współczesnej na obiad, wypijał dwie wódki, wracał ze Stypą i Habertasem, aby wiele razy, mozolnie, pedantycznie przegrywać utwór za utworem z całym big-bandem. Mimo nerwów i złośliwości był pełen uznania dla muzyków. Zdyscyplinowani, punktualni, zwalniali się nawet z pracy, kiedy zachodziła potrzeba, nie kłócili się, nie obrażali, bez awantur przyjmowali jego kąśliwe pouczenia. Nie ten kraj, nie ci ludzie! Chociaż amatorzy, potrafili wiele, uczyli się też z ogromną łatwością. Zauważył jednak coś, czego zupełnie nie rozumiał – poza kompanami z restauracji oraz, rzecz jasna, naładowanym prądem triem Pobijak, Dąbal, Krasinkiewicz, nikt nie tryskał werwą, nie miał w oczach ognia, nie rozpalał się w grze. Robili, co do nich należało, a kiedy ogłaszał koniec próby, żegnali się uprzejmie i wychodzili, spoglądając zmęczonym wzrokiem. Może to nieśmiałość, niezwykłość sytuacji, może czekające wrażenia tak na nich działały?

Modesta ignorowała go przez cały ten czas. Przychodziła codziennie na kilka godzin, a zamieniała z nim ledwie parę słów poza tym, co dotyczyło wykonania *On the Sunny Side*... Nie mógł przestać na nią patrzeć. Kiedy odrzucała czarne włosy, układała do śpiewu swoje bezczelne usta, jedną dłoń opierała o pianino, a drugą kładła na fenomenalnym łuku biodra, wybuchał w nim jakiś gejzer, coś zatykało krtań, odbierało oddech. Wymawiała się od odwożenia do domu i odprowadzania. „Taki mróz, nie ma co lać wody do chłodnicy", „Zmarznie pan w nogi i będzie pan kichał zamiast ciągnąć solówki, mister-beaster". Ale nigdy nie opuszczała Zaświecia samotnie; raz z trębaczem Piaszczyńskim, innym razem z saksofonistą Zagajem, jeszcze kiedyś w towarzystwie egzotycznego tandemu Zuppe–Vogt. Tego już Fabian nie ścierpiał, wyskoczył za nimi w samej kamizelce i w ciemnej perspektywie zawalonego śniegiem chodnika zobaczył, jak chwyciła obu pod ręce i zabawiała perlistą konwersacją, raz w lewo, raz w prawo. Odwróciła się wtedy nagle.

Schował się za drzewem.

Zauważyła to.

Wyszli z Wandą tuż przed ósmą. Nie było co się śpieszyć, mieli grać dopiero po jedenastej. Do łazienek tego wieczoru zmierzał tłum inny niż zwykle. Mężczyźni w niezgrabnych pelisach i futrzanych czapkach „chruszczowówkach", uczepione ich kobiety, chustki i szale chroniące świeże fryzury, ogony balowych kreacji w garści, nad tłumem chmurki dymu lepszych papierosów i obłoki zawiesistych perfum. Przed kolumnadę głównego wejścia wtaczały się nieliczne samochody: garbate warszawy, czarne, ponure renówki, między nimi potężny ZIM, socjalistyczny silver cloud do transportowania ważnych person. Na trawniku, w śniegu, zakotwiczył milicyjny radiowóz, a przy nim dwóch mundurowych.

Wewnątrz gęstniała kolejka do woźnych, pilnie sprawdzających zaproszenia, perfumowe aromaty biły w nos jeszcze mocniej. Witano się z udawaną kordialnością, przedstawiano, całowano głośnymi cmoknięciami w powietrzu, żeby nie zepsuć makijaży. Wszyscy wysztywnieni i spięci; panie poszukiwały luster, panowie obstępowali popielniczki. Nad wyfroterowaną do granic możliwości tonią parkietu unosiły się tęczowe smugi z reflektorów, także w dwadzieścia cztery klosze wielkiego żyrandola wkręcono czerwone i zielone żarówki. Migające światełka otaczały napis: „Owocnej pracy w Nowym Roku – roku wyborów do Rad Narodowych", a pod nim ansambl muzyczny z Bydgoszczy, na razie akordeon, skrzypce, kontrabas i trąbka, grał *Walczyka Warszawy*. Pierwsze pary nieśmiało próbowały tańczyć.

Orkiestra zbierała się powoli. Otwarto im salę kąpielową z kilkoma wannami, gdzie mogli zrzucić płaszcze i nastroić instrumenty. Przeprowadzenie próby okazało się niemożliwe, przeszkadzała głośna muzyka, śmiechy, bieganina, trzaskanie drzwiami.

Fabian razem z Wandą, Modestą i Vogtem znaleźli się więc w bufecie. Długie stoły, wędliny, sałatki, węgorze wędzone, wianuszki butelek wyborowej i słodzonego tokaju Aszu.

– „Dawne formy popadają w ruiny"! – cytował Vogt, przypominając Fabianowi jego niedawne słowa i zaraz też smętnie odpowiadając samemu sobie: – A guzik prawda. Barbarzyńcy najpierw z wściekłości niszczą dawne formy, a później z zazdrości je małpują.

– Jeżeli pan tylko to uważa za dawną formę... Każdy lubi się nażreć i napić wódki. I burżuj, i komunista – śmiała się Wanda, w przeciwieństwie do wszystkich jeszcze niezdenerwowana, pewna siebie, na luzie.

Razem z dwiema kelnerkami pałętali się tu także Ostaszewski i Cuber, wymyci aż do papierowej bladości, wybrylantynowani, obaj w pasiastych liberiach, jak na przedwojennym filmie.

– A tacy, niestety, są niezbędni w każdym ustroju – skomentowała Modesta, męskim zamachem opróżniając kieliszek.

Przy wejściu uczynił się nagły rejwach. Do bufetu wkroczył łysawy typ, szeroki jak komoda, otoczony gromadą innych postaci, jakby mniejszych, które obskakiwały go dookoła, zachodziły mu drogę, rechocąc, zagadywały żarcikami i zaglądały w oczy.

– We własnej osobie sam towarzysz Wańtucha, drugi sekretarz wojewódzki z Bydgoszczy, a ten przy nim to Kusiak, sekretarz miejscowy – szepnął Vogt z niesmakiem i odwrócił się do półmisków i salaterek.

Notable podeszli bliżej. Fabian wcale nie znał Kusiaka, ale Kusiak najwidoczniej doskonale znał Fabiana. Bezceremonialnie złapał go za rękaw i przyciągnął przed oblicze Wańtuchy.

– Towarzysz sekretarz pozwoli, to nasz wspaniały muzyk, społecznik i żołnierz z Zachodu. Ledwo co wrócił do kraju na stałe, a już działa, już organizuje.

– Słyszałem, słyszałem... No to wobec tego pozwólcie, jak to się mówi, „po łabądku"!

Ktoś z otoczenia sekretarza błyskawicznie podsunął tackę i na niej dwie pełne literatki. Wychylili, odetchnęli, rozległy się oklaski.

Fabian bez zdumienia zauważył, że komunistyczny dygnitarz zupełnie niczym nie różnił się na zewnątrz od ludzi władzy sprzed wielkiej wody, z którymi stykał się przy podobnych okazjach – od wojewodów, burmistrzów i dyrektorów wydziałów, nawet ministrów czy biskupów. Tak samo wygolony, wykremowany, francuska woda toaletowa; w tych czasach pewno z deputatu, podobnie jak pierwszorzędny garnitur. Tak samo uprzedzająco uprzejmy dla każdego, tak samo głupawo jowialny i gadatliwy, „swój chłop", do wódki i dowcipasów na trzy godziny balu, „byczy", poklepujący, patriotyczny:

– Żołnierz od generała Andersa! Teraz już nikt nie będzie miał panu za złe. Towarzysz Wiesław ujął to jasno: to był nasz błąd, ale my umiemy wyciągać wnioski. Ważne są wszystkie drogi, aby prowadziły do ojczyzny. Gratuluję serdecznie, dzielnie pan walczył.

– Ja tam z nikim nie walczyłem. To ze mną ciągle ktoś walczył, ale ja to miałem w dupie.

Przerażona świta zastrzygła uszami, mocno nadęła płuca, nie wiedząc, czy roześmiać się, czy zdegustować, czy może oburzyć z powodu brzydkiego słowa. Towarzysz Wańtucha pokiwał jednak głową ze zrozumieniem:

– Taa... Taa... Zgadzam się, zgadzam. W dupie. Dobrze powiedziane!

Tymczasem Ostaszewski, stojący nieopodal na straży kociołka ze strogonowem, pouczał półgłosem Cubera:

– Popatrz se, ćwoku. Tak władza wygląda totalna, jakbyś jeszcze nie widział.

– Phi! – parsknął Cuber. – To my tam władza! Władza mordę ma mieć swojsku, czerstwu, czerwonu, do słuchu człowiekowi przepowiedzieć albo, jak trzeba, to i w papę przyfastrygować, a nie takie tam pirdu-pirdu, do każdego tralalala. Zara wezne i mu w talerz nacharkam, i gówno me zrobiu.

Bal otworzył krótkim przemówieniem nobliwy starszy pan, znany lekarz uzdrowiskowy. Na parkiet wypływali coraz to nowi tancerze, zapanował tłok; wirowała rozkręcona w półmroku karuzela czarnych garniturów, staroświeckich sukien z tafty, supermodnych „boginek" i „worków", lansowanych na karnawał przez Lucynkę i Paulinkę z kącika mody „Przekroju". Bydgoski zespół grał walce, tanga, radiowe szlagiery, na przemian szybkie i przytulane. Chuderlawy, ulizany brunet zawodził miodowym barytonem:

Pamiętam twoje oczy
Dzikie, z rozkoszy nieprzytomne...

Tymczasem do występu pozostawało coraz mniej czasu. Muzycy obijali się o ściany, katowali papierosami, grzebali przy instrumentach, usiłowali jeszcze coś tam sobie po kątach przegrywać. Modesta chciała zatańczyć, ale Fabian odmówił, powiedział, że dopiero po, denerwował się zresztą, coraz częściej patrzył na zegarek, ponieważ ciągle nie było Habertasa. Ten wpadł wreszcie zdyszany tuż po dziesiątej, z saksofonem przewieszonym przez plecy jak karabin i dwoma walizkami w rękach. Przytargał w nich tuzin białych marynarek kelnerskich ze swojej dawnej restauracji, o których zapomniał i które odkrył teraz w jakimś kufrze. Miała to być niespodzianka, oddał je w Toruniu do czyszczenia, specjalnie dziś po nie pojechał, w pralni oczywiście zapomniano, musiał czekać sześć godzin, ledwo zdążył na pociąg. Wszyscy się ożywili, zaczęli przymierzać, porównywać, wygładzać, wiązać białe muszki. Tylko Zuppego to nie interesowało. Zjawił się w swoim fraku koncertowym i lakierkach, wywoływał poruszenie w bufecie, na sali tanecznej, kilku najbardziej eleganckim kobietom obwieścił, że jego wygląd zapowiada, iż niebawem dziać się tu będą rzeczy wielkie.

– A co? W smokingu chodzę na co dzień, raz mogę się chyba ubrać odświętnie? – perswadował Wandzie, która, skurczona, ziębnięta, desperacko wzywała w myślach swój ból, żeby przyszedł i uwolnił ją od niespodziewanego, wściekłego ataku tremy.

Zuppe natomiast tremy nie odczuwał wcale. Przyniósł sobie nóżki w galarecie z octem i pętko myśliwskiej, a na drugim talerzyku kilka „pięćdziesiątek" gorzałki. Siedział na stołku obok wanny kwasowęglowej, pojadał, pogryzał, popijał z kieliszków i bębniąc palcami, nucił piosenkę własnego pomysłu:

Ze stacyjki Czterech Chwastów
Rusza pociąg pederastów,
Lecz spóźniony jest, niestety,
Bo to pociąg – do kobiety!

Spoglądał przy tym na Wandę, wybałuszał oczy, mlaskał, uśmiechał się zalotnie i tragicznie.

– Pan ciągle o tym samym. Brat mi mówił, że z panem nie można o niczym innym.

– Ja wcale nie jestem żadnym maniakiem ani demagogiem, proszę pani. Dociekam tylko prawdy, kompletuję dokumenty. Gdybym był obsesjonatem, nie wykonywałbym zawodowo muzyki, ponieważ muzykę wymyślili homoseksualiści po to, żeby odwodzić szarych ludzi od urody codziennego życia.

– Żeby mi się pan tylko nie uchlał! – wtrącił Fabian, wymownie klepiąc się po kieszeni wypchanej grubym portfelem.

– Ja? Ja należę do ostatniego pokolenia, które jeszcze umiało pić, proszę pana. Wy umiecie tylko w połowie, wojna wam przeszkodziła. Młodzi nie umieją wcale, dla nich alkohol równa się od razu degenerka. To już wpływ ugruntowanej samoświadomości kołchozowej!

Na szczęście w tym momencie wbiegł doktor Muszyński, jeden z organizatorów. Trzeba było zaczynać. Big-band ustawił się na balkonie, nad parkietem i tłumem tańczących, przedtem wniesiono tam pianino, Krasinkiewicz zmontował swoje bębny.

– Nie bać się! Nic się nie bać! – nakazywał Fabian gorączkowo, przepychając się przez muzyków. – Pomyślcie sobie, że ich tam nie ma, że w ogóle nikogo nie ma, że nikt nie słucha!

Otworzył butelkę bowmore islay, flegmatycznie zwilżył szmatkę, wziął do ręki instrument, przetarł ustnik.

Nie wiadomo skąd odezwała się czyjaś stłumiona zapowiedź:

– Panie i panowie! A teraz atrakcja wieczoru – nasz własny, ciechociński big-band Fabiana Apanowicza w swoim programie inauguracyjnym!

Młody człowiek, jakiś kolega, którego Dąbal posadził przy reflektorze, podniósł światło i balkon zalał różowy blask, zabłysły mosiężne gałki na poręczach; saksofony, puzony, trąbki rzuciły snopy złocistych lśnień.

Fabian nie dał jeszcze żadnego znaku. Zakreślił czubkiem buta krąg wokół siebie, znalazł punkt oparcia, przyłożył do oka soczewkę Edzia i spojrzał w dół. Zobaczył atramentową czerń, a w samym jej środku maleńki, wątły ognik, chybotliwe światełko statku walczącego z bezkresem oceanu. Wtedy uniósł trombon, poczuł smak whisky i zimny pierścień wokół ust.

Na piękne i brzydkie twarze, dekolty małe i duże, zgrabne plecy i tłuste karki, biżuterię z czeskiego szkła i żałosne resztki biżuterii prawdziwej stoczyła się z góry gorąca jak roztopiony wosk, świetlista lawina. *Liebestraum* Liszta, romantyczna skarga miłosna, teraz przejmująca jeszcze bardziej, bo w bezdusznym rytmie świata sputników, telewizji i atomu. Trzy wielkie solowe partie na tle zgodnego, zamaszystego brzmienia bandu. Najpierw Fabian – noce czarowne czerwcowe, fale puszystych włosów pieszczące wnętrze dłoni, pierwsze spojrzenie, pierwszy dotyk, pierwszy smak, tkliwość, do której każdy tęskni i zarazem wstydzi się przyznać, tkliwość, której boi się literatura, po którą trzeba uciekać do muzyki. Potem Vogt. Nikt nie znał takiego doktora Vogta. Klarnet schodził nisko, najniżej, jego nuty lały się jak zaprawiony korzeniami ciepły karmel, aby znienacka wzlatywać w niebo, odnajdywać waniliowe wonie ogrodów rozprażonych słońcem, pokonywać tajemnicze bramy, tonąć w kwiatach, odbijać się w zielonej wodzie. I wreszcie Stypa, trąbka szybująca wysoko, chłodna gałązka szronu, przynosząca ulgę i opamiętanie jak dotknięcie czołem zamarzniętej szyby. Fabian uważnie chwytał dźwięki całego zespołu, ze szczególną przyjemnością – perkusisty. To był prawdziwy talent, obiecał sobie, że powie mu o tym już niedługo, może nawet jeszcze tego wieczoru. Krasinkiewicz miał nie tylko świetną polimetrię i precyzję rytmu, ale także zdolność, którą można by nazwać „muzykalnością uderzenia", całkiem jak wielcy ulubieni Fabiana – Rich, Gene Krupa, Sonny Greer od Ellingtona. Tyle że – szeptali w zaufaniu Pobijak i Dąbal – ich przyjaciel wykazywał coraz większą skłonność do paskudztwa, śmiertelnej zarazy, którą obydwaj traktowali ze zgorszeniem i pogardą – podobno całymi nocami z uchem przy radiu słuchał rock and rolla.

Liebestraum ucichł po strzelistym „breaku" perkusji. Gruchnął huragan oklasków. Jeszcze przedtem pary, tak jak za dawnych, najlepszych lat, przerywały taniec, zatrzymywały się w pół kroku; wszyscy słuchali, objęci i zapatrzeni. To było miarą triumfu, na to Fabian zawsze czekał.

Światła opadły, a kiedy podniosły się znowu, na półokrągłym wykuszu balkonu stały w drapieżnych pozach dwie smukłe kobiece postacie, czerwona i czarna, a między nimi staroświecki mikrofon na czterech sprężynach w drucianym kółku. Jeszcze raz zerwały się brawa – poznali Wandę.

Zagrały saksofony Dąbala, Habertasa i „Soprano", weszły trąbki z tłumikami „wa-wa"; zadziornie jak w aranżacji Dorseya, inaczej niż w zgrzebnych, dixielandowych przeróbkach.

Wanda zapomniała o tremie, poczuła się młoda i zwinna, gotowa prosto ze swoich wysokich obcasów wyfrunąć pod Mleczną Drogę. Patrzyła na niespokojną linię sukni Modesty, na jej nagie ramiona opięte po łokcie koronkowymi rękawiczkami i widziała w ich ruchach coraz silniejszy, narastający puls swingu, który po chwili przeniósł się także i na nią, rozkołysał biodra i ręce. Zanim wzięły pierwszy dźwięk – nagła myśl, banalny przebłysk, dawny czas, Langerfeld i Palais de danse: „Im wyższe obcasy, tym lepszy śpiew. To się zawsze sprawdzało. Może dlatego, że z obcasów bliżej do gwiazd?".

Grab your coat and take your hat
Leave your worries on the doorstep
Life can be complete
On the sunny sunny side of the street!

Następny numer śpiewała już sama. *Bei mir bist du schoen*, żydowską piosenkę z nowojorskiego Yiddish Theatre, przerobioną przez Goodmana. Zapomniała o bólu, chorobie, doktorze Garfinklu i przyszłości. Stanęła na wysokim moście ponad czasem, ponad sobą, w wąskiej, czerwonej sukni. Może ostatni raz. No i co z tego, że ostatni? Nuty – lekkie, puszyste ptaki – wzbijały się do góry jakby bez jej udziału, a Stypa i Piaszczyński grali na dwie trąbki szaleńczy, ognisty „frahlih", prawie tak jak boski Ziggy Elman w słynnej solówce z Carnegie Hall. Kończąc ostatnią zwrotkę, usłyszała nagle, że za jej plecami dzieje się coś dziwnego.

Zuppe!

Zuppe improwizował!

Tkwił przy pianinie nieruchomo jak zasadzony w doniczce, ale palce wykonywały po klawiaturze wariackie pląsy z szybkością, której trudno by się spodziewać po starcu. Sekcja zmieniła rytm, Pobijak z obłąkańczą twarzą szarpał bas, Krasinkiewicz walił po skórach w jakimś zupełnie nieprawdopodobnym metrum, saksofon Dąbala wchodził bezładnie i chrapliwie, a reszta orkiestry rozglądała się skonsternowana. Skończyli, gdy kurant specjalnie zainstalowanego zegara wydzwaniał północ. Publiczność biła brawo, choć nie wiadomo dla kogo. Wskazówki powoli zachodziły jedna na drugą, główny inżynier uzdrowiska odkręcał na podwyższeniu drucik przy korku igristogo.

Fabian przysunął się do pianina.

– Pan zidiociał! Cholera jasna, zidiociał! Pięć dych mniej będzie! – syknął.

Zuppe uniósł ironicznie spokojne oblicze.

– I widzi pan, proszę pana, jakie to gówno ten jazz? Każdy, kto umie zagrać triadę, może pozować na wielkiego artystę.

Tymczasem zza okien dobiegł pomruk dalekich armatnich salw, a w bufecie i na korytarzach strzeliły butelki szampana. Ostaszewski i Cuber wnieśli tace z kieliszkami.

– I tutaj kraść przyleźli, kurwa mać! – klął w ustnik swojego saksofonu Habertas.

Składano sobie życzenia, znowu wszyscy całowali się ze wszystkimi szczerze, fałszywie albo z obowiązku służbowego, do sekretarza Wańtuchy, do Kusiaka i do naczelnego lekarza uzdrowiska ustawiły się kolejki.

Wtedy z balkonu zabrzmiała, napełniając salę jak kielich, uderzając musującą pianą o malowany plafon na suficie, *Serenada księżycowa*. Pierwsza pieśń swingu, hymn subtelności i rozmarzenia, który nie naśladuje żadnych innych wzruszeń.

Tym razem Fabian stał samotnie na balkonie przed orkiestrą, nad głowami, z wymierzonym w niemą przestrzeń instrumentem przy ustach. Widział siebie już nie jako błazna, który zabawia, przygrywając do tańca, nawet nie jako muzyka jazz-bandu, ale jako herolda głoszącego wśród ciemnej nocy nowe zwiastowanie. W rzęsistej melodii Millera człowiek patrzył na drugiego człowieka tak, jak się patrzy na dzieło sztuki, pękały szlabany graniczne, otwierały się niedostępne raje Zachodu, wzgórza Hollywood, białe jachty Nicei, plaże Santa Monica – na przekór zbrodniom, dyktatorom, sekretarzom, biedzie i kłamstwu, kufajkom i gumofilcom. Gardła saksofonów i trąbek dławiły się srebrzystym kurzem i krzyczały w najbardziej uniwersalnym języku świata: „Macie do tego prawo! Macie prawo do Paryża, do Sinatry, do bryzy znad oceanu i do zgiełku autostrad! Do Hemingwaya i do Marilyn Monroe!". Gdyby tańczący na parkiecie, zatopieni w sobie, unoszeni nie wiadomo dokąd, potrafili przeniknąć wzrokiem solidne mury Łazienek nr 4, zobaczyliby, że nad zagubionym w mroku, przysypanym śniegiem Ciechocinkiem wschodzą teraz prawdziwe, ogromne, pomarańczowe księżyce Alabamy.

Brawa nie skończyły się, nawet gdy orkiestra opuszczała już balkon, a Zuppe zatrzasnął pianino. Żądano bisów, zignorowano zespół z Bydgoszczy, który z powrotem gramolił się już na podest.

Jeszcze raz zagrali *Serenadę*, przedtem jednak szczęśliwa, rozpromieniona Modesta chwyciła Fabiana za rękę i pociągnęła do tańca. Zastąpił go Stypa na trąbce. Gdy zbiegali ze schodów, przez tłum przedarł się towarzysz Wańtucha, a za nim nieodstępujący go Kusiak. Wańtucha, nie zważając na Fabiana, wyprężył przed Modestą zwalisty korpus:

– Czy mogę panią prosić?

– Nie.

– Nie? Ale to... dlaczego? – sapał zaskoczony sekretarz.

– No właśnie! Dlaczego? – gorszył się Kusiak zza jego plecków.

— Bo ja chcę tańczyć, a nie przepychać wte i wewte bekę z kapuchą! — oświadczyła Modesta.

Fabian znowu poczuł jej dotyk i gibkość, podniecający zapach potu zgaszony gorzkimi perfumami. Wokół siebie widział tylko mgłę.

— Wypadło lepiej niż trzeba. Nie miałem nawet kiedy złożyć pani życzeń, Wandzie też...

— Ja życzę panu, żeby nie stało się to, co może się stać, a stało to, co nie może — powiedziała dźwięcznie, pewnie, niezalotnie, a potem prędko dotknęła ustami jego policzka.

Milczał, źle prowadził, deptali sobie po butach, co chwila wpadali na innych. Nie myślał o zwrotach, popisach, tanecznych krokach. Myślał już tylko o niej. To było upojenie, jakiego nie pamiętał.

Po *Serenadzie* nie pozwolono im tańczyć dalej. Kto żyw, ruszył z gratulacjami i kieliszkami. Dziękowano, chwalono, przedstawiano się na wyścigi: ...ska! ...ska! ...ska! ...ski! ...ski! ...ski! ...icz! ...icz! ...icz!

— Nigdy czegoś takiego nie przeżyłam! A już ta nasza Wandzia! Że ona aż tak fajowo śpiewa! — dziwiła się tęga dama w tiulach i szyfonach, na co dzień znana w mieście doktor skórno-wenerologiczna, pogromczyni niewiernych mężów.

— Chyba pan na tym nie poprzestanie? To dopiero początek! — przekrzykiwał harmider przewodniczący Miejskiej Rady Narodowej.

— Zagrajcie państwo u mnie! — zapraszał dyrektor sanatorium kolejowego.

– I u mnie! W Toruniu, w Dworze Artusa! – dodawał spocony, ziejący wódką jegomość, też pewnie jakiś kierownik czy prezes.

– A ja zrobiłem całej orkiestse zdjęcie do gazety! – wymachiwał aparatem mały, sepleniący człowieczek w rogowych okularach.

Stali pod rękę z Modestą jak królewska para, przyjmowali hołdy, spełniali toasty. Wreszcie Fabiana ujął z drugiej strony sekretarz Wańtucha i odciągnął na bok.

– Jaka ładna kobieta ta pańska przyjaciółka. Jak to się mówi – babka na medal, oryginalna...

– Niewątpliwie. Ładna kobieta.

– Taa... Granie też piękne. Niby amerykańskie, a takie, jak to się mówi – za serce chwytające. Powiem, komu trzeba w województwie, moje słowo pan ma, spokojna głowa. Ale pomyślałem sobie tak... Pan żołnierz, ja żołnierz, pewno wspólny język znajdziemy, bo przecież ojczyzna, jak to się mówi – jedna jest. Pan, zdaje się, jakiś samochód ekstra przywiózł?

– Owszem. Ale nie ekstra. Zwykły angielski. Vauxhall bez dachu.

– Vauxhall, pan mówi? W takim więcej sportowym fasonie? No to ja szukam czegoś takiego. Wie pan, dla żony. On pewnie taki oryginalny na wygląd, że jak kobicie się zachce gdzieś sobie powędrować beze mnie, to ja zaraz będę o tym wiedział. Wie pan, młode to, trzy miesiące po ślubie, w główce, że tak powiem, fiu bździu, różne głupoty się lęgną... Żeby też w miarę mocny był, niepsujący. Nie planował pan może, jak to się mówi, sprzedać?

– Nie jest na sprzedanie. To mój brat.

– No ale, tak myślę, po co on panu? Tylko kłopot, nawet z olejem do takiego. Z każdą świecą, dętką, uszczelką. Nietypowy. Niestety, pewnych trudności zaopatrzeniowych jeszcze, że tak powiem, nie pokonaliśmy. Części pan nie dostanie, będzie pan musiał kombinować, dorabiać, paprać, w końcu postawi pan brata, jak to się mówi, w pokrzywach, i tyle. Szkoda by było.

– A pan? Pan dostanie części?

– Ja to mam, jak to się mówi, ludzi, co wszystkiego dopilnują. Taka moja robota, ciężka, niewdzięczna, uwierzy pan, czasem z byle listonoszem bym się zamienił albo i z brukarzem. Ale trudno, taki los. Nie dla siebie przecie, że tak powiem: dla kraju, dla społeczeństwa. No. Skodę spartaka dam, akurat przyszły z Czech, stoją na placu w Motozbycie, czekają, niebieskie, beżowe, jaką pan sobie będzie chciał, śliczne. A jeszcze talony na ubranie dołożę, wełna bielska, setka, eksportowa. Jak by to było przyjemnie, że tak powiem: pan, z taką elegancką panią, do nowiutkiej niebieskiej skody...

– Szanowny panie – Fabian palnął sekretarza po prawej łopatce, bo w drugiej ręce trzymał kieliszek. – Do sprzedania jestem tylko ja, z moim puzonem i *Moonlight Serenade*. Chociaż nie. Wcale nie. Dam się pożreć za darmo, jeśli to tylko zaspokoi czyjś głód!

Obudził się po południu, w samych kalesonach i podkoszulku, na tapczanie Wandy, która zapewne musiała spać w jego pokoju. Na jednej nodze miał but, co prawda rozsznurowany, drugi leżał na stoliku nocnym wśród lekarstw i słoiczków kremu Miraculum. Czyjaś zapobiegliwa ręka zdjęła miednicę z umywalki i umieściła przy wezgłowiu, obok na zgniecionych w harmonijki nogawkach „stały" spodnie, pasek wił się po podłodze jak zaskroniec, biała marynarka od Habertasa smętnie zwisała z krzesła na dywanik. Upewnił się, czy nie zgubił soczewki Edzia. Była w kieszeni, wyjął i popatrzył przez nią, ale zaraz schował ze wstydem – nie zobaczył nic, jakby ktoś zasmarował szkło nieprzejrzystą mazią. Koszuli nie znalazł, sprawdził, czy aby pościel nie mokra, na szczęście nie, odetchnął ciężko. Polski kac. Nie dość, że łeb urywa się z bólu, że w gardle żużel wulkaniczny, że rzygać się chce, a brzuch, serce, uda – jedna galareta, to jeszcze strach, wyrzuty, ciężar grzechów całej ludzkości, od Heroda Wielkiego począwszy. Pierwsza trzeźwa myśl – na dworzec, bilet byle dokąd i w pociąg, aby jak najdalej.

Napił się wody z czajnika, obmył, nieco ogarnął, połknął amerykańską aspirynę. Trombon na szczęście w porządku, grzecznie pod wieszakiem w korytarzyku, nawet whisky do przemywania ustnika nietknięta. To go uspokoiło, choć tylko trochę. Nie wytrzymał długo, wymknął się na palcach z pokoju i zadzwonił na posterunek. Szczęściem zastał Stypę. Nie miał służby, ale po sylwestrowym balu nocował w areszcie, dalej się nie dowlókł. Na usilne prośby Fabiana głosem niższym o oktawę przypominał szczegóły. Najpierw jak Fabian stepował, potem jak wskoczył na podium i grał z „kotleciarzami" *Podmoskownyje wieczera*, improwizował, zrobił z tego kozaka, którego zresztą odtańczył solo na środku przy akordeonie i bębnie, strzelając w biegu ze trzy pięćdziesiątki. Wszyscy szaleli z zachwytu, a najbardziej Wańtucha: on też próbował kozaka, ale się „obalił", jechał dupą po parkiecie z okrzykiem: „Nie samym leninizmem, że tak powiem, człowiek żyje!", a świta go łapała. Kusiak, mocno przerażony, od razu darł się, że sala źle przygotowana, klepki za śliskie, konsekwencje wyciągnie. Ale Wańtucha łagodził, rozkazał kierowcy przynieść z ZIM-a skrzynkę koniaku i drugą mołdawskiego wina Fraga dla pań. Nad ranem, kiedy większość gości już wyszła, rozpoczęło się dorzynanie. Sekretarz z kieliszkiem i butelką chodził od każdego do każdego, nalewał, stukał się i plótł swoje mądrości. Trafił na Vogta. „Nie będę z panem pił!" – burzył się doktor. „Dlaczego? Przecież dobry koniak, radziecki". Vogt przybrał minę i postawę radykalnego intelektualisty, ofensywnie wyciągnął rękę z palcem wycelowanym prosto w nozdrza Wańtuchy: „A bo pan nie jesteś demokratycznie wybrany!". Notabla zatkało. „Nie słuchajcie, towarzyszu, to prowokator!" – zawył Kusiak, obecny wszędzie tam, gdzie zwierzchnik. Wańtucha jednak niecierpliwie odsunął go na bok. Odżyło w nim zacięcie dialektyczne, głos mu zgrubiał, stał się tubalny, a on sam zaczął nagle rosnąć, jakby był z gumy i pompował go jakiś tajny kompresor. Przewyższał już Vogta o głowę. „Ja nie zostałem wybrany demokratycznie? – grzmiał. – Zgoda, może i nie. Ale czy Piłsudski był demokratycznie wybrany?" Wokół zrobiło się cicho. „Piłsudskiego sam Pan Bóg wybrał!" – ripostował Vogt. Przekrzywił przy tym głowę, odszedł ze dwa kroki, nie opuszczał palucha. Sekretarz tymczasem był już tak wielki, że czubkiem łysiny zaczepił o żyrandol. Zaśmiał się potężnie i złowrogo: „No dobrze, dobrze! Niech już wreszcie przyjdzie, że tak powiem, ta demokracja. No niech przyjdzie! Sami zobaczycie! Wybierzecie sobie takie monstra, że połowa ucieknie na Kamczatkę, a druga zapije się na śmierć!". Potem natychmiast spuścił powietrze, zmalał, pobłażliwie uścisnął Vogta za łokieć, kazał sobie podać następną butelkę oraz czystą koniakową „bombkę" i dalej ruszył między ludzi, a Vogt pozostał samotnie na środku sali, z podniesioną ręką, jak strach na krety.

Fabian usłyszał jeszcze od Stypy o czymś, czego zupełnie już nie pamiętał. Że gdy nieśmiało zaczęło świtać, chciał zapędzić ostatnich balowiczów do pożegnalnego poloneza. Biegał od ściany do ściany, wyganiał ludzi z kątów, wymachiwał puzonem, wrzeszczał: „Fajnie gram! Fajnie gram!", szturchańcami ustawiał wszystkich w koło. Ale nic z tego nie wyszło, nikt się nie dał, każdy wolał osobno, niektórzy klęli, wyrywali się do szatni, do bufetu, wyjadali resztki zakąsek i pokazywali mu kółko na czole. Został więc na placu boju sam z Wańtuchą, żegnali się strzemiennymi, po czym zaraz znowu do siebie wracali, pili następne strzemienne i tak wykończyli całą flaszkę biełogo aista. Sekretarz wywodził coś bez ładu i składu, biorąc go zresztą za kogoś innego, bo zwracał się per „tarzyszu pułkowniku", Fabian wykrzykiwał tylko „auto – nigdy, swing – zawsze!". Wreszcie kierowca z komitetu i jakiś mundurowy milicjant wywlekli Wańtuchę przez tylne drzwi, a Fabianem zajął się Cuber, rutynowym kelnerskim chwytem zarzucając go sobie na plecy i komenderując: „Kuniec! Do dumu! A bogać tam! Taki chibitny, a tak się ufajdoluł!". Więcej już Stypa nie wiedział, podejrzewał, że dalsza część eksportacji następowała również przy udziale Pobijaka oraz Modesty niosącej za nimi futerał z trombonem; Wanda, wściekła i obrażona, wyszła jeszcze w nocy, wraz z Zuppem i Habertasem.

Za oknem mróz, śnieżyca, świat jak zagipsowany, ani człowieka na ulicy, ludzie pochowani po domach. Postanowił zamknąć się w pokoju, nikomu nie pokazywać, samotnie znosić kacowe dzwonienie zębami, lęki, dygoty i ekspiacje. Na schodach spotkał Wandę, warknęła: „Nie rozmawiam z tobą!".

Położył się na łóżku i zakrył oczy ręcznikiem, raziło go światło. Leżał tak i przyszło mu na myśl opowiadanie fantastyczne, które dawno temu czytał w jakimś tygodniku; musiał je wtedy bardzo przeżyć, bo i teraz, na samo wspomnienie, zmroził go przenikliwy dreszcz. Autor był ponoć nauczycielem w lwowskim gimnazjum, a opowiadanie mówiło o sublokatorze, który w wynajętym pokoju coraz wyraźniej dostrzega obecność widma swojego poprzednika, wiele razy widzi we śnie scenę jego samobójczej śmierci, wreszcie tak jak on, dokładnie w tym samym miejscu, zaciska sobie pętlę na szyi i umiera. Nie, nie, tu w pokoju Reichmana nic nie straszyło, chyba tylko dzikie koty buszujące nocą i opowieści o diable, co grasuje po mieście i demoluje podwórka. Nawet złe sny nie prześladowały. A jednak to szczególne odczucie – żyć w przestrzeni należącej do kogoś obcego. Przykra świadomość dominacji cudzego porządku, wchodzenia w czyjąś rolę, powielania cudzych zachowań, zwykłych codziennych czynności, dopasowania się do obcych przedmiotów. Takiej sytuacji zupełnie nie mogą znieść kobiety, zaraz wszystko zmieniają, choćby na gorsze, aby tylko wycisnąć znak swojej odrębności. Ministrowa C. meblowała nawet dla siebie kabinę na „Piłsudskim". On niczego nie zmieniał. „Przecież to był hotel, zwykły hotel, nic innego. I tyle czasu minęło!" – wmawiał sobie. Ale kiedy siadał na krześle, wiedział, że siada na krześle Reichmana, przy jego biurku, opiera łokcie tak samo jak on; granatowa materia wyślizgana była w dwóch miejscach. Kiedy podnosi oczy, widzi przez okno to samo co on. Śpi w jego łóżku, tym samym, gdzie wyprawiał swoje sławetne brewerie, gdy odwróci się do ściany, ma przed oczami te same wzory tapety i te same gruzełki tynku, kiedy patrzy w sufit. On i ten drugi, nieznany człowiek po obu odległych brzegach wielkiej wody. Coś go ciągnęło do Reichmana, przeczuwał zapętloną osobowość. Kilkakrotnie podpytywał tych, którzy go znali bądź mogli znać. Bayerowa wykonywała znaczący gest cyfką z zapalonym żeglarzem i prychała: „luntrus" albo „Łachadojda, tyle że, kurwa jedna, regularnie płacił. Niedzisiejszy człowiek!", Zuppe reagował pobłażliwym: „Eeee tam, proszę pana!", Vogt, milcząc, wzruszał ramionami, ale tak, jakby chciał powiedzieć: „Gentlemana takie rzeczy nie powinny obchodzić". Nie wiedział nawet, jak Reichman wyglądał, a wyobrażał sobie czasem jego kochanki, sprawy, które działy się w tych samych dekoracjach, zastanawiał się, o czym mógł myśleć, grzejąc chory kręgosłup przy piecu albo wyciągając się w staromodnym klubowcu z wałkami zamiast poręczy. Nie interesowały go zupełnie materialne drobiazgi, śmieci przeszłości. Okulary, zeschnięte mydło, zardzewiałe stalówki od razu wyrzucił, ubrania z szafy wyniósł cichcem do rupieciarni na podwórku. Nęciła natomiast nabita szpargałami biblioteczka. Często obiecywał sobie, że kiedy wreszcie minie gorączka prób i przygotowań do koncertu, przejrzy ją dokładnie z pustej ciekawości.

Zapalił zatem światło i odsunął szybę. Książek, zeszytów, mniejszych i większych tomów było bez liku. Stłoczone tak mocno, że prawie zrośnięte; nieoprawione, tanie wydania na marnym papierze spuchniętym ze starości, nieprzyjemne, szorstkie. Do swojego stosunku do literatury nikomu się nie przyznawał, chociaż gdy trzeba było, rzecz jasna, dyskutował, oceniał, zgadzał się lub sprzeciwiał. Tak naprawdę nigdy nie przebrnął przez klasyków, Balzaka, Dostojewskiego, Dickensa, ponieważ nie miał cierpliwości. Prusa nie czytał, bo uważał go za safandułę, Żeromskiego za megalomana i czarnowidza, Nałkowską za nudną, przemądrzałą ciotkę. Literatury nowszej tu i tam liznął, ale nie rozumiał, a romanse i kryminały z góry traktował jako zmyślone brednie, na które szkoda czasu. Lubił jedynie biografie i rozprawki historyczne dotyczące odległych epok. Reichman upychał na swoich półkach, co popadło. Tomiki poezji, cienkie, biedne, w większości nierozcięte, same nieznane nazwiska, które ugrzęzły w papierze i nie zdążyły do wieczności, ale też był i Liebert, i Jasnorzewska, ta nawet z odręczną dedykacją: „Zenowi – upalnie – Lilka. Ciechocinek, czerwiec 1934". Kto taki ten Zen, Zeno? Właściciel? Całkiem możliwe. Proza – groch z kapustą. Na sobie, pod sobą Galsworthy, Zegadłowicz, Malraux, Kuncewiczowa, Stanisław Piołun-Noyszewski, między nimi „Biblioteka Dzieł Wyborowych", rozmaite *Anioły morza, Czarne romanetta, Marsylskie kurtyzany*, także katalogi wysyłkowe, kalendarze ogrodnicze, zbiór zagadek geograficznych. Reichman z pewnością nie był bibliofilem, nie miał zwyczaju zaznaczania ani podpisywania książek. Na dole, w szafce zamykanej na sczerniały, ciężko obracający się kluczyk, zalegały pisma literackie pełne artystowskich wierszy, esejów i szkiców, których nikt nie czytał, zakisłych, niepotrzebnych, skazanych na ciemność i stęchliznę. Fabian, kasząc i z trudem opanowując poalkoholowe drżenie rąk, wygarniał na podłogę grube numery „Pamiętnika", „Sympozjonu Lirycznego", „Ateneum", „Verbum". Wraz z nimi wypadały zapomniane przedmioty: niemiecki ołówek automatyczny firmy Classen, grzebień, tępe nożyczki, zużyta taśma od maszyny do pisania. Żadnych listów, żadnych fotografii, żadnych pocztówek, rachunków czy biletów. W końcu jednak znalazł to, co chciał znaleźć, a raczej przeczuwał, że znajdzie. Z samego dna, spod kilku sparciałych gazet wyciągnął dwa notatniki. Wąskie, większe od normalnego brulionu, w sztywnych zielonych okładkach. Jeden w całości, drugi do połowy wypełniony drobnym, skrupulatnym pismem.

Na pierwszej kartce znajdował się wykaligrafowany i podkreślony napis „Skorowidz", a pod nim opatrzony cyfrą „1" wiersz bez tytułu:

Któż by inny jak my dwoje
Mógł szczęśliwszy być w miłości?

Przecież ja przy tobie stoję,
Bolesny cień mej młodości.

Szczęście moje nieszczęśliwe,
Piosnko ma niewyśpiewana,
Miłości ma niewykochana,
Ach biedne życie – nieżywe!

W miejscu, gdzie poeci umieszczają niekiedy datę, znajdowała się mało zrozumiała adnotacja „45 + 260 + 72 (Oldlen)". Samo wierszydło coś Fabianowi przypomniało, zaraz też rozpoznał w nim słowa piosenki Ordonki, muzycznie nawet ciekawej, bo śpiewanej tylko przy gitarze, na której, jak twierdził potem Stypa, w popularnym płytowym nagraniu dla Parlophonu grał jego zmarły na rok przed wojną ojciec, występujący po kabaretach pod pseudonimem Siemion Taradynko.

Przebiegał oczami dalsze wiersze:

Polesia czar to dzikie knieje, moczary,
Polesia czar to dziwny wichru jęk,
Gdy w mroczną noc z bagien wstają opary,
Serce me drży, dziwny ogarnia lęk,
Słyszę, jak w głębi wód jakaś skarga się miota,
Serca pustota wierzy w Polesia czar...

I znowu kolejny numer, a pod wierszem cyfry „25 + 100 + 25 + 30 (Kostecki)". Pod numerem trzecim wyznanie:

Jak to? Teraz mam żyć więc bez ciebie,
Bez mych marzeń o tobie i śnień?
Widzieć, jak każdy dzień miłość grzebie,
Jak w swym sercu oddalam się w cień?
Niechaj wicher zatrzyma się w pędzie,
Niechaj słońce zagaśnie – bo cóż,
Jeśli ciebie już przy mnie nie będzie,
Na cóż piękność skowronków i róż.

I jeszcze: „50 + 175 (Pietruszyńska)". Z coraz większym zdumieniem wertował zeszyt. Były aż osiemdziesiąt trzy zapisane stronice i na każdej słowa piosenek, najczęściej doskonale mu znanych, oraz niejasne ni to symbole, ni to wyliczenia, a w nawiasach najlepsi autorzy. „Pietruszyńska" – przecież to prawdziwe nazwisko samej Ordonówny. Reichman, który był tylko mglistym cieniem przeszłości, teraz stał się zagadką i z miejsca urósł w oczach Fabiana. Czy to jego pismo? Czy na pewno ślad jego ręki? Nigdzie nie zauważył nazwiska, podpisu. Ale jeżeli tak, to na co smakoszowi sztuki, gromadzącemu elitarne periodyki, przepisywanie oklepanych szlagierów z płyt albo z radia? Na co zawziętemu kobieciarzowi słowa łzawych tang, mdłe jak kopiasta łyżka sacharyny? Jakie wyrafinowane pożądania mogłyby zaspokajać? A może istnieje żądza banału? Bo że to sprawa jakiegoś nieznanego mu rodzaju hedonizmu, nie miał najmniejszej wątpliwości.

VIII

Wszystko potoczyło się inaczej, zupełnie nie tak, jak Fabian ze Stypą wymyślili sobie jesienią przy wódce i pierogach mięsnych Habertasa we Współczesnej. Występ na balu sylwestrowym nie był tylko incydentem, sentymentalnym gestem podstarzałych grajków-dmuchaczy, chcących zakląć upływ czasu i własne niedołęstwo. Wbrew zamiarom, oddźwięk miał rozległy. Nieznani ludzie z porozumiewawczym uśmieszkiem kłaniali się Fabianowi na ulicy, przy czym sam już nie wiedział, czy chodzi o podziw dla artysty, czy o pobłażliwą wyrozumiałość wobec późniejszego pijaństwa. W gabinetach lekarskich, w biurach uzdrowiska, przy sobotnich kawach, na wieczornych brydżykach zawzięcie plotkowano o orkiestrze założonej przez milicjanta, dziwaka z Anglii i miejscowych bikiniarzy, grającej lepiej niż w radiu zespół Górkiewicza–Skowrońskiego, oraz o dentystce z przychodni dla kuracjuszy i nauczycielce z liceum śpiewających swingowe przeboje jak prawdziwe gwiazdy. Zaraz po Nowym

Roku "Gazeta Pomorska" wydrukowała w swoim dodatku kulturalnym niewyraźne zdjęcie big-bandu i artykulik *Wielki jazz w małym Ciechocinku*. Co prawda, jego autor nazywał Fabiana „działaczem społecznym", który „przy udziale aktywisty z szeregów Milicji Obywatelskiej organizuje życie muzyczne", ale wspominał coś również o „cieple kalifornijskiego słońca w środku mroźnej polskiej zimy". Zaczęły się telefony z sanatoriów, najlepszych dancingów, domów kultury z Inowrocławia, Torunia, Bydgoszczy, nachodzenie już nie tylko Fabiana w domu, ale też Stypy w komisariacie i doktora Vogta na sali zabiegowej. Kierownicy, referenci kulturalno-oświatowi, urzędnicy o specjalnościach, których nazw nikt normalny by nie spamiętał, proponowali koncerty, przygrywanie do tańca, podsuwali pisemne zlecenia albo obiecywali wynagrodzenie w naturze. „Mamy wspaniałą salę lustrzaną" – zachwalał wysłannik rzeźni miejskiej z Torunia. „Zagracie na zabawie, ale my tam u nas zapiszemy, żeście zwyciężyli w zakładowym konkursie muzycznym, i dostaniecie deputaty mięsne, po jednym na łepek". „Deputaty mięsne"? „Tak jest! Deputaty mięsne, pięciokilowe. Polędwica, bekon, kabanosy, krakowska, takie jak kierownictwo miasta, powiatu i partii co miesiąc". Fabian początkowo nikomu nie chciał odmawiać, ale Stypa hamował jego zapędy:

– Pchają się tak do nas, bo wiedzą, że nie mamy papierów, jesteśmy dla nich amatorzy. My – amatorami, panie Apanowicz! Ciekawe, jakie papiery ma Ellington? Tutaj prawdziwej umowy nikt by z nami nie podpisał, mogą zrobić, co chcą, nawet w ogóle nie zapłacić.

Mimo to jednak występowali. W sanatorium kolejowym, sanatorium wojskowym, w Julianówce, Pomorzance, Młodej Gwardii. Również jako koncertowa atrakcja ekskluzywnej imprezy w restauracji bydgoskiego hotelu Metropol, za pieniądze, po osiemdziesiąt pięć złotych na twarz plus kolacja i koszty podróży pośpiesznym, pierwszą klasą. Właśnie w tymże Metropolu tuż przed wejściem na scenę niespodziewanie zaczepił go młody portier: „W nieodległej wsi spłonęła dzwonnica, dymu nie widać". Trema i napięcie, nie zareagował, nic nie odpowiedział, tym bardziej nie dał w mordę, a potem, po znakomicie wybrzmiałym *Liebestraum* i paru szybkich wiśniówkach w tłoku i hałasie, nie wiedział już, czy to było naprawdę, czy tylko mu się zdawało. Roztrząsał to zdarzenie wiele razy podczas powrotu do domu, w ciemnym, rozkołysanym wagonie pędzącym przez zimową noc, mając naprzeciw siebie chrapiącego Soprano, a po obu stronach śpiące Wandę i Modestę, i do niczego nie doszedł.

O Wandę niepokoił się coraz bardziej. Nawet nie widywali się każdego dnia, prawie nie rozmawiali, ucinała rozmowy. Wychodziła do pracy wcześnie rano, a jeśli nie miała popołudniowych przyjęć, potrafiła całe wieczory przeleżeć bez słowa przy zgaszonej lampie i włączonym radiu. Czasem siadał obok niej, gładził po włosach, pytał, czy nic ją nie boli, czy czegoś by nie chciała, czy mógłby jej zrobić jakąś przyjemność, kupić coś, przynieść, może pojechać gdzieś razem. „Spokój, spokój. Daj mi spokój!" – odpowiadała niecierpliwie. Była blada, wiecznie zirytowana, wyglądała na chorą. Narzekała na śpiewanie, próby, wyjazdy, mówiła, że to ośmieszanie się i przesada, że chciała tylko raz spróbować jak kiedyś, dla zabawy, że jest zmęczona, nieludzko zmęczona. Nigdy jednak nie odmówiła, jakby – tak naprawdę – bardzo czekała na to, czego nie chce. Kiedy tylko Krasinkiewicz zastukał pałeczkami, kiedy zadudnił bas i odezwała się ściana blachy, widać było, jak spływają z niej nerwy i wszelkie paskudztwa zwyczajnego życia, jak na trzy minuty piosenki rodzi się uśmiech i ona sama inna, wysmukła, piękna, młodsza o dwadzieścia lat, w roztańczonym rytmie i w jaskrawym kręgu reflektora podobna do wijącej się rzeki.

Dużo czasu spędzał z Modestą, od sylwestrowego koncertu nie unikała go już jak poprzednio. Kiedy wychodził do miasta, zawsze wpadali na siebie w jakichś drzwiach albo na jakimś rogu. Wystarczyło, że nie pokazał się dłużej – dzwoniła, często wielokrotnie i natarczywie, wyciągała z barłogu Bayerową. Jej postać w czarnym kapeluszu wyrastała nagle niczym zjawa z innego świata między stolikami Współczesnej, w oparach ogórkowej i tłuszczu od mielonych, wzbudzając lubieżne zachwyty Zuppego. Zachowywała się jednak tak, jakby to Fabianowi za każdym razem niezwykle zależało, jakby to on wymuszał spotkania, nalegał, upokarzał się, narzucał swoją osobę. Witała go przy wszystkich głośnym: „No, już mnie pan znalazł! Po co te nerwy, *my sweet older?*" lub „I co, znowu się niecierpliwił? To niezdrowo, szkodzi na serce!". Znajomi i nieznajomi byli od dawna przekonani, że są kochankami i tylko odgrywają komedyjkę na pokaz, choćby ostentacyjnie mówiąc do siebie przy ludziach „pani", „pan". Goniły ich ciekawskie spojrzenia, gdy wysiadali z samochodu przed pasażem Europa albo mroźnymi, słonecznymi przedpołudniami spacerowali aleją wzdłuż gmachów łazienek czy koło tężni, do zamkniętego zimą basenu solankowego. Tak jak przedtem szaleli razem na fajfach i dancingach w Kameralnej i Miłej, godzinami nie schodząc z parkietu i bijąc wszelkie rekordy. Jeśli mieli kaprys, zadawali szyku po najdroższych lokalach Torunia i Bydgoszczy, a potem wracali nocą, wpadając w poślizgi na pustych szosach i dryblując vauxhallem od drzewa do drzewa. Kwaśno natrząsał się w duchu ze swojej odległej młodości i jurnego, psiego uwodzicielstwa. Cóż to młodość – jedna udręka, niekończący się łańcuch napięć i rozładowań, gorączka genitalna, zaćmienie, niezdolność do odczuwania czegokolwiek innego. Teraz, u progu drugiego półwiecza życia, drobnymi szczyptami kosztował bogactwa doznań, jakie może przynieść bliskość takiej kobiety. Wyzywająca linia warg, siła spojrzeń, kształt policzka i spływające na ukos pasmo czarnych włosów, język gestów, melodyjność każdego kroku, oddechu, ruchu ramion. Zwykłe cielesne pożądanie, z całym tym komicznym dyszeniem, fizjologią, szamotaniną w łóżku i wydzielinami, jest przy nich jak odór wychodka przy obrazie Goi.

Gdy tańcząc, przytulała się do niego chwilę dłużej, niż wypada, a on zdobywał się na jakąś niewinną czułość, kopała go po kostkach i odpychała wściekle. W kinie Sfinks położyła dłoń na jego ręce. Nie mógł się powstrzymać, bardzo delikatnie pocałował ją powyżej krawędzi rękawiczki. „Cmokać to pan sobie możesz nad golonką z chrzanem, dinner-kisser!" – strzeliło w kinowym mroku głośniej niż rewolwer szeryfa Owena z czarno-białego ekranu. Jak na komendę odwrócił się do nich rząd zgorszonych głów, a potem już tylko pojedyncze głowy odwracały się co rusz aż do końca filmu. Elektryczna kobieta. Z daleka przyciąga błękitną poświatą, ale przy najmniejszym dotknięciu na oślep bije piorunami.

Mówiła mnóstwo, lecz wyłącznie o tym, co teraz; w pracy, u koleżanek nauczycielek, do jakiej książki się zabiera, co przeczytała w jakim tygodniku. I nadal nic o niej nie wiedział. Nawet ile ma lat. „No, proszę pana! Niech pan zapyta choinki, ile ma igieł!" – oburzała się z nastroszoną miną. Od czasu do czasu znikała bez uprzedzenia, wyjeżdżała na kilka dni, zarywając próby, lekcje w szkole. Potem ni stąd, ni zowąd spotykał ją na przykład w barze mlecznym, gdzie nadal codziennie koło dziesiątej rano wypijał kakao. Kiedyś u Habertasa mimochodem zapytał, w jakim mieście się urodziła. Usłyszał: „Nieważne, w jakim. Ważne, że naprawdę".

Pod koniec lutego przyjechał z Torunia kierownik studenckiego klubu Od Nowa. Ustalili sobotę piętnastego marca, godzinę dziewiętnastą i honorarium 1300 złotych do podziału dla orkiestry plus obiad w restauracji Polonia. Koncert miał się odbyć w Dworze Artusa przy Rynku, w największej miejskiej sali reprezentacyjnej. Potrzebne było rozszerzenie programu. Po naradzie ze Stypą dodali kilka numerów: *Amapolę, Song of India, Jealousy* Gade'a–Bloome'a i mało znany, stary temat Lionela Hamptona, którego tytułu żaden z nich nie pamiętał. Znowu zaczęły się ciężkie próby, odtwarzanie partytur „z głowy", przepisywanie po nocach. Znowu Fabian nie mógł się nadziwić dyscyplinie zespołu.

Owszem, Krasinkiewicz, Dąbal, Pobijak – ci mogliby łoić cztery doby bez przerwy i żywić się cienkim piwskiem kuflowym donoszonym w kance z pijalni na targowisku. Ale inni? Niektórzy to przecież posunięci w latach panowie. Spędzają całe wieczory poza domem, zamiast wypoczywać po robocie, dojeżdżają nie wiadomo skąd, aby uczestniczyć w tym wariactwie! Może – żeby to zrozumieć – trzeba się lepiej wsłuchać w słowa największych szlagierów, które w kółko puszcza tu radio? Nie ma w nich ani na pół paznokcia tutejszej rzeczywistości, ani grama spraw tutejszych ludzi, za to pełno tropikalnych zmierzchów, palm, koralowych raf, egzotycznych dziewcząt i ciepłych mórz. Ich popularność, powszechne podśpiewywanie, uwielbienie dla piosenkarzy wynika z tęsknoty do fatamorgany. Potworne musi być życie, któremu sens musi nadawać iluzja innego życia. Może swing to też taka iluzja?

W tym czasie telefonicznie wezwał go do komitetu miejskiego towarzysz Kusiak. Był zły sam na siebie, ale fakt faktem – szedł onieśmielony. Z szybciej bijącym sercem, dla skromności piechotą, nie samochodem, a idąc, nic naokoło nie widział, nie patrzył pod nogi, właził w kałuże – bo robił rachunek sumienia. Może chodziło jeszcze o Łazienki i o bal? Może coś chlapnął nie tak albo, nie daj Panie Boże, ubliżył komuś ważnemu, może jakieś pretensje są? Będzie się tłumaczył zdenerwowaniem i tremą, a w najgorszym wypadku przepraszał za opilstwo.

Gabinet jak gabinet. Biurko, fikus, na biurku szklanka z herbatą. Ściana, portrety przywódców, dwa łyse łby, pośrodku, trochę wyżej, Orzeł Biały na zachód patrzący, również łysy.

– Jest pewien niewielki ambaras, błahostka, ale jednak – Kusiak uśmiechał się przyjacielsko. – Pan nie ma obywatelstwa.

– Jeszcze nie mam, ale na pewno wiem, że powinienem mieć. Jestem już chyba nieźle przygotowany, idąc tu, bardzo mocno to sobie uświadomiłem. Nie zawiadamiają z Warszawy, ciągnie się i ciągnie, czekam i czekam.

– Ładnie, ładnie... Ech, żeby to tak wszyscy cenili sobie tę naszą Polskę... – westchnął Kusiak. – Rzecz w tym, że na działalność orkiestry potrzebne zezwolenie, muzyczna licencja zawodowa. Pan nie ma jeszcze obywatelstwa, Stypa to funkcjonariusz MO, byłoby niezręcznie. Mogłoby być ewentualnie na Vogta albo na panią Wandę, ale to wobec prawa lekarze, a nie muzycy, poza tym zespołem pan osobiście kieruje, pan odpowiada. Jeżeli będą jakieś sukcesy, to będzie przecież pana zasługa. Same komplikacje. Według przepisów orkiestra jest nielegalna i nie może występować publicznie, tym bardziej pobierać jakiegokolwiek wynagrodzenia.

Fabian powoli zmieniał się w bryłę lodu wraz z krzesłem, na którego brzeżku siedział. Żadna buntownicza riposta nie przychodziła mu do głowy.

– To... co by trzeba zrobić?... – wyjęczał pokornie.

Rysy Kusiaka skamieniały, a wzrok zamienił się w stal. Odczekał kilka sekund, posągowa urzędowość przeistoczyła się jeszcze na moment w tajemniczość, ale tajemniczość raptownie i promiennie zrzedła w poczciwą, maślaną gębulę, gotową do radosnej puenty.

– Władza jest od tego, żeby myśleć koncepcyjnie i pomagać ludziom. Tym, którzy zasługują – wyrzekła gębula.

To było obrzydliwe, ale rozmawiając z Kusiakiem, nie śmiał podnieść na niego oczu i czuł, że ma głowę wtuloną w ramiona, chociaż naprawdę nie miał.

Zaraz też Kusiak otworzył szufladę i położył przed Fabianem plik kartoników okręconych gumką.

– Co to jest, panie sekretarzu?

– To? Legitymacje OSP.

– A co to takiego o-es-pe?

– Ochotnicza Straż Pożarna. Trzydzieści, na zapas. Pieczątki, podpisy. Towarzyszom z miasta i powiatu bardzo na was zależy, a pan wygląda na porządnego człowieka. Ja już na balu to zauważyłem, tak mówiłem wszystkim, towarzyszowi Wańtusze też mówiłem i potwierdzam. Porządnego człowieka to nawet życie w kapitalizmie nie zniszczy! Wypełni pan te świstki, wstawi pan nazwiska, a jak jakiś dureń będzie się czepiał, to pan pokaże, gdzie orkiestra przynależy. Potem się zobaczy, co dalej. Będzie obywatelstwo, to wymyśli się jakiś etat dla pana. Człowiek bez etatu – nie istnieje, a u nas nie pieniądze, tylko człowiek się liczy!

Przed ozdobny fronton Dworu Artusa, naprzeciw ratusza toruńskiego, zajechali vauxhallem. Wanda owinięta futrzanym boa, Modesta z opuszczoną woalką i, obok kierowcy, Zuppe we fraku, na którym bieliła się ogromna sztuczna orchidea. Z tyłu, między damami, siedział Stypa, prosto ze służby, więc w milicyjnym mundurze, z raportówką na kolanach i trąbką, bo przez drogę dogrywał sobie temat *Jealousy*. Fabian zatrzymał przedtem samochód na ulicy Żeglarskiej, specjalnie, żeby złożyć dach. Przechodnie przystawali, jakaś matka kucnęła i pokazywała ich palcem dwóm małym brzdącom, grupka przypadkowych gapiów koło schodów do budynku biła brawo.

Już po szóstej wielka sala ze zniszczonymi złoceniami zaczęła się zapełniać. Fabian, napięty i zdenerwowany, wyglądał co chwila przez dziurę w kurtynie i nie mógł się nadziwić. Jak zwykle gazety nie zamieściły żadnego anonsu, a afisze, malowane farbkami na płachtach papieru pakowego, wisiały podobno tylko w akademikach. Koncert nie był też darmowy, przy wejściu sprzedawano bilety. Chyba samo słowo „swing" zrobiło swoje. Pierwsze rzędy zajmowały wystrojone na sztywno kobiety, odprasowani mężczyźni, drugi raz w ciągu dnia ogoleni, kilku wojskowych z tlenionymi żonami, poubieranymi jak papugi, ale dalej kipiała młodzież, przede wszystkim masa studentów w białych rogatywkach, którzy z braku wolnych miejsc tłoczyli się w przejściach, obsiadali podłogę, wdrapywali się na parapety.

Nie zapomniał o szkiełku Edzia. Bezkształt, bałagan, bezładne place czerwonego żaru, jakby ktoś na siłę dmuchał w palenisko.

– Widzi pan? Przed wojną rzępoliliśmy do tańca burżujom i nasze miejsce było w kącie knajpy. A dzisiaj jesteśmy bożyszczami! To się nazywa socjalistyczny awans! – kpił Stypa, równie podniecony jak Fabian.

– To wszystko głupcy. Skłonność do zachowań histerycznych zawsze wynika z braku wykształcenia. Mam nadzieję, że kiedyś ukończą ten piernikowy uniwersytet – dogadywał Zuppe, kartkując z wielce podejrzliwą miną zbiorek wierszy nowego poety Herberta *Hermes, pies i gwiazda*, który przed chwilą zdążył kupić w księgarni przy Rynku. – Dostrzegam, niestety, podobieństwo do Filetasa, ale wszelkie dalej posunięte domniemania byłyby na razie przedwczesne! – mamrotał, zamykając książeczkę.

Zaczęło się.

Zgasły światła.

Song of India.

Rozpoczynał Krasinkiewicz biciem bębnów w zupełnej ciemności, co samo w sobie było nie lada sztuką. Potem scena rozjaśniała się nieco, ukazując cienie muzyków, a po lewej sterczący wysoko cień gryfu kontrabasu Pobijaka. Wreszcie zapłonęły wszystkie reflektory, weszły wszystkie instrumenty. Jakby ktoś znienacka otworzył wrota wielkiego pieca i cały żar buchnął na widownię, aż publiczność odruchowo skuliła się w krzesłach.

Modesta śpiewała pierwszą, liryczną partię *Amapoli*:

Amapola – I'm pretty little poppy...

Na scenie była ciepła, powłóczysta, rozkołysana, w przeciwieństwie do Wandy, drapieżnej i nieobliczalnej, o nieporównanie silniejszym głosie. Co za zamiana ról! Patrzył tylko na nią, na jej ostry profil zwrócony ku ciemnej przestrzeni poza granicą rampy, nad setkami wlepionych w nią par oczu. „Nefretete! Ten stary jołop wiedział, co gada!" Nie mógł się skupić na grze; płuca, usta, nos, prawa dłoń pracowały same, jedynie intuicja nie pozwoliła zgubić wątku.

Po finałowym numerze, *Moonlight Serenade*, zerwała się burza. Bisowali, potem na koniec, już tylko z „rytmiką", Dąbalem i Stypą, zdjęli marynarki i zaimprowizowali wiązankę nowoorleańską, zaczynając i kończąc *Sweet Georgia Brown*, trochę byle jak, na łapu-capu, aby szybko, głośno, z długim solo na perkusji. Studenci też ściągali marynarki, wstawali, wywijali nimi wariacko nad głowami, niektórzy wskakiwali na krzesła i wrzaskliwie skandowali: „Rock-and-roll!!! Rock-and-roll!!!".

– Tego się wam, kurwa mać, zachciewa! – sarkał zgrzany i mokry Dąbal, zeskakując ze sceny z saksofonem pod pachą.

W szatni podbiegł do Fabiana człowieczek w rogowych okularach, ten sam, który robił zdjęcie do gazety i pisał artykuł. Poprosił o krótki wywiad, notował obgryzionym ołówkiem w szkolnym zeszycie.

– Prose pana, gratuluję udanego koncertu, ale cy granie psebzmiałej muzyki z lat cterdziestych ma dzisiaj jesce sens? – seplenił.

– A czy w Polsce w ogóle kiedykolwiek były lata czterdzieste? Musimy nadrobić.

– Panie, tego mi nie puscą, nie psejdzie... To inacej: Można panu zazucić, ze tyle się teraz dzieje w dzeie nowoczesnym, a pan jak gdyby nigdy nic gra taką psestazałą muzyckę. Co pan na to?

– Nie ma niczego naprawdę nowoczesnego, co by zarazem nie należało do przeszłości. Nowoczesność bez korzeni, takie coś za wszelką cenę, wydumane na chybcika, aby tylko zadziwić i rozdziawić gęby, starzeje się najszybciej i nigdy już nikogo nie zainteresuje.

– W klubach Warsawy, Krakowa, Gdyni całymi nocami słucha się dżemów, pije wino, kontempluje się w skupieniu. Nowy dzez stał się muzyką młodych, myślących i wrazliwych. Natomiast pański dzez bardziej nadaje się na zabawę, do tańca, zeby nie powiedzieć – do psytupu.

– Swing, tak jak każdy rodzaj sztuki, powinien służyć pięknu. Taniec to piękno bliskie każdemu człowiekowi. Mam gdzieś piękno dla kilku snobów, a nie dla zwykłych ludzi.

– O, to tez nie psejdzie, „mam gdzieś". Napise „cuje pogardę"... Cy mozna się zatem rozwijać, grając wciąz te same stare numery? Cy w dzisiejsych casach to ma jakikolwiek sens artystycny?

– No to w takim razie czy ma sens wykonywanie i słuchanie na przykład Bacha? To przecież też „stare numery"! Dobrych dwieście lat z okładem. Tym „młodym, myślącym i wrażliwym" nie bardzo się chce wsłuchiwać w wielkie metafory świata. A ja będę je powtarzał do upadłego. Swing to też taka metafora. Może nie najważniejsza, ale w sam raz na moje skromne możliwości.

W Polonii kazali zestawić cztery stoliki, zamówili szampana i likiery. Tylko Zuppe biesiadował osobno. Odwrócony plecami, w samotności spożywał rumsztyk, do którego zażyczył sobie ćwiartkę wódki. Wanda również siedziała szara i milcząca, co chwila patrzyła na zegarek. Modesta przeciwnie, rozgadana, podniecona usiadła obok Vogta i balansując dwoma palcami z zapalonym papierosem, komplementowała go za szczególnie udaną solówkę w *Liebestraum*. Nawet ładnie wyglądali obok siebie. On powściągliwy, przystojny, nienaganny, ona młoda, roześmiana, błyszcząca. Fabianowi aż krew uderzyła do głowy z zazdrości. Zgniótł w połowie cygaro, podszedł do Zuppego, nie pytając, nalał sobie z jego butelki i strzelił jeden za drugim dwa kieliszki, chociaż miał jeszcze prowadzić auto. Przysunął się do niego Stypa, stuknął kieliszkiem.

– Przychodzi mi czasem do głowy, że w gruncie rzeczy tylko małpujemy, że nie ma w tym niczego naszego, prawdziwego.

– Niech pan da spokój – zirytował się Fabian. – To takie polskie międlenie, polska beznadzieja. Nawet jeżeli jest sukces, to „może jednak nie tak, może trzeba byłoby lepiej, może trzeba by było inaczej, może ktoś jest czemuś winien". A idź pan, panie kolego... W muzyce zawsze bardziej chodzi o sposób niż o treść.

Przez parę ponurych marcowych poranków bez przerwy siąpił deszcz ze śniegiem. Zaraz po rozpaleniu w piecach u siebie i u Wandy Fabian z powrotem właził do łóżka, drzemał albo włączał nocną lampkę i odczytywał notatki Reichmana. Chyba można tak było nazwać te kawałki zwartego tekstu, umieszczone gdzieniegdzie między słowami piosenek i niezrozumiałymi symbolami cyfrowymi. Im dalej, tym było ich więcej, w drugim zeszycie zajmowały już całe stronice. Ujęte w cudzysłowy jak cytaty, bez dat, czyste, pozbawione skreśleń i poprawek, również wyglądały na przepisane skądś zawsze tym samym, mocnym, ciemnogranatowym atramentem. Nie miał pojęcia, czym były. Niedatowanym pamiętnikiem? Może fragmentami jakiejś większej całości albo projektem powieści, która nigdy nie powstała? Czy Reichman był autorem? Nawet jeśli zapisała je jego ręka, równie dobrze mógł to być ktoś inny.

Czytał z nudów, dla zabicia czasu, aby jak najszybciej dotrwać do południa, niewiele z tego rozumiał, gdyby mógł, wolałby spać.

„Tuwim chce, żebym został Oldlenem. Prawdziwy Oldlen się godzi, ja przystaję z ochotą i zacieram rączki. To tylko jeden przykład paranoi, w jakiej przyszło mi żyć. Przysłał 50 złotych, w liście, broń Boże przekazem, oraz nuty – refren i melodyjkę. Cóż robić. Zaraz rano po powrocie z borowin zamiast leżeć zakasałem rękawy i do obiadu skończyłem. Przy tym upał afrykański, siedziałem w półmroku, bo okiennice przymknięte, ale mało to pomaga. Z ogrodu bieganina i wrzask dzieciaków tych dwojga z Łodzi, co zajęli dwa pokoje na dole na całe pół roku i żądali przebicia ściany. L. łapała się za głowę, ale klient płaci, klient wymaga. Tak jak moi klienci ode mnie. Dzieciaki natomiast są niezmordowane, czy to zimno i deszcz, czy taka jak teraz parna duchota. Pod wieczór poszedłem na kolację do Europy, co tam zresztą za kolacja, trzy jęzory wędzonej szynki, upał, nie chce się jeść.

Wódki też się nie chce, wypiłem za to sporo zimnego piwa. Spotkałem Schubladera i Jerzego C. Rozmowa zeszła na politykę. Mnie tam ten Hitler wcale nie straszy. Przypadek bardziej ciekawy niż złowrogi, nikogo podobnego jeszcze nie było w Europie. Konkretny, twardy, jednocześnie romantyczny, uczuciowy, przy tym niewątpliwie śmieszny. A do jakiego dobrobytu doprowadził społeczeństwo wynędzniałe wojną i rządami rozpanoszonej międzynarodowej finansjery! To dopiero ciekawe! Powiedziałem im również, że Stalin też mnie nie drażni i wcale się go nie boję, chociaż nie pochwalam metod (o ile to, co wypisują gazety, to prawda, a mam wszelkie dane sądzić, że niezupełnie). Zgodzili się ze mną. Stalin i Sowiety to takie kolorowe, świeże tchnienie w zatęchłą od wieków atmosferę europejskiego salonu. Taka ludowa, zadzierzysta spontaniczność i przekora, która nie wszystkim się podoba, ale ma w sobie prawdziwą siłę. Stalin walczy z wszechwładzą pieniądza i obojętnością człowieka wobec człowieka, którą kult pieniądza powoduje. Poza tym jest szczery, swojski, bezpośredni, przecież widziałem fotografie, a ja się znam na ludziach, mnie rysy twarzy nigdy nie mylą co do charakteru. Schublader pochwalił się nowym ubraniem marengo, bardzo, naprawdę bardzo eleganckim, od modnego ostatnio w Toruniu krawca Strzeleckiego z ulicy Szczytnej. Nie chciał powiedzieć, ile beknął. Na pewno ze dwie stówki. Ja też się chyba wybiorę do tego Strzeleckiego, zawsze to będzie taniej niż w Warszawie, na pewno solidniej, a nawet modniej. Gardzę kabotyństwem!"

Kartkował, czytał dalej przypadkowe strony.

"Często zdarza mi się tęsknić do Warszawy. Nagle nie mogę usiedzieć na miejscu, czuję się zduszony, sponiewierany, nie znoszę już ani swojego trybu życia, ani znajomych ścian pokoju, budzi się naturalny odruch ucieczki. Kiedy mam wreszcie spakowaną walizkę, a w kieszeni świeżo wykupiony bilet – zaczynam, nie wytykając nawet jeszcze nosa z pensjonatu – tęsknić do Ciechocinka. Przeraża mnie, że nie wyjdę na promenadę przy tężniach, nie wypiję kawy u Bojarskiego, że przerwę rytm zabiegów, które przecież mi pomagają. Ileż razy w ostatniej chwili rezygnowałem z podróży i oddawałem bilet ze stratą. Było to jednak zawsze bardziej zbawienne niż komiczne, bo czułem się tak, jakbym wrócił z daleka po długiej nieobecności – wychodząc tylko na dworzec. Oczywista, czasem również wyjeżdżałem. W Warszawie, niestety, prędko uświadamiałem sobie, że przecież jestem skompromitowany, że pozostają mi cztery kąty mojej kawalerki albo samotna włóczęga po zakurzonych ulicach, że nie dla mnie Ziemiańskie, Astorie, SiM-y, gdzie dobrzy znajomi udają, że mnie nie znają, bądź ściskają rękę szybko, żeby nikt nie widział, i znikają pod byle pretekstem. Nieliczna resztka, tych kilkoro, którzy chcą jeszcze ze mną rozmawiać, robi to na osobności lub przez telefon, publicznie nigdy. Gdy myślę o sobie trzeźwo, wiem, że naprawdę, jak człowiek, żyję tylko tutaj, mimo że nastręcza to rozmaitych dylematów, których jeszcze nie rozstrzygnąłem. Choćby: co zrobić z warszawskim mieszkaniem, zostawić je i płacić czy sprzedać za liche pieniądze i pozbawić się ostatniego własnego kąta? Może sprzedać i tu coś kupić? Ale czy ta passa będzie trwać wiecznie? Na razie wszystko od paru lat idzie jak po maśle. Kowalski przysłał w środę 90 złotych zaległe za radio i śpiewnik, no ale ten Fensterglass!... Przyszedł listonosz i powiada tajemniczo: «Dzisiaj dla pana tylko awizo mam, musisz się pan, niestety, sam na pocztę pofatygować». Bałem się już, że jakie wezwanie na ćwiczenia wojskowe, tyle teraz tej durnej histerii patriotyczno-militarnej, albo że może jeszcze coś gorszego, że któraś apelacja przeszła czy co, a tu – proszę – od Fensterglassa przekaz na całe 420 złociszów za rewię oraz za «Cyrulika»! Jak to nie można uprzedzać się do ludzi! Pewien byłem, że ten na mur mnie oszwabi, tak mu źle z oczu patrzyło. Tymczasem zawsze najprędzej oszwabią ci, którym patrzy dobrze i miód leje się po brodzie. Z tej radości chciałem już stawiać kropelkówkę kompanom z Europy, co i tak by było niemożliwe, bo po pierwsze – nie zasługują na jakiekolwiek fundy, a po drugie – na poczcie właśnie spotkałem E.W. i do Europy już nie dotarłem. E.W. dopiero co przyjechała, rozlokowała się w willi Belle-Vue i akurat wysyłała telegram do męża, starej pierdoły, adwokata z Kalisza czy jakiegoś tam Wągrowca. Na mój widok wybuchła, że nie jest gotowa i odpowiednio ubrana, że dopiero nazajutrz miała zamiar telefonować do Zaświecia, ale tak była rozogniona i pełna desperacji, że nie puściła się już mojego rękawa, aż wylądowała u mnie w pokoju i w łóżku, choć zanim dobiliśmy do łóżka, po drodze był jeszcze fotel, w którym z rana czytam gazety. Odprowadziłem ją potem po północy, a raczej przed domem wsadziłem w dorożkę, a sam następnego dnia zawaliłem zabiegi, bo odsypiałem do obiadu. Praczka szepnęła mi, że podczas bytności E.W. u mnie L. szalała, darła ścierki, rzucała pokrywkami po kuchni. Kiedy kazałem przynieść zimny sekt i truskawki, na złość przysłała nie panią Kazię, co usługuje na dole, ale tę brudną, bosą Jadźkę w zatłuszczonej zapasce i śmierdzącą kurnikiem. Właśnie – zwykły sekt, a nie szampan. Po co pięciokrotnie przepłacać za nieskomplikowane przyjemności?..."

„Jestem przystojny, bardzo przystojny. Codziennie wiele razy patrzę w lustro i nie mam żadnych wątpliwości. Obraz świata w twoich oczach zależy od tego, jak sam wyglądasz. Tyle możesz osiągnąć, na ile cię podziwiają, tym większe masz możliwości, im bardziej zachwycasz. Jestem również bardzo utalentowany. Nie może być inaczej, skoro potrafię to, czego inni nie potrafią – nieźle żyć z fikcji, w którą po uszy jestem zanurzony. Od Serafinowicza przyszło 80 złotych i tyleż samo od Langa. Impresario Faliszewskiego zarzeka się, że zaległą ratę przekaże na konto najpóźniej do końca tygodnia. Pietruszyńska (nigdy inaczej nie będę jej nazywał, jest właśnie Pietruszyńską, aż do zgrzytania zębów Pietruszyńską!) była aż tak uprzejma, że przysłała płytę z nagraniem. A tak jej się spodobało, że na etykiecie kazała drukować własne nazwisko, a raczej ten znany pospólstwu pseudonim, a nie umówione «Ricardo Gomez» (uwielbiam pseuda egzotyczne, zresztą wojna w Hiszpanii, taka moda!). Ale co mi tam! Najważniejsze było dołączone do tego 100 złotych i nowe nutki «na zaś» oraz solenna obietnica pięciu procent od sprzedaży. Tu wierzę bezkrytycznie. Ktoś, kto ma przynajmniej jeden koncert dziennie i bierze za to przynajmniej

150 złotych, nie może nie wzbudzać zaufania. W zeszły czwartek przed południem niespodziewany telefon zamiejscowy. Celina, majorowa P. z Wilna. Będzie w sobotę, że też chce się jej jechać z tak daleka. Pewno mocno się chce. Dziewucha z kuchni, która mnie zawołała, podsłuchiwała za węgłem i zaraz poleciała do L., widziałem. Cóż robić, pełen obaw wyszedłem do pociągu. Znam Celinę od paru lat, dużo mi pomogła w pewnej sprawie, może jeszcze na coś się przyda, nigdy nie wiadomo. Właściwie to jest z Warszawy, mąż oddelegowany tylko do wileńskiej prokuratury wojskowej. Nie lubię takich kobiet. Wielka, władcza, grubokoścista blondyna, prawie że wyższa ode mnie, przy ludziach mówi do mnie «mój kiełbasku!». Jej orgazmy są posępne i pełne patosu jak tragedie greckie. Na dodatek przecież E.W. nadal w Ciechocinku, oczywiście musiała zobaczyć nas razem w dorożce, spacerowała z jakimś grubasem i tylko uśmiechnęła się ciężko; normalna złośliwość miejsca i czasu, dotykająca krętaczy oraz grzeszników (tak, tak!). Celina zostawiła walizy w hotelu Müllera i dalej do mnie, hulać. Nie krępowała się niczym. Nie wiem, jak strzymał to pastor ewangelicki od paru dni mieszkający przez ścianę. Rano wylegiwała się długo, paliła papierosy, zażądała śniadania do łóżka, jajecznicy z sześciu jaj na wędzonce. Wymknąłem się zaraz za nią, chyłkiem, żeby nie spotkać L. Pojechałem autobusem do Torunia. Zerwał się gwałtowny deszcz, przesiedziałem ze dwie godziny przy kawie i świetnym serniku u Dorscha w Rynku, gdzie wśród innych gazet wykładają «Völkischer Beobachter». Wieczorem wróciłem pociągiem. Nie zacho-

dząc nawet do siebie, nieelegancko wywlokłem z domu Jerzego C. i urżnęliśmy się na perłowo, w Czterech Wiatrach, już nie w Europie, bo Celina zwykła tam bywać. Nad ranem do mojego pokoju wtargnęła L. Zdarła ze mnie kołdrę, przydusiła do łóżka, okraczyła udziskami i – korzystając z bezwiednych, katzenjammerowych wzwodzeń – ujeździła jak ochwaconą chabetę, do ostatniej kropli. Urządziła przy tym prawdziwą symfonię wagnerowską na cztery chóry, aż obudziło się dziecko tych z dołu i zaczęło beczeć. Na koniec złapała mnie za gardło, na odlew zdzieliła po gębie i wrzasnęła, że jeśli jeszcze raz się powtórzy z Celiną albo z jakąś inną, to znajdzie, spod ziemi wyciągnie majora P., opowie mu wszystko, a on przyjedzie i zgodnie z oficerskim kodeksem honorowym ukatrupi mnie jak wieprza".

Powtórzyło się jeszcze nie jeden raz, nie dwa i nie trzy. Na każdej stronie te same nazwiska czy pseudonimy nadawców pieniędzy, za to coraz to inne inicjały kobiet, niekiedy całe imiona. Pozornie ekscytujące, w rzeczywistości nudne, podobne do siebie łóżkowe epopeje. Naiwne deklaracje polityczne, z sufitu wzięte, pozbawione jakiejkolwiek logiki prognozy i rachuby. Całe mnóstwo bezsensownych dygresji, jałowego zestawiania faktów, mielenia gazetowej papki. Fantasmagorie o konieczności koronowania Mussoliniego na rzymskiego cesarza, o odkupieniu od Rumunii Besarabii i utworzeniu tam wyznaniowego państwa żydowskiego ze stolicą w Jassach oraz budowie polskiego portu nad Morzem Czarnym, połączonego ze Śląskiem eksterytorialną linią kolejową przez Karpaty. Fabian zastanawiał się, czy Reichman mógł być jego rówieśnikiem. Niemożliwe, musiał być starszy. Zastanawiał się też, czy wtedy, w tamtym czasie, na tamtym brzegu, on był tak samo głupi. Chyba nie, ale dlatego, że w ogóle o takich rzeczach nie myślał, że nie interesowało go wiele poza swingiem i kobietami. Zresztą, czy to naprawdę była głupota? Wyrokowanie o drugim brzegu z oddali, mierzenie jednego czasu innym czasem – to jest dopiero łajdactwo! Pod koniec zeszytu natknął się jednak na fragment bardziej frapujący.

„Taki nawał roboty, że nie poszedłem rano na zabiegi. Przez półtora dnia wypichciłem aż cztery kawałki; na pewno rekord świata. Najbardziej umordowałem się z ostatnim, tangiem, rzecz oczywista, tylko w wolnym, prawie pogrzebowym tempie. Rzadko przegrywam sobie nuty, zwykle wystarczy, że przeczytam, tutaj musiałem zejść na dół, do restauracji, do pianina. Kiepsko gram, umiem tyle, co z domu, od matki, męczyłem się, zresztą w ogóle nie lubię muzyki. Podeszła więc L., jakaś dziwnie spokojna i cicha. Ona zagrała. Ładnie, bardzo zręcznie, nigdy bym jej nie podejrzewał. Zaraz też mi się rozjaśniło i na pamiątkę wymyśliłem tytuł *Szkoda twoich łez*, a dalej poszło jak z kulomiotu. Okropnie teraz modne te tanga, smutne, rzewne aż do mdłości. To ciekawe – różni mędrkowie prorokują «kres epoki», a ciemni ludziska powtarzają za nimi, że czują bliski koniec świata, nadciągającą katastrofę. Ja tam nic nie czuję. Bo niby skąd ta katastrofa, czemu akurat teraz? Wszystko przecież na swoim miejscu, żaden wulkan nie dymi, żadna woda nie występuje z brzegów – prezydent na zamku, ksiądz przy ołtarzu, poczta czynna, niebo u góry, ziemia u dołu. Pochłaniam życie, piękne, rozsłonecznione, wysyłam listy, liczę pieniądze. Na dodatek obiad – palce lizać, wiejski, zupka jagodowa, kurczaki z mizerią i młodymi kartofelkami posypanymi koperkiem. Po obiedzie wyszedłem. Upał. Na promenadach, w kursalu, tłumnie, głośno, pół Warszawy. Niekiedy słyszę nawet zdumione «dzień dobry!». Nie odpowiadam. Niech myślą, że wzrok ich myli. Przysiadłem na tarasie Orbisu, w cieniu, zamówiłem zimne jasne podgórskie. Ten młody mężczyzna, młodzieniec właściwie jeszcze, jak zwykle o tej godzinie był przy sąsiednim stoliku. Włosy dłuższe, sczesane przez czoło, twarz pociągająca, delikatna, ale męska, nie cukierkowatego cherubina. Cała figura też jakaś taka foremna, klasycznie proporcjonalna, zgrabna, zwarta. Poważny, zawsze nad grubą książką albo naukowym z wyglądu czasopismem, nieodmiennie pijący herbatę bez cytryny. Ładne ubrania, upodobanie do najmodniejszych tweedów, tylko pantofle kupione gotowe. Fe! Ale cóż – nowoczesność! Pojawił się kilka tygodni temu; gość hotelowy, kuracjusz, student? Może też nie spotkałem go wcześniej, przedtem rzadko przychodziłem do Orbisu. Zsuwałem kapelusz, popijałem piwo i bezczelnie przyglądałem się spod ronda. Pewnie, że wolałem godzinami patrzeć na niego niż na L. Jasna karnacja skóry, ale oczy ciemne, brązowe, prawie czarne. Dłonie długie, szlachetna smukłość na grzbiecie opasłego tomu. Zauważył mnie i bardzo cierpliwie wytrzymywał moje spojrzenia. Do dzisiaj. Dziś kręcił się nerwowo, zaciskał palce na uszku filiżanki, podnosił ją do ust, odstawiał, spoglądał na mnie, do książki, potem znowu na mnie, wreszcie trzasnął sztywnymi okładkami i huknął mi na cały głos, prawie prosto w ucho: «Strasznie pan się pyszni! Strasznie! Jest pan nie do zniesienia!»"

Więc czym były te notatki? Pamiętnikiem, powieścią, szyderczym żartem z ciekawskich lubiących nieswoje sprawy, grzebanie się w cudzych życiorysach i cudzych papierach? Równe, bezduszne literki śmiały się Fabianowi w nos, pokazując, że będzie znał tylko taką prawdę, jaką sam sobie skleci w głowie. No i teraz – jak w opowiadaniu fantastycznym Grabińskiego, które czytał dawno temu – wydawało mu się, że widzi już Reichmana wyraźnie, a raczej wyraźnie rozróżnia grymas na jego twarzy.

– Niech pan mi powie, ale tak szczerze, czy pan już zaczął tęsknić? – Modesta dotykała ust serwetką, ostrożnie, żeby nie rozmazać szminki. Kończyli obiad Pod Orłem w Toruniu. Przedtem włóczyli się po mieście, topniał śnieg, szumiało w rynnach, czuć było powiewy ciepła i zgnilizny, nad dachami tłukły się kłębiaste chmury.

– Do czego niby mam tęsknić?
– Do miejsc, z których pan przyjechał.
– Ja tęsknię tylko do czegoś, czego nie można nazwać. Inaczej dawno by już było po mnie. Inne rodzaje tęsknoty to albo infantylizm, albo przejaw otępienia starczego.

– To ja w takim razie jestem albo stara, albo infantylna. Im więcej czasu spędzam z panem, tym bardziej zaczynam tęsknić do innego życia. Pan jest krokiem w inne życie, master-vaster.

Mówiła cicho, spokojną, stłumioną angielszczyzną, wobec której nie chciało mu się już protestować. W ogóle była inna niż zawsze, przygaszona, daleka, jakaś taka zapadnięta w siebie, na ulicy mocno trzymała go pod rękę.

– Na przykład tęsknię do Paryża. Często przed snem widzę siebie jak na filmie. W długim płaszczu, z postawionym kołnierzem, wpadam do małego bistro prosto z deszczu. Skrzypią drzwi, dzwoni dzwonek, ja otrząsam mokre włosy, siadam przy barze, wolno sączę słodkie, białe bordo z wąskiego kieliszka. Wie pan, ja kiedyś byłam w Paryżu jako dziecko. Pamiętam tylko wieżę Eiffla i potworny łoskot w metrze. Spóźniłam się na Paryż, pewnie nigdy tam nie dojadę. Czasem żałuję, że nie urodziłam się wtedy, co pan, wcześniej o te kilkanaście... igieł na choince.

– Po co pani jakieś inne życie, jeżeli jest muzyka? Zresztą, co to tam za „inne życie" w Paryżu czy gdziekolwiek? Wszędzie jest tak samo. Najważniejsze, żeby to „inne życie" było tu i tu – dotknął najpierw palcem lewej skroni, a potem drugim – prawej. – To może mi pani opowie jeszcze trochę o tym „dziecku w Paryżu". W ogóle o sobie, o tamtych czasach.

– Nie. Nic nie opowiem. Nie ma o czym. Nic nie pamiętam. Chyba zresztą w ogóle nie było żadnych „tamtych czasów". Lepiej niech pan mi poopowiada o Londynie.

– Tyle razy pani opowiadałem. O czym pani chce? O butach, o polskiej szynce, o klubach w Soho czy o telewizji?
– Niech pan mi opowie o ludziach.
– O ludziach? O kim? Tam są takie masy ludzi, że zwariowałbym, gdyby tutaj tyle było.
– O tych, którymi straszą gazety. O Sosnkowskim, Andersie, Mikołajczyku, Ciołkoszach. Znał pan?
– Spotykałem, nawet rozmawiałem. Na rozmaitych nabożeństwach rocznicowych, akademiach, kiedy jeszcze z początku chciało mi się chodzić do Domu Polskiego. Ciekawa rzecz, jak to wielka woda podmywa i zrównuje...
– Co to takiego „wielka woda"?
– Tak sobie nazywam. Wielka woda to wszystko, co minęło. Jedyny ocean na Ziemi, którego nie można przepłynąć. No więc przed wojną byli niedostępni jak figury z ołtarza. Nadęci ministrowie, generałowie szczekliwi i wysztywniali. Lansady, ordery, lokaje, francuszczyzna. Niektórych widywałem z podestu dla orkiestry, z końca sali balowej. Teraz jeden w drugiego to zażywny wujaszek, gadatliwy tetryk, którego nikt nie chce słuchać, utrzymujący się z chałupnictwa, jakiegoś maszynowego robienia swetrów czy sklejania sztucznych świecidełek. Podejrzewam, że te histeryczne artykuły z „Trybuny Ludu" niebywale ich dowartościowują, zresztą rozczytują się w reżymowych gazetach nałogowo i namiętnie. Ktoś jednak ich się boi, czyjś respekt wzbudzają. Licytują się wręcz i kłócą, kto bardziej „nastukał" towarzyszy.
– A o wojnie mi pan opowie?
– O wojnie nie opowiem.

Wyszli na ulicę, z Mostowej skręcili w stronę Rynku, gdzie zostawili vauxhalla. Zaświeciło słońce, nawet zgrzyt tramwajów na Szerokiej wydał się przyjemny, nad wystawami kilku sklepów zakładano już białe markizy. Modesta przylgnęła do jego ramienia, z wyższością i dumą patrzył w oczy mijanym przechodniom.

– Czy będziemy dzisiaj tańczyć, mister-beaster?
– „Przecież dobrze pani wie – nigdy nie odpowiem «nie»!" – zaśpiewał rymem, który zapamiętał z zeszytu Reichmana.

Wanda wciąż pozostawała sam na sam ze swoim bólem. Coś ją powstrzymywało przed mówieniem prawdy Fabianowi, szczególnie od czasu, kiedy zaczęła występować i śpiewać. Na tapczanie we własnym pokoju, nad „Przekrojem" albo przy włączonym radiu, z szumem w głowie po pyralginie, nienawidziła tego śpiewania, oklasków, big-bandowych brzmień. Czuła się staroświecka i śmieszna, przekonana, że brawa, zachwyty, propozycje i zaproszenia biorą się tylko z czyjejś chęci niesprawiania przykrości. Na scenie jednak, choćby to było zbite z desek podwyższenie w domu kultury w Radziejowie czy Brześciu Kujawskim, wkraczała w inny wymiar, dźwięczny, kolorowy, pociągający nieuchwytnym wdziękiem. W eteryczną sferę biorącą początek ze złocistych gardeł trąbek i saksofonów, które, gdy przemówią, są jak wszystkie latarnie Bosforu zapalone w zatęchłej piwnicy. Nienawidząc, naprawdę nie mogła się tych koncertów doczekać, odliczała godziny i dni. Codzienne borowanie zębów, droga do pracy i z powrotem w deszczu ze śniegiem, wystawanie w kolejkach, długie ataki, podczas których gryzła wargi, gasiła światło i udawała, że śpi, coraz bardziej stawały się dla niej wlokącymi się w nieskończoność przerwami między jedną a drugą piosenką.

Kilka razy była prawie gotowa, żeby o wykrytej chorobie powiedzieć Drabikowej. Dla ulgi, dla wypuszczenia złego powietrza. Nie zdobyła się, nie było sensu. Skłamała, że ma zwykły wrzód żołądka, przysychający, i że coraz jej lepiej. „Tak zwany prosty człowiek – myślała sobie – jest jak wyklepany z blachy. Jeżeli wylewny, to zawsze w jakimś celu, jeżeli przyjazny, to dla zrobienia wrażenia. Można w niego zastukać, wtedy odezwie się blaszanym echem i zaraz umilknie, można go przez chwilę przejąć czymś, poruszyć, ale jak naciśnięta blacha puknie tylko i odskoczy".

Na pewno powie Modeście. Przyjdzie taki moment, już niedługo, że powie, że będzie musiała rozmawiać z Modestą, także o Fabianie.

Któregoś popołudnia, wychodząc z pracy, bezmyślnie skierowała się w przeciwną stronę, do sanatorium Pionier. Doktor Garfinkel przyjmował. Jak zwykle wkroczyła bez kolejki, odporna na pomruki czekających, płosząc z gabinetu jakiegoś gościa w pośpiechu zapinającego spodnie.

– Nareszcie się pani zdecydowała, pani koleżanko? – Garfinkel zdjął skuwkę wiecznego pióra.

– Tak. Już dawno. Nie pójdę do szpitala.

– Nie wiem, czemu u pani, u lekarza, tyle pesymizmu i tyle rezygnacji, pani koleżanko. Wiedza medyczna wiedzą, doświadczenie doświadczeniem, ale dla Pana Boga nic przecież nie jest niemożliwe. Trzeba mu tylko chcieć trochę pomóc.

– Gdyby Pan Bóg był, ten świat wyglądałby inaczej. Chciałam pana prosić o coś innego. Proszę mi przepisać morfinę.

Garfinkel poprawił się na krześle i spojrzał z politowaniem, przez papierowe wargi przemknęło coś w rodzaju chropawego uśmieszku.

– Jeżeli nie podda się pani zabiegowi, to rzeczywiście będę zmuszony to zrobić. Ale nie teraz. Zresztą, jest pani lekarzem i drogę do morfiny sama sobie pani znajdzie, skoro tak pani potrzebna. Ja do tego ręki nie przyłożę, pani koleżanko.

– W takim razie niech mnie pan skieruje do sanatorium.

– Do sanatorium? – zdziwił się, aż założył okulary. – Do jakiego sanatorium, pani koleżanko? Przecież przez okrągły rok, świątek, piątek i w niedzielę permanentnie przebywa pani w sanatorium.

– Nigdy w życiu nie widziałam morza.

– To chyba nieprawda, pani koleżanko?

– Tak, ma pan rację, nieprawda... Byłam nad morzem. W Nicei, na Lido, u nas w Juracie też kiedyś. Ale to nie było to życie.

Wchodząc do domu, wpadła na Bayerową. Stała przy schodach, w jednej ręce trzymała płaską butelkę soplicy, podetkniętą pewnie przez Fabiana i opróżnioną do połowy, w drugiej jak zwykle cyfkę, ale jeszcze jakąś kartkę z pieczątkami. Pociągała z cyfki, nie wypuszczając dymu, wlewała także do ust małe łyczki wódki, obracając i mlaszcząc językiem, rozprowadzała tę dymno-alkoholową miksturę po dziąsłach i podniebieniu jak płukankę z szałwii albo jakiś płyn dezynfekcyjny, a potem połykała ze smakiem.

– Zęby mnie bolą, kurwa jedna, sądny dzień idzie! Powiedz, co robić, Wandzia, co robić? Diabeł rozwalił wczoraj kiosk przy dworcu, cały skup makulatury na Polnej rozniósł na rogach, ludzie uciekali, milicja goniła go z rewolwerami, ten wasz Stypa też, ale nie złapał, rzecz jasna. U Kruszewskiej, kurwy jednej, za szpitalikiem wszystkie szyby powybijał, mleko z cebrów powylewał, porzeczki zrył i wszystkie pomarnował! Jesteśmy prze i nic nie możemy! Jesteśmy prze! Każden jeden prze!

– Co pani znowu opowiada, pani Bayerowa? Niech się pani położy, tak najlepiej. Papierosy przyniosłam, zaraz dam. Co tam pani takiego ściska, co to jest?

– Nominacja.

– Co?

– Mówię: nominacja. Co robić, Wandzia? Co robić? – siorbnęła z butelki i podała dokument. – Ciuma jakaś tu była, z rady narodowej. Najpierw przysłali wezwanie, że niby, kurwa jedna, ja mam przyjść. Wyrzuciłam w cholerę, zapomniałam. Potem telefon przez parę dni dzwonił i dzwonił. Wreszcie przylazła, a twój głupi Fabian ją wpuścił, zamiast powiedzieć, że zdechłam przed chwilą albo co. Myślałam już, że dom zabierają, że dupę trzeba będzie ochlapać i od jutra do przytułku, a ona do mnie tak: „Pani Bayerowa, przychodzę pani zakomunikować, że mamy dla pani samodzielne stanowisko do objęcia". To ja do niej: „Pani wielce szanowna, kto tu jest, kurwa jedna, schlany, bo coś mi się chyba przestawia?". No to ona, a taka wygadana była, w kapelusiku, z pazurami w szpic: „Pani Bayerowa, obejmie pani etat po linii usług higienicznych. Sezon za parę dni, otwieramy park, wybudowaliśmy nową toaletę publiczną, potrzebujemy uczciwego, odpowiedzialnego pracownika". No to ja: „Wynosić mi się stąd, kurwa jedna! Won! Co, babką klozetową mam być? Ja – babką klozetową? Gówna czyjeś wąchać, chłopskie szczyny wycierać, rzygowiny skrobać?". „Zaraz, zaraz – ona do mnie – jaką babką? Jaką babką? Panią młodszym referentem do spraw profilaktyki sanitarnej! Przecież nic pani nie ma, dowodu osobistego nawet pani nie ma, żadnych praw pani nie ma, nikim pani jest. Przywracamy panią społeczeństwu w ramach akcji antypasożytniczej. Dostanie pani pensję, pięć lat porobi i na emeryturkę sobie pani smyrknie. Mieszkania nikt nie zabierze, czepiał się nie będzie, a dom, po cichu pani powiem, i tak będzie stał, bo nie dali funduszy na remont i nikt nie przejmie. A może inne czasy zresztą przyjdą?" No więc co robić, Wandzia, co robić, kurwa jedna? I tak stara Bayerowa sprzedała się komunistom! Podpisałam, choć cierpiałam srodze, na lep poszłam, a żeby jeszcze słodki, a to zasmrodzony, kiblowy. Cały koniec życia gówniany, potem do piekła będę szła – po kostki w gównie. Jesteśmy prze! Każden jeden – prze!

Którejś nocy obudził Fabiana uporczywy dzwonek telefonu. Najpierw myślał, że mu się śni, potem, że zaczyna go boleć ząb, wreszcie, że to budzik, ale przecież nie miał budzika. Spojrzał na zegarek, była za dwadzieścia czwarta. Obijając się o szafę, wyczłapał na korytarz, przysiadł koło stolika, po ciemku namacał słuchawkę. To był Stypa. Mówił, że przed chwilą dzwonił milicjant z posterunku i poinformował go, że Zuppe... umarł. Ot, tak, po prostu, ni z tego, ni z owego – umarł. Stypa wybierał się na miejsce i chciał, żeby Fabian przyszedł także.

Ubrał się więc, napił wody z kranu i półprzytomny zbiegł po schodach, w skarpetkach, żeby nie budzić Wandy. Bayerowa i tak usłyszała, gdzieś w czeluściach budynku zabrzmiało za nim basowo i złowrogo:

– W dupie się tej lampucerze zagotowało, po nocy go zrywa! A ten leci jak pies ośliniony! Co to chcica robi z człowieka, tfu, kurwa jedna! Jesteśmy prze, każden jeden – prze!

Wskoczył do samochodu, pojechał najpierw daleko, na Kopernika, pod dom przyjaciółki Stypy, urzędniczki pocztowej, z którą tamten żył na kocią łapę i u której mieszkał. Padał lepki, marznący deszcz, Stypa wyszedł w służbowej pelerynie, z latarką.

Nikt z big-bandu nigdy nie odwiedzał Zuppego. Mieszkał przy ulicy Kujawskiej, w podwórku, w ruinie z czerwonej cegły, pozostałości po pensjonacie należącym do jego brata zaginionego w czasie wojny.

Wspięli się po stromych schodkach, przeszli przez kilka ciemnych, nieogrzewanych, chyba zupełnie pustych pomieszczeń.

Zuppe wyglądał jak żywy. Leżał wyciągnięty na łóżku, z głupim uśmieszkiem, we fraku i wyglansowanych jak lustro lakierkach. Nad nim wyczuwalny jeszcze, swojski, słodkawo-kwaśny obłoczek. Tak znalazła go kobiecina z rudery naprzeciwko, dawnego budynku gospodarczego, zaniepokojona światłem w jego oknie palącym się całą poprzednią noc i cały dzień. Drzwi były otwarte, klucz od wewnątrz.

W mieszkaniu był już jakiś plutonowy i ściągnięty z dyżuru doktor Vogt, w nieznanej dotąd Fabianowi roli, w białym fartuchu, ze stetoskopem na szyi.

– To musiało się stać przynajmniej dobę temu. Więcej nic nie wiem – rozkładał ręce doktor. – Trzeba by zrobić sekcję. Ale – po co? – znacząco pociągnął nosem.

– Prokurator zdecyduje – powiedział Stypa.

W klitce Zuppego stały tylko szafa, łóżko, stolik, we wnęce za piecem miska i wiadro. Przy łóżku książki – same stare podręczniki gimnazjalne, spod łóżka wystawała walizka zawierająca przybory do strojenia fortepianów. W szufladzie stolika – czterdzieści siedem złotych, dwadzieścia groszy w bilonie, bloczek obiadowy ze Współczesnej i zniszczona fotografia młodej kobiety z czarnymi warkoczami. Nigdzie żadnych tekstów źródłowych, manuskryptów, fiszek, jakichkolwiek śladów tytanicznych badań literackich. Nie było też teczek na Mickiewicza, Fredrę, Leśmiana, Rodziewiczównę i innych.

Za to szafa pękała od ubrań. Smokingi, marynarki, spodnie, wyczyszczone, odprasowane, koszule rozwieszone lub złożone w kostkę, pachnące świeżością, na dnie szafy z dziesięć par butów ustawionych na prawidłach.

Vogt bez słowa podał Fabianowi kopertę, która leżała na krześle przysuniętym do łóżka, obok dwóch litrowych butelek po spirytusie i ładnego kieliszka ze szlifowanego szkła.

Fabian ze zdziwieniem przeczytał swoje nazwisko, poprzedzone tytułem „maestro", rozerwał papier. Wewnątrz był krótki list.

Proszę Pana,
idiotyzm powtarzany miliony razy staje się w końcu ideą. Idea powtarzana miliony razy staje się obłędem.
 Z poważaniem
 Zuppe Felicjan, emeryt

Uświadomił sobie, że przez cały ten czas nawet nie znał jego imienia.

IX

Okazało się, że Zuppe posiadał grobowiec rodzinny na miejscowym cmentarzu. Omszały, zaniedbany, tuż za mogiłą tego młodziutkiego legionisty, który bez draśnięcia przeszedł cały szlak Pierwszej Brygady, odsiecz Lwowa i kampanię bolszewicką, a w dwa tygodnie po powrocie z wojny umarł od skaleczenia w rękę przy naprawie własnego motocykla. W grobowcu spoczywały matka oraz żona, pochowana w 1906 roku, w wieku dwudziestu dwóch lat.

Na pogrzeb przyszli tylko współbiesiadnicy i kelnerzy ze Współczesnej oraz sąsiadka. Nie było księdza, nie miał też kto przenieść trumny z karawanu, powożonego przez jakiegoś zeschniętego, półprzytomnego staruszka. Zrobili to w końcu Habertas ze Stypą przy pomocy Ostaszewskiego i Cubera. Z wnętrza trumny zabrzęczały monety, to czterdzieści siedem dwadzieścia znalezione w szufladzie, które Fabian ukradkiem wsypał nieboszczykowi do kieszeni wraz z bloczkiem obiadowym, żeby miał na przeprawę przez wielką wodę i na pięćdziesiątkę w niebieskiej oberży. Nad grobem nikt nie wiedział, co powiedzieć. Fabian chciał zagrać *St. James Infirmary*, ale jak można grać komuś, kto nie cierpiał muzyki? Jedynym widocznym aktem uczczenia śmierci Zuppego było zamknięcie tego dnia restauracji; Habertas wywiesił na drzwiach kartkę: „Awaria wodociągu. Najbliższy zakład żywienia zbiorowego – Kujawianka, ul. Żelazna 1, tel. 185".

Po pogrzebie tenże sam Habertas poprosił Wandę, Modestę, Stypę, Fabiana i doktora Vogta, żeby poszli do niego do domu.

Z dużego mieszkania nad Współczesną wyrzucili go jeszcze Niemcy, urzędowo budynek odebrano mu już po wojnie. Mieszkał z żoną w drewnianym baraku na zapleczu, po drugiej stronie brudnego, niemiłosiernie zagraconego podwórza. Nie weszli jednak do środka, okrążyli barak, prowadził ich gdzieś przez zarośnięty ogródek, między leszczynami, odsuwając bijące w twarz gałęzie, skacząc po kamieniach i deskach ułożonych na grząskiej ziemi. Stanęli wreszcie przed kilkoma stopniami biegnącymi w dół, jakby zejściem do podziemnej lodowni. Habertas otworzył drzwi, potem wewnątrz następne, zapalił światło. Weszli do sporego pomieszczenia, czegoś w rodzaju lochu gotyckiego z czerwonej cegły, na trzech filarach, z ostrołukami i takimiż okienkami pod sklepieniem, ciemnymi, zawalonymi od zewnątrz stertami śmieci. Rozglądali się zdziwieni, także Vogt był tutaj pierwszy raz.

– Żaden zabytek, bez przesady, niedawno budowane – śmiał się Habertas. – Tu miała być winiarnia Pieśń nad Pieśniami. Wdechowa nazwa, co? Data uroczystego otwarcia – niedziela, trzeciego września tysiąc dziewięćset trzydzieści dziewięć, w moje czterdzieste urodziny. Hi, hi! Na tym fundamencie, wyżej, miał być pawilon śniadaniowy, a obok oranżeria z tropikalną roślinnością i w niej herbaciarnia całoroczna, Tabu albo Ballada Hawajska, nie mogłem się zdecydować. Ale interes rozkręciłem, co? Hi, hi!

Pod ścianami poniewierały się rozmaite rupiecie, kikuty ogródkowych parasoli, przerdzewiałe blaszane reklamy wody mineralnej, papierosów Egipskich, likierów i wódek Baczewskiego. Stał też duży, wyblakły, półokrągły szyld: „Restauracja Cztery Wiatry, Jan Hauber-Tass"; bo tak naprawdę pisało się nazwisko właściciela, holenderskiego ponoć pochodzenia.

Habertas już przedtem wyczyścił kilka krzeseł, przygotował stół i duży, mosiężny świecznik; teraz rozpalał świeżo narąbane drewno w piecu, zajmującym cały kąt.

– Niemcy się tym w ogóle nie zainteresowali. Naszym powiedziałem, że to piwnica na ziemniaki i kapustę, nikt tu nie zaglądał, zresztą przez parę lat specjalnie trzymałem całe góry kartofli, nie wiedziałem, co z nimi robić, aż gniły i za darmo oddawałem do knajpy. Ćwiczyłem tu też na saksofonie, nic dookoła nie słychać, ziemia tłumi dźwięki.

Otworzył drzwiczki noszące wyraźne ślady maskowania, być może nawet do niedawna zamurowane. Zajrzeli za nie, bo Habertas zachęcił do tego ruchem ręki. Mieścił się tam ślepy magazynek, a widok przyprawił ich o głębokie wzruszenie. Goła żarówka oświetliła sięgające sufitu półki, na nich dziesiątki, może setki butelek rozmaitych kształtów, brązowych, białych, zielonych, stojących, leżakujących w specjalnych rynienkach, wystawiających rzędami zalakowane i opieczętowane główki. Wszystkie pokryte piwniczną patyną, z etykietami często rozmazanymi, naddartymi, odstającymi. Fabian rozpoznał zwykłe bordo, chianti, sherry i wermuty, ale też słodką cypryjską commendarię, bajońsko drogie czarne burgundy z Gevrey-Chambertin, a nawet, w oddzielnych skrzyneczkach wymoszczonych wiórami, najlepsze na świecie, warte tyle co złoto, la tache i richebourg z Romanee-Conti. Na każdym wolnym skrawku posadzki rozłażące się od wilgoci, częściowo puste już kartony koniaków Hennessy, Menuet, Delamain, w rogu nawet caratella – mała beczka z marką Trebbiano d'Abruzzo.

– Królestwo czardasza! – gwizdnęła z respektem Modesta.

– Mój kapitał! – westchnął Habertas. – Stoi to tak sobie wiele lat, ostatnia dostawa była wtedy, w sierpniu, nawet nie za wszystko zdążyłem zapłacić. Najdroższe trunki są u mnie w komisie. Nie ma już firmy dającej w komis, nie ma firmy biorącej w komis i co z tym zrobić? Większość, czyste wódki, szampan, whisky, sprzedałem Niemcom w czasie okupacji, żaden nie doniósł na policję! Teraz też zdarza się po cichu sprzedać. Same koniaki idą. Wytrawnego wina nikt u nas nie lubi.

Wyjął skądś kieliszki, każdy opatrzony wytartym nieco firmowym napisem Cztery Wiatry, obok postawił pękatą butelkę, obszytą żaglowym płótnem.

– To jest dwin, rosyjski koniak z kijowskich piwnic cesarskich, pięćdziesięcioletni. Dziś nie byłoby nawet na niego ceny. Tuzin takich kupiłem w trzydziestym szóstym u Sucharyna, emigranta, miał skład gorzelniany w Warszawie na Świętojerskiej. Już na balu, gdy graliśmy *Liebestraum*, wiedziałem, że musimy tu razem przyjść. Powstrzymywało mnie zawodowe skąpstwo handlowca i restauratora, bo w duchu ciągle nim byłem, hi, hi! Kiedy Zuppe umarł – przestałem nim być. Ale Cztery Wiatry istnieją. Witam szanownych państwa w Czterech Wiatrach. Podziemnych, hi, hi...

– Szczególne miejsce. Jakby podróż przez czas... – zauważył Vogt.

– Nie jest dobrze eksperymentować z takimi podróżami – mruknęła Wanda.

Rosyjski koniak, na dnie kieliszków leniwy i oleisty, świecący kolorem gęstego bursztynu, spływał w głąb delikatnie, łagodną, ciepłą strużką, wzbudzając przyjemne mrowienie ciała. Smakował jak sublimat suszonych owoców i stepowego słońca.

Próbowali rozmawiać o śmierci Zuppego, ale każdy udawał, że bardziej jest zaabsorbowany własnym kieliszkiem, oglądaniem go nad płomykiem świecy, wyrażaniem podziwu dla odcienia i aromatu, który po ogrzaniu dłonią coraz intensywniej roznosił się znad szkła.

– Odchodzimy, nie wracamy, tylko skorupy pozostają, tak jak te jego ubrania – stwierdził Fabian ponuro, a wszyscy przytaknęli i zaraz zajęli się wypuszczonym na wolność diabłem, demolującym miasto, który ostatnio zniszczył kiosk oraz skup makulatury. Habertas dolewał koniaku.

– W radiu Gomułka i „Rolniczy kwadrans", do kina trudno się dostać, w sklepach kolejki, ludzie niczego nie rozumieją ani z gazet, ani z kazań w kościele, więc wymyślili go sobie, żeby mieć czym żyć, tak samo jak tego zboczeńca z narządami jak piłeczki jo-jo! – racjonalnie dowodziła Modesta.

– Tak naprawdę biega, szaleje i rozwala wszystko w nich samych, tu! – Stypa walnął się w piersi, aż huknęło.

– W nas samych. To polski diabeł – podrapał się po policzku Vogt. – Typowo polski. Z nim wyjątkowo trudno dojść do ładu. Gorszy od niego jest chyba tylko ruski diabeł – odruchowo popatrzył do kieliszka, przejrzał się w brązowozłocistym koniakowym lusterku i wstrząsnął z dezaprobatą. – Francuski diabeł albo niemiecki chodzi w peruce, aksamitnych pluderkach, trzewiczkach ze srebrnymi klamrami, ma maniery arystokraty. Ale właściwie jednak jest tylko kimś w rodzaju akwizytora, namolnego domokrążcy. Skupuje dusze, więc łazi po ludziach, mydli oczy, nagabuje na podpisanie umowy. Ten formalizm! To przywiązanie do zobowiązań cywilnoprawnych! Płaci tak, jak wycenia swojego klienta. Jednemu forsą, drugiemu powodzeniem w pracach naukowych, innemu kobietą, jeszcze innemu trzema piwami i *wurstem* z kapuchą w gospodzie. Polski diabeł to co innego. Jemu tam żadne dusze niepotrzebne. Zniszczyć coś, zmarnować, ośmieszyć na złość, złachmanić, schamić, oszukać. Jeśli nie ma się żadnej mocy metafizycznej, to choć pijanego chłopa wytargać za kapotę, drogowskazy przestawiać, garnki babom tłuc. Odżywia się głupotą, a tego żarcia ma tyle, że go przecież rysują jako szlachcica grubego jak parowóz, z kuflem w łapie i rogami ukrytymi w rogatywce. „Róg w rogatywce"! Jak to brzmi! Jak „But w butonierce", tyle że bardziej po polsku.

– A ruski?

– Ho, ho! Ruski! Ruski diabeł własną duszę by zaprzedał, choćby Panu Bogu, żeby tylko przycisnąć kogoś do ziemi i żeby ten ktoś kochał go za to szczerze i z szacunku lizał po kopytach.

Chociaż każda nowa butelka nie powinna się wstydzić poprzedniej, to kolejna była już tylko w miarę zwyczajnym, wielogwiazdkowym martellem. Habertas przechowywał także jeszcze jeden specjał, papierosy Simone w puszkach otwieranych kluczykiem jak konserwy. Te znowu kupował kiedyś od frontowych oficerów Wehrmachtu. Po odgięciu denka buchnął uwięziony przez lata słodki zapach tureckiego tytoniu, suchego, żółtawej barwy.

– Nie uwierzę w żadnego diabła, polskiego czy ruskiego, panie Vogt, dopóki nie zobaczę. Jeżeli nie ma Boga, to diabła też nie ma – mówiła Wanda. Piło jej się zadziwiająco dobrze, szlachetny alkohol znieczulał, rozjaśniał, przynosił lekkość. – Jest tylko los, suma przypadków, dobrych, złych, głupich, mądrych, i wobec nich my, kompletnie bezradni. Naukowe prawa nie mają sensu, medycyna nie ma sensu, wszystkim rządzi przypadek, ślepy, nieobliczalny, bez litości, bez uczuć, bez wszelkich ludzkich fanaberii. Przypadek właściwie mógłby być bogiem, wtedy trzeba by się do niego modlić: „Na kogo wypadnie, na tego bęc!" albo „Orzeł czy reszka? Orzeł czy reszka? Orzeł czy reszka?". Nie warto narzekać na los ani tym bardziej z nim walczyć, najlepiej od razu mu się poddać i chociaż tak zgarnąć trochę radości z życia.

– Co ty mówisz, Wanda! Każdy ma swojego diabła. Dla jednych to pycha, wyższość, parcie do przodu za wszelką cenę, dla innych kłamstwa, popędy, nieliczenie się z nikim. Dla niektórych to choroby, strach przed upływem czasu – głos Modesty ciągle trzymał się tonacji, a ona sama, z papierosem Simone w bibułce chrzęszczącej między palcami, usiłowała być wciąż chłodna i rzeczowa. – Diabłem powinna się zająć psychologia, a nie nauki tajemne. Zobaczycie, przyjdzie taki czas, kiedy będą pigułki na diabła, a pan doktor Vogt będzie je przepisywał. Małe, różowe pigułki!

„Tak, tak, racja. Każdy ma swojego diabła", myślał Fabian, patrząc na jej profil Nefretete i nalewając sobie kolejne kieliszki bez oglądania się na gospodarza. Nie chciało mu się gadać, było mu ciepło i obojętnie. Mało nie parsknął śmiechem, kiedy wyobraził sobie, co Zuppe miałby do powiedzenia na temat Belzebuba i Lucyfera.

– Jednak jest diabeł! Jest polski diabeł! – wtrącił się Stypa. Tym razem wyjątkowo ubrany był po cywilnemu, rozluźnił krawat, oczy pałały już koniakowym blaskiem; Habertas odkorkowywał następnego martella.

– Panie Janie, ktoś tam łazi po górze! – Fabian wskazał cygarem na sklepienie.

– To wiatr. Tam leży badziewie z knajpy, popiół, obierki, papiery, co kwartał wywożę – machnął ręką Habertas.

– Jest diabeł! Jest! I to polski, rdzennie, etnicznie polski! Mieszka w naszych poczynaniach. Wystarczy tylko historię poczytać – Stypa wypił znowu i odstawił kieliszek. – Czy słyszeliście o jakimś innym państwie, które samo z siebie się rozwiązało i podzieliło między sąsiadów? A co myśmy takiego dali ludzkości? No co? Tacy Rumuni to chociaż zbudowali trochę łacińskiej kultury na Bałkanach, a sto lat temu, kiedy była zaraza w winnicach na Zachodzie, to uratowali Europę, sadzonek dostarczyli i całe statki wina...

– E tam. Dajmy już sobie spokój z tymi bzdurami. Tylko byśmy zwalali, mistrzami jesteśmy w zwalaniu! Na diabła, na Wernyhorę, na Kazimierza Wielkiego, że nie miał dzieci, na Piłsudskiego, że wojny nie dożył!

– Ale pani Wando, pani Wando! A nasza polityka? Toż to jeden niezliczony katalog przestróg dla normalnie myślących i rozsądnych! Nasi artyści to chór nieudaczników, co chcą robić karierę na wzbudzaniu współczucia, jak żebracy! Naszej literatury nikt nie rozumie i nie chce, nasza cywilizacja techniczna to lampa naftowa Łukasiewicza! Żeby choć kto tam w świecie kujawiaka zechciał zahołubczyć, tak jak my charlestona!... Czy nie ma polskiego diabła, pani Wando? A kto nam nawet trochę się pocieszyć nie pozwala, pochwalić czymkolwiek przed innymi, zaimponować komuś? Wynalazkiem jakim czy choćby jednym człowiekiem wybitnym? Jednym! Żeby choć jeden taki się pojawił! Panie Habertas, jeszcze kropelkę, o, o, dość, dość, dość... Niektórzy mówią, że diabeł to ponoć źródło geniuszu, tyle że nasz to typowy Polak! Leży i ma za złe, miny stroi, nic mu się robić nie chce.

Nygus zasraniec, luj i trzęsimorda, gdzie mu tam do Mefista! Mimo wszystko jednak chciałbym zajrzeć w tę diabelską mordę, przyjrzeć się, wpatrzeć, nareszcie zobaczyć, do kogo podobny... Tak, tak, zobaczyć, zobaczyć!... Ale tylko łyczuszka, panie Habertas, dość, dość, dość...

– Panie Janku, pan naprawdę nic nie słyszy? – upierał się Fabian.

Wszyscy zamilkli, wychylili kieliszki. Z góry, od strony okienek rzeczywiście dochodziło dalekie skrobanie, potem jakby kroki, stuki, szurgot, przewracanie jakichś pudeł, desek.

– Panie doktorze, a pan co na to? – Stypa nie ustępował, dalej był podniecony, płonął polemicznym ogniem.

Vogt nie miał jednak ochoty dyskutować, ukrył twarz w dłoniach i tylko co chwila wodził mętnym wzrokiem po murze naprzeciwko, wzorowo naśladującym gotyk – cegły w „krzyżyk" i „kowadełko". Przed chwilą, jakby naprawdę pomylił mu się czas, prosił gospodarza o zimne białe wino z Gór Albańskich, twierdząc, że nawet najlepszy koniak w tak poważnych ilościach wpływa na niego drażniąco.

Odgłosy z góry były tymczasem coraz wyraźniejsze i coraz bliższe. Szurgot przeszedł w natarczywe stukanie, rozgarnianie, drążenie, jakby ktoś z zewnątrz przekopywał się do nich przez pokłady śmieci.

Ucichli, odstawili kieliszki.

– Zbliża się! – wrzasnął Stypa.

– Coraz bardziej słychać!

– To Ostaszewski! Znowu coś wyniósł, schował i nie może znaleźć! – uspokajał Habertas.

– Jaki tam Ostaszewski! Cały śmietnik rozwala na boki, jak buldożer! Aż ziemia drży!

– Ale sapie, niech go cholera!

– Tylko co? Kto? Co to jest?

– Rozpieprza wszystko! Kurwa jego mać, jaki silny! Idę zobaczyć!

– Stój pan, stój pan, już tu jest! Już!

Sapanie zmieniło się w ciężki, basowy charkot, wypełniający piwnicę coraz większym echem. Wszystkich zatkało i przerażeni patrzyli w stylizowane, ostrołukowe okienko pod sklepieniem, goła żarówka zakołysała się na drucie.

– To on! – histerycznie pisnęła Modesta.

– Kto?

– No on!

– Jaki on!

– Jezu, po co było mówić?! Przyszedł! Przyszedł!

– Gadaliście głupoty, to przyszedł!

– Po co było?!!

– Co po co?!

– Gadać po co!!!

– No przecież żartowałem, cholera, tylko!...

– Cicho! Już przy ścianie!

– Idziemy stąd!

– Już nigdzie nie idziemy!

– Śmierdzi! Ohyda! Szczyny i zbucze jaja!

– Gdzie tam szczyny! Smoła i siarka! Serio czuję!

– Matko! Ja też czuję!

– Nie wierzyliście, faryzeusze! A ludzie mówili, że po podwórkach łazi!

– Tak jest! Smoła i siarka. Smoła i siarka!

– Panie ciemności!... – pobladły, wyszarzały, roztrzęsiony Habertas osunął się na kolana. Butelka wypadła mu z ręki, ale Stypa podskoczył, schwycił ją z kocią zwinnością i rozpaczliwie, jakby w geście pożegnania ze światem, przechylił prosto do gardła.

Za brudną szybą zakotłowało się coś, uderzyło z ogromnym hukiem, posypało się szkło, za nim z łomotem runęła spróchniała rama. Podmuch wilgotnego chłodu przydusił płomyki świec, od komina buchnął kłąb sadzy i iskier.

Wanda zastygła na krześle, Modesta chwyciła Fabiana za ramię, Stypa zbielał i skamieniał, przyciskając do siebie kieliszek i flaszkę.

Z okiennego otworu wywalił się koźli łeb z zakrzywionymi rogami. Umazany błotem i wapnem, na jednym rogu miał nadziany rozmokły strzęp gazety, pysk przeżuwał zgniłe jabłko, po capiej brodzie ściekała brązowa posoka.

– I-hi-hi-hi! I-hi-hi-hi! Meee-eee-eee! Meee! Meee! – rozległo się przeraźliwie między neogotyckimi murami, nieprzeżute resztki plasnęły o kamienną posadzkę.

Siedzieli jak zaklęci, zesztywniali, bojąc się najmniejszego ruchu.

Pierwszy oprzytomniał Fabian:

– Koziołek Matołek! Przecież to Koziołek Matołek!

Doktor Vogt, który spokojnie przysypiał na stole, podniósł nagle głowę, zdumiony przetarł oczy:

– Kto taki?
– Koziołek Matołek! Patrzcie wszyscy! Patrzcie! Koziołek Matołek objawił nam się w piekle! Koziołek Matołek nam z wysokości zstąpił! – Fabian wstał, chwycił się za brzuch, biegał po sali, zataczał się ze śmiechu, który dzwonił i wibrował w ceglanych ostrołukach.
– Koziołek Matołek! Nasz bohater narodowy! – wykrzyknął Vogt.
I bezwładna głowa doktora opadła z powrotem.

Na kacu Fabian znowu czytał notatki Reichmana. Wanda obolała i zła musiała iść do pracy, za oknem blade słońce walczyło z gwałtownymi szarugami tłukącymi o szyby nagłym, krótkim deszczem, a on leżał, pochłaniając kolejne strony zielonych zeszytów. Zadzwonił telefon, wiadomo od kogo. Zignorował to, nie odebrał. Nie poszedł także tego dnia do Współczesnej. Reichman był niebezpieczny – irytował, ale też wciągał i budził sentymenty. Fabian łapał się na tym, że z przyjemnością podróżuje przez wielką wodę, nie bardzo chce mu się wracać. Niezależnie od tego, czym były te zapiski, pamiętnikiem, wymysłem czy kpiną ze wścibskiego kołtuna, powinien już dawno je spalić. Odkładał to jednak z dnia na dzień. Poddał je nawet „próbie Edzia". Położył na biurku i spojrzał przez soczewkę swojego zmarłego synka. Zobaczył... dokładnie to samo, co bez szkła. Papier w linie trochę już żółknący, równe, wypracowane rządki zdań. Nic więcej.

„Dziwne te nasze spotkania. Ja siadam przy swoim stoliku, «On» przy swoim i dogadujemy sobie. «On» – tak go będę nazywał. Oczywiście imię i nazwisko to rzecz w dzisiejszych czasach nie do ukrycia, ale akurat tu ani jedno, ani drugie nie ma żadnego znaczenia. No więc mówię, że bez wątpienia musi być bardzo inteligentny i cierpliwy, skoro w taki upał wchodzą mu do głowy skomplikowane, naukowe dyrdymały. On ironicznie opłukuje mnie swoim kasztanowym wzrokiem i zauważa, iż przeszkodą w myśleniu mogą być ciemne ubrania, które «niektórzy» panowie nie wiadomo dlaczego wkładają na siebie, gdy na dworze 31 stopni w cieniu. Poza tym On nie pija piwa. Piwo otępia nawet wtedy, gdy pijąc je, nie zdejmuje się kapelusza. Nieco zezłoszczony zapytałem więc, czy jego zdaniem noszenie gotowych pantofli od Baty jest przejawem elegancji, czy wygody. On mi na to bezczelnie, że gdy elegancja wynika z małostkowości, natychmiast staje się snobizmem, i to śmiesznym. A to dopiero ciekawe!

Może by się wreszcie stąd wynieść? Doprawdy, trudno wytrzymać z L. Węszy, podsłuchuje, kiedy indziej znowu przymila się jak kotka w rui. Dwa razy ostatnio spowodowała, że poszedłem do niej na noc. Pogryzła mi ucho, oderwała guziki od pyjamy, w namiętności szeptała, że za czerwiec i lipiec grosza nie weźmie. Ciekawe, czy będzie pamiętać? Ale jeśli się wynieść, to dokąd? I jeszcze w sezonie? Wszędzie takie same klitki zbite z desek na patatajkę, myszy i pluskwy, dzbanek wody raz dziennie do mycia, pełno dzieciarni i pokręconych staruchów. Dobre na trzy tygodnie, nie na lata. Nigdzie nie znajdę takich warunków za taką cenę. Zresztą cena specjalna, tylko dla mnie, kuchnia plotkuje, że L. od innych bierze więcej, a i do tejże kuchni tak się przyzwyczaiłem, że gdzie indziej niezawodnie zaraz zachorowałbym na żołądek. Choćby dzisiaj – litewski chłodnik z jajkiem i bitki cielęce w śmietanie. Pyszności. A ja nie jestem wybredny.

Wczoraj oświadczyłem Mu, że profesor Gruca zalecił mi wody mineralne i ruch, wobec tego nie będę więcej pił piwa ani przesiadywał w Orbisie. Jeżeli życzyłby sobie porozmawiać ze mną, mógłby mi potowarzyszyć na promenadzie. Skrzywił się, odsunął jednak filiżankę, zamknął czasopismo (w języku niemieckim) i wstał. Środek sezonu, wyśmienita pogoda, kursal nabity kuracjuszami. Rzeczywiście, piłem wodę mineralną, taką, jaką polecił mi mój doktor, nie miejscową, ale «nastusię» z Truskawca. Spacerowaliśmy na uboczu, a nasza rozmowa przypominała odbijanie piłki tenisowej. O nic go nie wypytywałem, nie obchodzi mnie, kim jest. On również nie jest ani wylewny, ani na mój temat dociekliwy. Wyśmienicie, bo co bym mu powiedział? Za to pytał na przykład o literaturę: «Czytał pan *Ferdydurke* Gombrowicza?». «Naturalnie, czytałem, przecież to modne – mówię – moim zdaniem z tego Gombrowicza straszny ignorant i osioł. Każdy człowiek potrzebuje formy najdoskonalszej dla siebie, a nie biadolenia, że od formy nie ma ucieczki. Nawet u Mniszkówny znajdzie się więcej prawdy życiowej». «Prawda życiowa! Czy sens życia polega tylko na prawdzie?» – zrobił cyniczną minę. Jest zgrabny, sprężysty, chyba wysportowany, a przy tym w ruchach jakiś taki niezwykle miękki i płynny, każdym krokiem zwraca uwagę kobiet. «Pięknie pan się porusza – mówię znowu – czy pan nad tym czuwa, czy to tak następuje u pana samo z siebie?» «Bardzo pan ostentacyjny – słyszę w odpowiedzi – czy to tak samo z siebie, czy dla doraźnego efektu?» Dotarliśmy przez park do tężni. Oznajmił nagle, że mu gorąco, za chwilę się spoci i dlatego musi się wykąpać. Cóż, kaprys, weszliśmy na pływalnię. Basen nowy, czysty, gwar, chlapanina. On poszedł się rozebrać, a ja, rzecz jasna, trafiłem do kawiarni i – jak to często u mnie – sytuacja znienacka odmieniła się w zupełnie innym kierunku. Widziałem, jak wybiega z szatni, lekki, dobrze zbudowany, choć bez przesady, ściąga niewieście spojrzenia, robi efektowny *long jump* z trampoliny, płynie crawlem, potem wychodzi po drabince i odpoczywa, cały lśniący od słońca i wody. Zaraz jednak zagrała orkiestra, była sobota, i od razu stanęła przede mną trochę korpulentna brunetka, na oko czterdziestka, ale ładna jeszcze i zadbana. Tu był taki swobodny zwyczaj, że panie mogły prosić do każdego tańca. Nazywała się Dora G., z Katowic, żona handlowca, prokurenta Fuchsa czy Semperitu na Polskę, znudzona kuracją, z przyjaciółką młodszą od siebie i brzydką. Kiedy On wrócił z kąpieli, zastał mnie już przy stoliku pań, w dobrej komitywie, nad mrożonym mozelskim. Spojrzał na mnie hardo, ale konwersował, był błyskotliwy, zabawiał dowcipnymi kalamburami. Widziałem, jak Halina, ta młodsza i brzydsza, blednie przy nim i na przemian się rumieni, myślałem, że zaraz zniknie, roztopi się, przecieknie przez ażurowe żelazne krzesło. Zrobił się wieczór, padła propozycja dancingu w ogródku Europy. Tuż przed samą Europą On jednak pożegnał się nieoczekiwanie, tłumacząc, że jutro od samego rana ma ważne obowiązki. Podał mi rękę, zimną jak kawałek lodu. Potem zresztą nawinął się do towarzystwa Schublader, znów w nowym ubraniu z jasnego szewiotu! No i koniec końców straciłem głowę, nad ranem, mocno «zabalsamowany», znalazłem się u Dory. Nie w żadnym hotelu czy pensjonacie, ale w małym, luksusowym domu przy Traugutta, wynajętym w całości. Trudno, głowę ma się od tego, żeby ją czasem tracić. Brzydka Halina okazała się... szoferem Dory, za domem stał niewielki, zgrabny damski mercedes. Zniknęła gdzieś zresztą i zostaliśmy z Dorą sami (Schubladera sprawka? I tak nic nie powie). Dora była wyrachowana i spokojna, przy tym stanowcza. Na każdą moją miłosną fatygę reagowała niewymyślnie, bez emocji i egzaltacji, bezgłośnie i deprymująco, dopiero u szczytu wybuchając czymś w rodzaju westchnienia olbrzymiej ulgi. Jak tragarz, kiedy zrzuca ciężar z pleców po pięciokilometrowym marszu. Co kobieta, to inny wybryk natury, mężczyźni są prości i jednakowi jak słupy przydrożne, chociaż nie wszyscy. Wypuściła mnie dopiero we wtorek, straciłem ze trzy kilo. Większość dnia spędzaliśmy w wielkim łożu na piętrze przy muzyce z patefonu albo w równie obszernej alabastrowej wannie (nigdy jeszcze takiej nie widziałem), wychodziliśmy tylko do restauracji. Całą tę grandę ze mną traktowała najwidoczniej jako dopełnienie masaży, zawijań i biczów wodnych. Na pożegnanie napomknęła delikatnie, że ma zbędne 150 złotych, które bardzo jej zawadzają i nie wie, co z nimi zrobić, więc może pożyczyć mi na długo, bez procentu, na przykład do przyszłego lata; oddam jej, gdy się spotkamy za rok. Zezłościłem się i zaprotestowałem, powiedziałem, że jest mało subtelna, wyraźnie dałem do zrozumienia, jak mi ubliża. Przeprosiła, stanęło na tym, że pojechaliśmy jeszcze razem do Torunia, na Szczytną, do tego krawca Strzeleckiego, pozwoliłem jej wybrać materiał. Sama też zręcznie prowadzi auto, szofer wcale jej niepotrzebny, ja bym się chyba nigdy nie nauczył, gdzie gaz, gdzie bieg, gdzie jakiś tam karburator, to nie na moje pojęcie. Tymczasem w Zaświeciu łyżka miodu i sadzawka dziegciu. Przyszły nowe zamówienia, ale też 90 złotych «dla Oldlena», od Fensterglassa znowu 50, krótki list Pietruszyńskiej, że sprzedaż idzie słabo, ale 75 złotych mogła przekazać i już jest na moim koncie. Natomiast L. – kompletny amok, gangrena. Szturcha, beszta, po kątach rozstawia służbę, zarządza dodatkowe sprzątania i pastowania podłóg. Pani Kazia szepce, że nawet policjantowi Dobkowskiemu zapłaciła, żeby wyniuchał, gdzie się podziewam. Na mój widok pluje i wali o ziemię stosem serwet, które przed chwilą sama wyprasowała. Zdybała mnie na schodach, chwyciła za klapy: «Kiedyś cię zabiję, ty szmatława k...wo!» – huknęła mi prosto w twarz tym swoim głosem, który od papierosów przechodzi w jakiś chrypliwy babski baryton. «Wolnego, szanowna pani! – odepchnąłem ją i poprawiłem marynarkę – Chce pani zrobić ze mną to samo, co ze swoim świętej pamięci małżonkiem Sewerynem? Wymawiam od piętnastego, koniec, kropka, amen!» Odwróciłem się, wrzuciłem, co miałem pod ręką do walizki, i poszedłem na dworzec. Długo nie było pociągu, czekałem w bufecie, uspokajałem się piwem.

W Warszawie przede wszystkim mogłem się wyspać do woli. Ale przedtem jeszcze, w przedziale, przez całe siedem godzin po uszy nasłuchałem się polityki. Że Gdańsk, że Polska w sojuszu z Francją i Anglią, że tylko tak zachowamy równowagę między Niemcami i Rosją, a to nasza racja stanu, bezpieczeństwo itd. Wtrąciłem się. «A co nam po tym Gdańsku? – mówię. – Z powierzchni ziemi zniknie, jak zrzekniemy się do niego praw, których de facto i tak nie mamy? Port nam niepotrzebny, Gdynia przecież wystarcza, w razie czego Hel można rozbudować. A sojusze? Polska nie powinna bawić się w jakąś tam równowagę, tylko właśnie wejść w sojusz z Sowietami i Niemcami, bo to dwa najbardziej postępowe państwa na świecie». W siedzącego naprzeciw, żółtego, pokrzywionego ze starości jakby piorun strzelił. Podskoczył i pienił się: «A to pan nie wie o głodzie na Ukrainie, o zbrodniach, o tym, że Hitler u siebie morduje nieuleczalnie chorych, że planuje wyniszczenie Żydów?». A ja pytam spokojnie: «A pan nie wie, że sprzedaż całego jednego dziennego wydania dużej amerykańskiej gazety to ćwierć miliona dolarów zysku na czysto?». Na co on wyszczerzył zęby: «A co ma wspólnego amerykański zysk ze zbrodniami dyktatury?». No to ja: «Ano to, że dla pieniędzy wszystko można wymyślić i wszystko napisać. Nigdy nie uwierzę w prawdę i dobre intencje tam, gdzie liczą się przede wszystkim pieniądze». Co prawda nie wiem, skąd mi przyszło do głowy te «ćwierć miliona», ale żal wręcz bierze, jacy ci ludzie dwulicowi i głupi.

Moje warszawskie mieszkanie zatęchłe, niewietrzone, miesiącami puste; nie pozwalam wchodzić tu dozorcy, kiedy mnie nie ma, i sam nie czuję się tu dobrze. Praktycznie na drugi dzień po przyjeździe chcę już uciekać do Ciechocinka i nosi mnie, jeśli muszę zostać dłużej. Dawno temu był to buduarek mojej babki, gdy występowała w teatrach rządowych, potem, po jej śmierci w wyniku powikłań syfilitycznych (w akcie zgonu zaprzyjaźniony doktor wpisał: *angina pectoris*, ale ja nie jestem obłudny!) osobista garsoniera mojego ojca (mieszkaliśmy z matką na Elektoralnej). Tapety, których nie zmieniałem, i sypiące się meble musiały widzieć niejedno. Nie znoszę miasta, choć urodziłem się w mieście. Rumor, podkowy, tramwaje, samochody, szara beznadzieja podwórzy-studni warzą mi krew i wichrzą nerwy pod włos. Pałętam się rozbity, czuję obrzydzenie do własnej osoby, mam niedobre myśli. Na Krakowskim spotkałem Serafinowicza, wpadliśmy na siebie przy budce z gazetami. Miałem szczęście – on cały czas w wojażach, przejazdem w Warszawie, na bardzo krótko, tak jak ja. Wstąpiliśmy do baru, po dwóch z kropelkami zacząłem mu się żalić z rozterek i obiekcji co do mojego zajęcia, ale Serafinowicz zaraz mi wytłumaczył, że na razie tak jest najlepiej. Jego, Tuwima, paru innych z wielkimi nazwiskami zechce każdy reżyser, każdy impresario, znają zresztą wszystkich, mogą podbijać stawki niebotycznie; jeśli chce się pisać prawdziwą literaturę, to trzeba przecież gdzieś zarabiać. Niewątpliwie. Ja natomiast samodzielnie ugrałbym może z jedną dziesiątą tego, co od nich dostaję, o ile w ogóle mógłbym cokolwiek ugrać ze swoim wyrokiem – jak to Serafinowicz uprzejmie określił – z paragrafów obyczajowych, bo pewno nikt by się nie odważył... A tak mam te swoje 30 procent albo i więcej. «To czemu – pytam się – pan, taki wielki poeta, sam nie skrobnie jednej czy drugiej rymowanki? Nie musiałby pan się dzielić». «Ba – odpowiada – ja bym nie potrafił». «Teraz to już pan sobie niegrzecznie kpi» – obruszam się. «Ależ skąd! – mówi poważnie – takie rymy jak ‚łez – pies' albo epitety ‚miłość niewykochana', ‚życie nieżywe' może wymyślić tylko profesjonalista lepszy od Hemara. A z drugiej strony, to, niestety, tylko piosenki, śpiewanki, zamigocą i prysną jak bańki mydlane». Słusznie – jak mydlane bańki. Najważniejsze, żeby przesyłki przychodziły. Beczka śmiechu! Gabinet krzywych luster – nie wiadomo, gdzie człowiek, gdzie szkło, gdzie tylko odbicie. Ukrywam się pod prawdziwymi nazwiskami, kamuflują mnie pseudonimy żywych ludzi. Jestem bohaterem fikcyjnym. Ale fikcyjną poezję wycenia się wyżej niż prawdziwą..."

„Wróciłem nocnym pociągiem, jak gdyby nigdy nic. Wiele razy już tak wracałem. Cisza, w pokoju posprzątane, zmieniona pościel. Zapukałem do L. i wypaliłem w oczy: «Co za poufałość! Jak pani śmiała! Przecież płacę, jestem gościem, a pani właścicielką hotelu. Jeśli zechcę, to się wyprowadzę, jeśli nie znajdę nic odpowiedniego, to wyjadę. Tyle». Nic nie odpowiedziała, przełknęła to, pokiwała głową. Po obiedzie skruszony poszedłem do Orbisu. Szczęściem zastałem Go przy tym samym stoliku. Długo nic nie mówił, nie patrzył na mnie, a potem wycedził znad filiżanki: «Czy to miała być demonstracja?». «Jestem słabego charakteru – wyznałem całkiem poważnie – ale należę do tych nielicznych, którym słaby charakter przynosi korzyści materialne»..."

„On – to mur, który przede mną wyrósł. Przeskakiwać mur, obejść go, mozolnie rozbierać cegła po cegle czy rozwalić jak taranem? A może ukryć się w jego cieniu?..."

„Pracowałem dużo, ale udało mi się nie zawalać zabiegów. Kilka dni regularnych jak w zegarku. Rano łazienki, masaż, godzinne leżakowanie, praca, obiad, potem znowu praca, czytanie, bez pijaństw wieczornych, z dala od Europy, Jerzego C. i Schubladera. Tylko przelotne spotkania z Nim, oszczędne, arogancko cedzone zdania jak muśnięcia naskórków; perwersyjna część mojej osoby nie mogłaby tego sobie darować, aż przebierała nogami z zadowolenia. «Cały czas na słońcu? Nie obawia się pan?» «Wolę prawdziwą opaleniznę niż udawaną bladość». «Czy herbata w takich ilościach nie ma złego wpływu na pański humor?» «Z pewnością lepszy niż duże jasne z kołnierzem na pańską duszę». L. zorganizowała na dole w restauracji recital fortepianowy niejakiej Stefanii Kłosówny. Nie znam. Wypożyczyła dobry instrument, przywieziono go, przyszedł stroiciel. Co za typ! Akurat schodziłem od siebie, stroiciel przy pracy, wysztafirowany niczym fryzjer do tingel-tanglu, w lakierach i z orchideą w klapie, wokół obłok gorzelnianych wyziewów. Że też cokolwiek mógł dosłyszeć w takim stanie? «Proszę pana! – krzyczy do mnie z daleka. – Mnie by zapłaciła, a nie jakiejś hochsztaplerce. Za pół ceny zagrałbym dwa razy dłużej i cztery razy lepiej. Tylko że ja nie mam nazwiska!» «Właśnie, właśnie!» – odrzekłem, a on nawet nie przypuszczał, jak bardzo go rozumiem. Na sam recital nie zszedłem. Leżałem sobie z rękami pod głową. Otwarte okno, letnie niebo wieczorne, z dołu sonaty księżycowe i preludia C-dur. Pięknie. Myślałem o rzeczach grzesznych i bezwstydnych. Później przyszła L. z butelką ginu Gordona. Nie lubię ginu, odbija mi się perfumami, ale piłem z grzeczności, choć gorąco i duszno. Zwierzała się z osamotnienia, lęków, bezsensu. Roztkliwiła mnie, chciałem ją jakoś pocieszyć i przygarnąłem do siebie. Wyrwała się, wybiegła, trzasnęła drzwiami. Kto tam zrozumie kobietę?! Koło północy znowu usłyszałem fortepian. Cichy jak plusk, tykanie zegarka go głuszyło. Zszedłem na palcach. To L. grała w pustej restauracji, prawie po ciemku, przy małej lampce, gruba, rozkudłana, z papierosem w zębach. Ale jak wspaniale! Nieznaną mi klasyczną sonatę. Rozdziawiłem gębę i dobre pięć minut stałem jak trusia za rogiem korytarza. Dobrze, że poszedłem zobaczyć. Jakież to było ciekawe!..."

„On niespodziewanie uprzedził mnie w moich grach i podchodach. «Dzisiaj chcę się upić jak nieboskie stworzenie» – oznajmił pewnego dnia, odsuwając filiżankę i zamykając kolejny numer naukowego periodyku w języku niemieckim. «Cóż za determinacja! – kpiłem. – Czyżby uznał pan, że herbata nie zaspokaja już pańskich aspiracji? Jeśli tak, to służę swoją osobą». Udaliśmy się do Czterech Wiatrów, porządnego lokalu w ustronnym miejscu, na peryferiach, ale niedaleko. Menu proste, rodzime, żury, flaki, gołąbki, pierogi rozmaite, chociaż gospodarz o obco brzmiącym nazwisku, ponoć flamandzkim. Zasiedliśmy do czystej zakroplonej, pod bigos z dziczyzny. Zaraz też napatoczył się inżynier Z. ze swoją kochanką Iną, rudą, zielonooką, oryginalnie ładną. «Czemu akurat jak nieboskie stworzenie? – dworowałem sobie. – Czy nieboskie stworzenie (Skoro nie boskie, to czyje?) zdolne jest do rzeczy wyższych, na przykład do subtelnego alkoholizmu? Zresztą nie istnieją żadne nieboskie stworzenia, to tylko boscy ludzie wyprawiają czasem zupełnie nie boskie brewerie». «Albo nieboskie komedie» – dorzuciła Ina. Inżynier Z. w trakcie sprawy rozwodowej, gęba mu się nie zamyka, na widoku nowe małżeństwo, z bogatą wdową po lekarzu z Lipna. Bez ogródek opowiada o tym przy Inie, ta w ogóle nie zwraca uwagi, traktuje Z. jak starego, natrętnego wuja. Ślepkami pali już w drugą stronę, do Niego, krzyżują się jakieś słówka, których ani ja, ani Z. dobrze nie słyszymy. Ze stołu znika karafka za karafką, nadchodzi pora kolacji. Co dalej? Nieodmiennie – na dancing do Europy! «A cóż innego można robić w tej dziurze?» – pomstuje Z. i zaraz chwali się, że pojutrze wyjeżdżają nad morze, na południe, daleko, aż na Sycylię, do Taorminy. Ina musi się przebrać, zachodzimy więc we trzech do dorożkarskiej knajpy vis-à-vis dworca, czekamy przy wódce. Przybiega wreszcie w ślicznej zielonej sukience, pod kolor oczu. W Europie On tańczy tylko z Iną. Co spali na parkiecie, zaraz nadrabia przy barze; czysta, rum, jarzębiak, cointreau, jak popadnie. Ina w tańcu pakuje Mu swoje zgrabne kolanko między uda, Z. udaje, że nie widzi, nalewa, przepija do mnie, ja zagryzam wódkę cholernie tłustym węgorzem i kpię: «No proszę, ale pan znalazł zastępcę na uciążliwe sytuacje!». Kto inny zaraz dałby mi w mordę. Wreszcie przyszło to, co nieuchronne. Raz, drugi poplątały Mu się nogi i jak długi runął prosto na dekolt partnerki. Ina odskoczyła z krzykiem, szczęściem pikolak zdążył Go złapać i podtrzymać, zrobił się raban. Zaraz też migiem pędzi oberkelner z wypisanym rachunkiem: «Panowie wybaczą, bardzo mi przykro, sprowadziłem już dorożkę, ja nie chcę tutaj policji, panowie rozumieją, bardzo mi przykro, sezon w pełni, panowie, reputacja!». Nie wykazałem zainteresowania rachunkiem, «wytrzymałem» Z., aż sięgnął po portfel i zapłacił, burcząc pod nosem coś, czym się nie przejąłem. Natomiast On leciał przez ręce, z trudem, przy czyjejś pomocy wciągnąłem go na siedzenie, kazałem postawić budę. «Mieszkam z rodzicami, nie mogę do domu w takim stanie... *Compris?*» – wybełkotał tylko półprzytomnie i zasnął. Pojechaliśmy zatem do mnie. Skotłował nogami chodnik na schodach, narobił rumoru, cudem jakimś L. nie usłyszała ani nie wyjrzał nikt z gości, choć tłok, wszystkie numery zajęte. Rozebrałem Go i położyłem do łóżka, okryłem, zapaliłem nocną lampkę, usiadłem obok w fotelu. Wódka hulała pod czaszką, mdliła, jak obcęgami ściskała czoło i skronie, a ja wpatrywałem się w tę twarz we wgłębieniu mojej kraciastej poduszki. Uśpioną niedobrym, ciężkim snem piękną twarz strąconego anioła. Moje zwycięstwo. Zaczynało już szarzeć na dworze, kiedy łamiąc ostatnie bariery, wśliznąłem się do niego pod kołdrę. Nie ma żadnej różnicy między ciepłem kobiety i ciepłem mężczyzny. Obudził się pierwszy, słońce paliło już niemiłosiernie. Uciekał ode mnie spłoszonym wzrokiem; szybko, byle jak, wdział w kącie ubranie i wyszedł bez jednego słowa, nie zasznurował nawet swoich gotowych butów od Baty. Po obiedzie (barszcz ukraiński, sznycle siekane z kaszą i sosem) z tej ekscytacji, zamętu, wzburzenia krwi przycisnąłem do ściany dziewuchę kuchenną. «Przyjdziesz? Dam piątaka». «Idź pan! Ordynus jeden!... Dziesięć złoty!» – pisnęła. «Niech tam, byle zaraz!» Sprawiła się prędko i najlepiej na świecie. Żadnego porównania z damami z towarzystwa".

W połowie kwietnia Fabian otrzymał urzędowe zawiadomienie o przywróceniu obywatelstwa. Pojechał do Warszawy vauxhallem, sam. Modesta jakoś bardzo wymawiała się od tej podróży, Wanda również nie chciała. Dziwiłby się zresztą, gdyby było inaczej. Wanda z dnia na dzień nikła w oczach, chudła, stawała się nieprzystępna, jakaś taka twarda, wiecznie zniecierpliwiona. Bał się coraz bardziej, próbował zagadywać, rozmawiać, właściwie to ciągle niemądrze pytał, czy dobrze się czuje, czy nie jest chora. Wściekała się, kategorycznie oświadczała, że nie, ale jeśliby nawet, to i tak nie jego sprawa, bo w takich sytuacjach to zupełnie nieistotne, czy wiedziałby o chorobie, ponieważ człowiek i tak zawsze jest sam. „W Pana Boga uwierzę dopiero wtedy, gdy się ożenisz" – dodawała ni to złośliwie, ni to poważnie.

Jechał wcześnie rano, najpierw na Nieszawę, potem na Włocławek, Sochaczew, Błonie, pustymi, rozsłonecznionymi szosami. Chociaż prawie nie było ruchu, chciało się przy nich wystawać milicyjnym patrolom, które zatrzymywały go trzy razy, prosząc, żeby chuchał w milicyjne nosy, co czynił z satysfakcją, i żeby otwierał bagażnik. Za każdym razem po tych oficjalnych czynnościach następowały eksplozje zachwytu nad samochodem oraz te same pytania o moc, pojemność i prędkość. Rzucał więc liczby, jakie mu ślina na język przyniosła, za każdym razem inne.

W Warszawie, w świeżo wykończonym rządowym gmachu nie odbyła się żadna uroczystość z przemówieniami i szampanem, z rodzaju tych pokazywanych przez kronikę filmową. Kazano mu czekać pod jakimiś drzwiami, pół godziny siedział zupełnie sam na korytarzu, widać nie było zbyt wielu chętnych. Zawołano go wreszcie, ponury młody człowiek wręczył papiery do wyrobienia dowodu osobistego. Fabianowi nie zadrżała nawet ręka, gdy oddawał paszport brytyjski. Wychodząc, miał wrażenie, że młody człowiek, zachowując pozory urzędowej powagi, spojrzał na niego sponad biurka tak, jak patrzy się na kompletnego idiotę.

Zanim wyruszył z powrotem, pochodził trochę po ulicach. Ruch, harmider, brudne tramwaje oblepione ludźmi w beretach i prochowcach. Naokoło ruiny, mury podziurawione kulami, wśród nich budki, sklepiki, gdzieniegdzie wielkie, proste bloki nowej zabudowy, Pałac Kultury jak monstrualna rakieta, która kiedyś ma wystartować, wyrwać ze sobą kawał tej ziemi i unieść w Siódme Niebo Postępu. Miasto z Krzyża Zdjęte, trzęsawisko po wielkiej wodzie. Niczego nie wspominał, niczego nie porównywał. Był obojętny i zgaszony.

Im więcej przybywało jasnych, ciepłych dni, tym Ciechocinek bardziej pogrążał się w cieniu. Nad ulicami wyrastały prześwietlone słońcem zielone okapy liści, przed budynkami łazienek kwitły białe magnolie, sadzono dywany kwiatowe. Otwarto też zamknięty poza sezonem park Zdrojowy i kursal – ubiegłowieczną kolumnadę spacerową pod dachem, po której każdy kuracjusz powinien przynajmniej dwie godziny dziennie krążyć statecznie, popijając ze specjalnego dzbanuszka krystynkę, cuchnącego zubera z Krynicy czy pieniawę wielką łamaną janem. Puszczono też solankę z Grzyba, otwarto sezonowe restauracje, także Zdrojową, dawną Europę, afisze przed drewnianym teatrem zapowiadały już *Mazepę* i *Pana Jowialskiego* w wykonaniu warszawskich artystów. Zmieniło się też na promenadach i trotuarach. Zniknęły karnie maszerujące do łazienek grupy robotnicze i chłopskie, pojawiły się zjeżdżające z całego kraju postacie jakby na wiosnę odkurzone i powyciągane z szaf, w szerokich kapeluszach, żorżetach, garniturach w prążki, z parasolkami i laskami, rozprawiające w języku coraz mniej zrozumiałym dla „normalnego" człowieka.

Gdyby ktoś zapytał Fabiana, kim dla niego jest Modesta, nie wiedziałby, co odpowiedzieć. Koleżanką? Znajomą? Igłą w stogu siana? A może pięknem, którego instynktownie nie chce się odstępować ani na krok, ani na chwilę spuszczać z oczu? A gdyby zapytać Modestę? Ale i tak nikt nie pytał. Całe miasto było przekonane, że na oczach wszystkich rozgrywa się namiętny i wyuzdany romans, maskowany pozornym chłodem i hałaśliwymi rozmowami po angielsku, co już nikomu nie mieściło się w głowie. Nawet w sklepie u Porkiewiczowej, gdzie zbierało się ekskluzywne towarzystwo byłych właścicieli pensjonatów, wdów po lekarzach i przedwojennych urzędnikach uzdrowiska, plotkowano o żonie Fabiana, którą rzekomo miał zostawić w Londynie, i o mężu pięknej Modesty, „na sto procent" bogatym prywaciarzu spod Poznania, który spokojnie siedzi w więzieniu za handel dolarami, niczego się nie domyślając. Nie przejmowali się tym, szaleli na dancingach, a kiedy nie chciało im się szaleć, na przykład spacerowali po parku. Modesta zaskakiwała znajomością roślin i drzew. Brała w palce gałązkę, listek, pączek, objaśniała:

– To robinia, to dereń, to wiciokrzew. O, tu niech pan popatrzy – pokazała dziwne, widlaste drzewo z trójkątnymi liśćmi – to coś bardzo niezwykłego, miłorząb. Może pan takie widział w Anglii, mister-beaster? Tam to muszą być cuda w parkach.

– Dla mnie wszystkie są jednakowe.

– A dla mnie to największa uczta duchowa.

– Co można zjeść na uczcie duchowej?

Zaraz po powrocie z Warszawy wezwał Fabiana sekretarz Kusiak. Sumitował się, że wyręcza kierownika Domu Kultury, i zaproponował koncert w parku, pierwszego maja wieczorem, po pochodzie. Dodał, że nie wyobrażałby sobie odmowy.

– Swing nie jest polityczny – bronił się Fabian.

– No właśnie dlatego, że nie jest polityczny!

– Śpiewamy tylko po angielsku.

– No właśnie dlatego, że po angielsku – upierał się Kusiak. – Teraz będziemy otwarci i nieksenofobiczni, towarzysz Wiesław tak powiedział.

Występowali w muszli koncertowej, starej, drewnianej, w zakopiańskim stylu, tuż po jakimś mocno piskliwym, tupiącym i gwiżdżącym zespole ludowym. Długie ławy na placu przed sceną zapełniły setki ludzi, starszych, młodszych, z dziećmi, z inwalidami na wózkach, inni stali, wachlowali się od upału, otwierali parasole. Tłum był odświętny, migotliwy i kolorowy.

– Czy pan nie uważa, że robimy rzecz nikczemną? – syknął Vogt do Fabiana.

– Oni mają swoją ideologię i swoją nikczemność, a my mamy swing i tych wszystkich tutaj przed nami – Fabian skinął ręką w stronę publiczności.

Czerwone flagi, których kiście zwisały wszędzie naokoło, w szkiełku Edzia zmieniły barwę na błękitną i jasnozieloną. Zagrali. Cudowna pierwsza chwila, znana tylko jazzowi, kiedy nagle strzela w górę niebotyczna ściana blachy, a słuchaczom muzyka zapiera dech w piersiach, aż do mrocznych kół migających przed oczami, aż do bólu.

Miejsce Zuppego przy pianinie musiał zająć Stypa. Nie był może aż tak poprawny, szybki i precyzyjny, za to bardziej uczuciowy, niemal do przesady. Ale Fabian i tak go nie słuchał. Widział tylko czarne włosy Modesty, całym sobą czuł rytm, którym promieniuje jej niezwykłe ciało. „Muzyka to miłość rzucona na wiatr", pomyślał, patrząc na jej usta, gdy razem z Wandą brały pierwsze sylaby:

Grab your coat and take your hat...

A potem najpiękniej w życiu odegrał swoje ukochane *I'm Getting Sentimental Over You*, a tłum zastygł jak skuty lodem, tak że w tle matowego głosu trombonu można było usłyszeć świergot ptaków. Finałowa *Moonlight Serenade* zabrzmiała, gdy wielkie słońce staczało się po niebie ku tężniom. Całą widownię, korony parkowych drzew, wieżyczkę i dach kursalu zalała lśniąca i ciepła pąsowa łuna, jakby pękły tamy, jakby zostały przerwane wszelkie granice między muzyką a światłem.

I znów nie chciano puścić ich z estrady. Na bis był obowiązkowy „kabaret", jak to nazywał Vogt, czyli dixielandowy popis, stepowanie na wysłużonych deskach, improwizacje, solówki Pobijaka i Krasinkiewicza. Skończyli już po ciemku, w huraganach braw, wymawiając się tym, że w muszli świecą tylko dwa słabe reflektory.

Przy schodkach zaczepił Fabiana jakiś człowiek i poprosił o adres. Przedstawił się jako referent z Polskich Nagrań: „Robimy serię muzyki tanecznej. Wie pan, ta uchwała Wydziału Kultury KC w sprawie rozrywki. Nareszcie!".

Wracali z Modestą przez park, mogli uspokoić się i odetchnąć chłodniejszym powietrzem. Na barierze mostku między dwoma stawami siedział chudy chłopak w rozchełstanej, wywalonej na wierzch koszuli. Fabian poznał go w świetle latarni, kiedyś zimą rozmawiał z nim przed szkołą.

– Ty się nazywasz Edek-Francuz, pamiętam. Patrzyłem na twoich kolegów przez szkiełko, a ty mówiłeś, że oglądam mikroby. Ale co, podobało ci się? – machnął instrumentem, który jeszcze ciągle trzymał w ręku.

– Nie wiem. Podobało i nie podobało.

– Dlaczego tak?

– Bo nie wiem, czy to zwyczajny cyrk, czy boginia malina. To znaczy, nie wiem, ile w tym wygłupów, ile prawdy. Ile rutyny, ile przeżywania.

– A kim ty jesteś, że tak mówisz? Muzykiem?

– Ja jestem poeta.

– Co znaczy „poeta"?

– To znaczy wymyślać nowe słowa.

– Nie, nie masz racji. Zupełnie nie. Nie ma racji nikt, kto tak myśli. Być poetą to znaczy mieć takie szkiełko jak to – wyciągnął soczewkę Edzia i przez chwilę trzymał na wysokości oczu chłopaka, ostrożnie, w dwóch palcach. Jak hostię.

– Masz. Jest twoje.

– Nie chcę. Nie oddam. Jutro stąd wyjeżdżam, gdzie indziej skończę szkołę.

– Weź. Na zawsze. Noś przy sobie. Patrzył przez nie na świat ktoś, kto się nazywał tak samo jak ty. Teraz ty sobie popatrz.

– A panu się nie przyda?

– Mnie? Do czego? Ja mam puzon.

Przed Konstancją pachniały forsycje i pierwsze kwitnące drzewka śliwkowe. Z daleka słychać było jeszcze ostatnich przechodniów, klapanie kopyt po asfalcie, odgłos odjeżdżającego pociągu. Zatrzymali się w ciemnym miejscu, niewidoczni dla nikogo.

– To było niezwykłe, master-taster – Modesta przytuliła się do niego na krótką chwilę.

– Co?

– Ta solówka, cały koncert, szkiełko dla tego chłopca. Czasem bardzo chcę powiedzieć, ile przeżywam dzięki panu, ale najczęściej nie jestem w nastroju. Słyszał pan o Morzu Kujawskim? To wielkie, bardzo słone, podziemne morze martwe, kilometr, dwa kilometry pod nami – postukała obcasem. – Od Ciechocinka do Lubienia, od Kłodawy do Inowrocławia, aż pod Toruń. W środku nocy słyszę jego szum i wtedy nie mogę spać. To podobno ta szklana piramida na dachu tak zbiera dźwięki z ziemi.

– Wolę morze martwe od innych wielkich wód. Nawet jeżeli trzeba z nim żyć, to przynajmniej go nie widać.

– Wtedy, w Sopocie, też tak szumiało. Też nie dawało mi spać. Wie pan, o czym myślałam, prawie się modliłam, wtedy w hotelu, w pokoju dwieście trzy? Żeby pan tylko rano przyszedł, żeby pan się nie wściekł i nie odjechał beze mnie.

Nie mógł się powstrzymać, delikatnie pogładził ją po policzku i po włosach.

– Przepraszam – natychmiast cofnął rękę, jakby bojąc się oparzenia. – Człowiek głupieje, kiedy świeci ten tam – wskazał niebo.

Nie odepchnęła go, nie wybuchła, nie sprowadziła na ziemię.

– Muszę iść – powiedziała cicho.

Fabian nie odchodził. Głęboko oddychał zapachami nocy, chłonął świeży powiew od parku Sosnowego, patrzył w ciemną gęstwinę i na czubki drzew, osrebrzone, całe jakby w kryształkach soli. „Nigdy, nigdy nic takiego mi się nie przydarzyło. Ani gdy miałem siedemnaście lat, ani gdy trzydzieści. Dopiero teraz, teraz... Co za złośliwość!"

Na piętrze zgasło światło, skrzypnęły drzwi balkonowe.

– No to niech pan tu przyjdzie! – usłyszał z góry głośny szept.

– Ja? Jak to... – rozejrzał się, zbity z tropu.

– No niech pan przyjdzie! Co za gamoń!

– Naprawdę?

Ruszył do wejścia.

– Ciii... Nie tędy, cholera jasna! Zobaczą! Tędy!

Pokazała ścianę pod balkonem.

Podbiegł do ściany i bezradnie zarył w miejscu. Po chwili jednak zawinął rękawy i nogawki. Jedna noga na gzyms, druga na szczebel piorunochronu, ręka za pergolę od dzikiego wina. Spróchniała, cholera, zaraz szlag może trafić. Dalej. Noga w następny szczebel, drugiej pozostaje tylko ściana, a nie, jest rynna, zardzewiała, złączki żeby nie urwać... Auu, kolanem o tynk! Romeo pięćdziesięcioletni! Żeby Wanda to widziała! Żeby Vogt zobaczył albo Bayerowa! Albo uczennice Modesty! Ale wyżej, wyżej. Jest bariera! Teraz tylko obie nogi w piorunochron, nie mieszczą się, psiakrew, w plecach strzyka, jedną trzeba wyżej... No, no! Już! Teraz przez balustradę, butem nie zaczepić... I do środka!

Niecierpliwie, gorączkowo i w milczeniu pozbyli się ubrań. Jej ciało było śliskie i pełne, smakowało jak skórka dojrzałej wiśni. Tapczan twardy, wyleżany, skrzypiący. Panowała nad własną rozkoszą, dawkowała ją sobie umiejętnie, zbyt wstrzemięźliwie, tylko w oczach zapalały jej się ogniki, jak dalekie światełka na brzegu ciemnej wody. Opadali z sił, nic do siebie nie mówiąc, wtulali się w swoją miękkość, trwali w mrocznym, kleistym półśnie, żeby znowu zrywać się do następnego lotu. Wreszcie nie wiadomo kiedy zasnęli na dobre, spleceni, zaplątani, przykryci byle jak naciągniętą kołdrą.

Obudziło go gorąco i lepkość. Za oknem było widno, obok spała Modesta podobna do zwykłej kobiety. Z pościeli wystawał kędzior czarnych włosów, pochrapywała nieco i drapała się przez sen po pupie. „I co teraz? Co dalej? Mówić do niej «Modzia», «Modka», «Modziunia»? A może jeszcze się ożenić, jak by chciała Wanda? Modzia, herbaty bym się napił, Modusia, schabowego mi usmaż!"

– Śpisz? – lekko pocałował ją w ramię.

Odwróciła się, przetarła oczy jak mała dziewczynka:

– Czy my przeszliśmy na „ty"?

– A co robiliśmy przez całą noc?

– Nie całą, nie całą...

– Może byśmy się napili herbaty?

– Co ty? Zwariowałeś? Która godzina? – wyciągnęła rękę po zegarek, spostrzegła, że jest bez koszuli, zazdrośnie zasłoniła piersi i pokazała mu język. – O matko! Spylaj stąd, master-plaster, póki nikt nie widzi!

Ubrał się więc, zbierając garderobę z małego stolika i biurka zawalonego uczniowskimi zeszytami.

– Nie tędy! Przez balkon! Z tamtej strony nikt nie mieszka.

Cóż miał robić? Sapiąc, przelazł przez barierkę i zsunął się po piorunochronie. Wyglądał żałośnie, marynarka cała w żółtym tynku, spodnie dziurawe na kolanie i rozerwana nogawka. W krzakach pod oknem Modesty leżał futerał z trombonem. Zapomniał o nim, gdy wczoraj wspinał się na szczyty.

W domu natarł się wodą kolońską, przebrał w szlafrok i rozsiadł w fotelu. Lekko oszołomiony, spokojny, przyjemnie zmęczony. Postanowił przy najbliższej okazji spalić zeszyty Reichmana. W drugim, im bliżej końca, akapity i cudzysłowy były coraz krótsze, jakby straciły rumieńce. Cały czas o Nim, w kółko o Nim. Tajemniczy „On" powiedział tak, to wtedy ja tak, On to, ja Mu to. Nie chciało się już tego czytać, stawało się nudne, chociaż znalazł jeden znamienny fragment.

„Dziś rano L. wpadła do mojego pokoju jeszcze pijana po nocy, otworzyła sobie zapasowym kluczem z recepcji. Moja wina. Durny, zapomniałem przekręcić dolny zamek, choć sam kiedyś żądałem wstawienia patentu. Zastała Go nagiego w moim łóżku i mnie przy nim. Słodko spał jeszcze na moim ramieniu, a ja czytałem «Wiadomości Literackie». Skoczyłem na równe nogi, pokazałem drzwi, wrzasnąłem: «Won!». Komicznie musiałem wyglądać; wściekły, goły, z przyrodzeniem obijającym się po udach. Spurpurowiała, zrobiła przerażającą minę, złapała się oburącz za głowę i zaczęła wyć. Po prostu wyć. Przerażająco, jak mordowane zwierzę. Z tym wyciem zbiegła na dół, tłukła wazy do zupy, rozwalała stoliki w restauracji, rzucała krzesłami w szyby na werandzie. Kompromitacja całkowita! Goście powypadali z numerów, ktoś ją złapał, kilku mężczyzn musiało trzymać, krzyczą: «Policja!». Ja odkrzykuję: «Jaka policja, do czorta?! Po lekarza!». Sam popędziłem po dra D., szczęściem drynda wolna przejeżdżała, ale dra D. nie było, przywiozłem dra Gawrońskiego. Stwierdził atak szału, dał zastrzyk z librium, tupała, pluła, broniła się. Przed chwilą była tu u mnie, dopiero obudziła się po tym zastrzyku. Powiedziała: «Rób, co chcesz, ty diable, abyś tylko tu był»".

Ostatni zapis, jeden z najkrótszych, brzmiał:

„Wszystkie plany nagle pokrzyżowane. Wpisuję te słowa w nocy z piątku na sobotę, zaraz wychodzę na pociąg, co do którego jest jeszcze pewność, że odejdzie. Nigdy tu nie wrócę.

A Ty nie wierz w nic z tego, co przeczytałeś".

Dalej były już tylko puste kartki.

X

„Żeby go piekło pochłonęło, żeby zniknął, przepadł, żeby mógł wsiąknąć w piasek!"

Wanda nagarnęła więcej piasku na nogi, wokół bioder i wyciągnęła się bez ruchu, otulona białym, sypkim gorącem, przenikającym fałdy sukienki. Nawet gdy przestawała oddychać, czuła po lewej stronie brzucha znajomy hak, teraz już połączony pajęczyną piekących nitek z całą resztą. Nie chciała, żeby Fabian odwoził ją samochodem, źle zniosła podróż, w pociągu miała kilka ataków. Pomyślała, że jest jak popękana szyba, uderzona kamieniem.

Chociaż była dopiero połowa maja, słońce paliło nawet przez słomkowy kapelusz zsunięty na oczy.

„Żeby piasek mógł nasiąknąć tym bólem, żeby można było potem strzepnąć mokre grudy, oderwać od skóry, wskoczyć nago do wody, pod zimne, trzeźwiące fale, wymyć się raz na zawsze, jak z błota".

Mocno postanowiła sobie, że dość już tej komedii, że gdy wróci, przeprosi za kłamstwa, zdobędzie się i opowie Modeście i Fabianowi o chorobie, pokaże rentgenogramy, rozpoznanie doktora Garfinkla, racjonalnie, spokojnym głosem przedstawi swoje decyzje. Potem przystąpi do zakończenia wszystkich spraw i ostatni raz zaśpiewa z big-bandem na jednym z tych koncertów, które, jak mówił Fabian, mają się odbyć na początku lipca w ciechocińskim teatrze.

Ból wzbierał, kłuł i szarpał od środka. Usiadła, żeby lepiej zaczerpnąć powietrza, włożyła ciemne okulary.

Brzegiem szedł patrol wopistów. Buciory wyciskały ślady w mokrej ziemi, automaty z drewnianymi kolbami dyndały na plecach. Mały, pękaty, wyprzedzający dwóch pozostałych o krok, co chwila przystawał, podnosił lornetkę i gorliwie penetrował pustą, szumiącą, rozlaną w lewo, w prawo i na wprost nieskończoność.

"Czego można nauczyć się od morza? Góry dają pewność siebie, las złudzenie spokoju – a morze? Co można znaleźć w morzu? Najwyżej tęsknotę. I wiatr".

Zorientowała się, że nie jest sama. Facet, który kilka razy zachodził jej drogę na deptaku, a wczoraj pożyczał gazetę, pytał o zapałki i o statek do Fromborka, teraz usadowił się koło wyjścia z plaży. Odwrócony tyłem leżał na ręczniku, udawał, że nie zwraca na nią uwagi, sam ze sobą grał w karty albo stawiał pasjansa.

W życiu nie widziała tak brzydkiego człowieka. Suchy, tyczkowaty, na kosmatych, owadzich nogach, ale z brzuchem jak biała piłka, wywalającym się spod zaklęsłej klatki piersiowej. Jajowaty łeb pokryty był rzadkimi, siwoczarnymi kłaczkami, a spłaszczoną twarz z nieproporcjonalnie małym nosem przecinały mięsiste usta tak szerokie, że – jak to sobie przez moment wyobraziła – zdolne jednym haustem połknąć stołówkowy talerz zupy.

Otrzepała się z piasku, ostentacyjnie zwinęła rzeczy, wzięła do ręki pantofle i boso ruszyła w stronę sanatorium.

Ominęła okropnego osobnika szerokim łukiem, ale wykręcił się i bezczelnie gapił za nią. Spojrzenie spod krzaczastych brwi było zawstydzające i zarazem zadziwiająco rozumne. Z przerażeniem zauważyła, że drgają mu kąciki warg i chce coś do niej powiedzieć. Rozpaczliwie przytuliła do siebie torbę, podniosła wyżej buty, jakby się chciała zasłonić, tupiąc po deskach, wbiegła na schodki przerzucone przez wydmę.

– Zjadłbym panią! – zaskrzeczał niemęski falset.

W pokoju, pod nieobecność współlokatorki, nieciekawej kobieciny ze Śląska o nazwisku Rolka, zrobiła sobie zastrzyk. Wyjeżdżając, wyciągnęła Drabikowej z szafy trzy opakowania pyralginy.

Wciąż przeżywała zaczepki z plaży.

„Tak gadać może sobie do tych półgołych studentek, których całe stada będą tu za miesiąc kręcić tyłkami! Co za chamidło, co za bezczelne bydlę! Zboczeniec może? Może ubek jakiś?"

Podeszła do lustra nad umywalką. Pergaminowe policzki, drugi podbródek, roztrzęsiony jak surowe ciasto, harmonijki koło oczu już nie do ukrycia! I te plamy – czysta rozpacz!

„Kurze łapki, kurze łapki. Nie! Kurze łapska! Strusie pazury! I same oczy – blade, coraz płytsze, bez blasku... Dość, dość, cholera jasna! Idiotka! Przecież to absurd myśleć jeszcze o takich rzeczach!" – odruchowo chwyciła się za bok.

Następnego dnia zeszła na wieczorek taneczny. Położyła się przed dziewiątą, ale znowu bolało, zastrzyki nie działały, nie mogła spać. Usłyszała dalekie zawodzenie saksofonu i raptem, ni stąd, ni zowąd, poczuła smak na papierosa; ostatni raz paliła chyba w dzień przyjazdu Fabiana. Umalowała się byle jak, wrzuciła na siebie suknię bordo, którą Modesta siłą wcisnęła jej do walizki.

W stołówce, gdzie tu i tam wisiały jeszcze obtłuczone poniemieckie rogi jelenie, grał mały zespół – tenor sax, bęben i fortepian, prawie jak trio z Miłej w Ciechocinku. Przy stolikach, pod ścianami, sami starzy ludzie, w bufecie herbatniki, oranżada i ulepkowate wino Lacrima. Wypiła duszkiem jeden kieliszek, drugi.

Saksofon jak zawsze przyprawiał ją o dreszcze; a może tym razem to była już gorączka? I chociaż chłopak w bikiniarskiej koszuli dmuchał niewprawnie, o niebo gorzej od Dąbala, chociaż nie panował nad zbyt sztywnymi palcami, dawała się ponieść strumieniom chrapliwych nut. Byli ambitni. Zagrali *Tuxedo Junction*, potem *Jumpin' Jive*, choć nie tak szaleńczo, jak potrafili Fabian ze Stypą, Piaszczyńskim i Pobijakiem. Zapomniała o bólu. Zatęskniła do koncertów i orkiestry, chciała śpiewać. Wskoczyć na rampę, wstrząsnąć włosami, przeciągnąć się w światłach jak czerwony kocur i przekornie rzucić w tańczący tłumek cieniutko i szczebiotliwie:

The jip-jam-jump is a solid jive,
Makes you nine foot tall when you're four foot five!!!

– albo cokolwiek innego, tak samo bez sensu.
Wtedy wyrosła przed nią pokraczna figura wczorajszego natręta. Uciekłaby, gdyby go wcześniej zobaczyła. Przylazł nie wiadomo skąd.
– Przejdziemy naprzeciw, do Żeglarskiej, na koniak albo na wermut? Pani się zatruje tym żurem!
Głos miał drapiący, wysoki, nieprzyjemny.
Zamachnęła się, zrzuciła ze stolika popielniczkę, z całej siły rąbnęła o parkiet pudełkiem belwederów.
– Czego ode mnie chcesz, chamie?! Jak zaraz zdzielę w ten pysk, jak pójdę na posterunek!...
Nie odpowiedział. Przykląkł i spokojnie zbierał rozsypane papierosy. Znienacka, wciąż na klęczkach, przysunął się bliżej.
– Chcę się z panią kochać. Naprawdę pani nic nie rozumie? Chcę iść z panią do łóżka. Nie widać tego po mnie? Przytulać panią, pieścić i słuchać westchnień. Co tak panią dziwi? Czy coś w tym nienormalnego?
Powinna efektownie strzelić otwartą dłonią w płaską, pozacinaną przy goleniu gębę, tak żeby wszyscy usłyszeli, dumnie wstać i wybiec, stukając szpilkami. Ale zamurowało ją całkowicie, patrzyła tylko coraz bardziej okrągłymi oczyma,

nie mogąc wydobyć słowa. Gdyby był przy niej jakiś mężczyzna, chociaż Fabian, chociaż Vogt, ktoś z big-bandu! Co za upodlenie!

A facet wzruszył ramionami, skrzywił swoją olbrzymią jadaczkę i sam wyszedł, przeciskając się między tańczącymi.

Saksofon ciągnął jak opętany, obok przefrunęła pani Rolka w objęciach bladego kościanego dziadka, pomachała z gęstwiny splecionych par.

Ktoś i ją poprosił do tańca. Był niższy o głowę, tak że prosto w nos biła jej woń spoconej łysiny, ale prowadził świetnie, rasowym krokiem slow-foksa. Kiedyś pewnie tak uwodził kobiety, choć musiało to być bardzo dawno. Nałogowy danser, przedwojenna szkoła; cmoknął w przegub, już pędził do następnej.

Wściekłość prysła, ból też gdzieś zniknął, jak po przecięciu wrzodu. Ogarnęła ją nieoczekiwana lekkość, ciało stało się prężne, zadrżało w gotowości na nie wiadomo co. Perfidne, fałszywe uczucie! Przypomniała sobie zaraz czas „sprzed wielkiej wody", jak to nazywał Fabian. Lwów, Bristol Club, gdzie na wielkiej sali musiała śpiewać przez tubę, szampan, Złote Trąbki grand-bossa Theo Langerfelda.

Właściwie, to czy wtedy ci młodzi mężczyźni chcieli od niej czego innego niż ta ośliniona, bezczelna kreatura?

Piękni bruneci o oczach z marmolady i jedwabnym dotyku. Silne ramiona, okrągłe zdania, labirynty kłamstewek, wykwintnych dwuznaczności, ciepłe barytony, od których miękły kolana. Seweryn, Olo, Miecio Chodakowski, Krzyś – młody hrabia Ćwikliński, który chciał się strzelać z jej mężem, no i Kranz, boski Kranz, niebiańsko piękny Borys, z którym... Ech, tam! Ulegała, nie potrafiła być wierna Karolowi, co gorsza, nigdy też nie potrafiła żałować. Wypominał jej to każdy spowiednik, kiedy miała jeszcze potrzebę chodzenia do kościoła.

Obłuda należy widać do natury człowieka. Tak głupio jesteśmy spragnieni metafor, tak cierpimy, gdy ktoś mówi wprost, choćby najszczerzej. Ale takie słowa do niej, teraz, do jej czterdziestu czterech lat? Do skóry jak pustynna ziemia? Do grubych ud i do bruzd w wycięciu dekoltu? Do jej choroby?

Rano ból powrócił ze zdwojoną siłą. Wybiegła z pokoju na palcach, nie budząc Rolki. W radiu zapowiadali akurat zmianę pogody, na plaży wiało, musiała zawiązać chustkę. Nie broniła się przed zimnem, chłodne porywy przynosiły ulgę. Szła przed siebie mokrym szlakiem wzdłuż fal, krótkich i nerwowych, których zwykły szum coraz wyraźniej przechodził w ponury, basowy pomruk.

Była już ostatecznie pewna, że nie będzie się leczyć. Jak wykutą na pamięć lekcję powtarzała sobie argumenty. Szpital, operacje, kroplówki, baseny pod tyłek – koszmar nie do porównania z tym, co przeżywa teraz. Nastawianie gnatów ma sens, plombowanie zębów ma, wycinanie woreczka żółciowego – też, ale to... Przecież z góry wiadomo. I nie bała się śmierci. Czego się bać? Że coś się straci? Czy co wieczór trzeba rozpaczać, że można coś przespać, coś ważnego przegapić przez noc, czegoś się nie dowiedzieć? A może sam sen dla snu jest więcej wart od całego tego „prawdziwego" świata? A może sama śmierć dla śmierci jest więcej warta?

– Pani Wando! Pani Wando!

Obejrzała się, zaklęła szpetnie. Był. Biegł pod wiatr, grzązł w piasku, chude piszczele pracowały jak kije narciarskie.

Odwróciła głowę z odrazą.

– Chciałbym panią przeprosić za wczorajsze – dyszał obok.

– Ale nie wiem, za co mam przepraszać. Mówiłem prawdę. Serio.

– Wstydziłby się pan.

– A czego miałbym się wstydzić? Ja przecież nie kłamię. Chcę się z panią kochać, bardzo pani potrzebuję. Czy rzeczywiście nie może pani tego dla mnie zrobić?

– Też coś! No wie pan!

– „No wie pan!", „No wie pan!" Za chwilę pani powie „bo zacznę krzyczeć!" albo „nie zawieram znajomości na ulicy!".

– Jesteś zboczony! – wybuchnęła. – Obleśna, zboczona świnia! Powinni cię zamknąć w domu wariatów i szprycować bromem! Albo niech ci od razu urżną to twoje nieszczęście, jeżeli naprawdę masz je w gaciach!

Z całej siły splunęła mu w twarz, odepchnęła od siebie i zaczęła się rozglądać, szukać jakichś ludzi, pomocy. Plaża była pusta, wiatr wzbijał w górę strzępy starych gazet, zacinał drobny deszcz.

– Ale dlaczego zboczony? Dlatego, że pani pożądam? – nieporadnie wycierał się rękawem.

– Idź do Żeglarskiej! Może tam już siadają jakieś zdziry. Albo do Gdańska jedź, zaraz masz pekaes!

– Ale ja nie chcę żadnych dziwek! Ja chcę pani! Całe życie będę pamiętał, całe moje życie pani odmieni, nawet jeśli to z pani strony miałaby być ofiara!

Pogoda też wariowała. Wieczorem deszcz przestał padać, gwałtownie wrócił upał. Pachniało wilgocią, parującym igliwiem.

Obudziła się w środku nocy. Leniwa błogość wypełniała ją od stóp po piersi i ramiona, a naokoło trwał nienaturalny spokój, jakby ciemna cisza nagle zgęstniała i pokryła wszystko znieczulającym balsamem. Nic jej nie bolało. Po bólu został tylko ucisk gdzieś w głębi ciała, poniżej żeber. Wstała i ostrożnie, wsłuchując się w sapanie Rolki, wyszła na balkon.

Noc była do przesady ckliwa. Morze gładkie jak jezioro, jasne na horyzoncie, świecił księżyc. Od dawna nie umiała poddawać się takim nastrojom.

Ból musiała chyba wykrzyczeć z siebie tam, na plaży, wypluć do reszty w tę obmierzłą mordę.

Co pozostaje po człowieku? Co po mnie pozostanie? Tobół niemodnych ubrań, które Fabian za parę złotych sprzeda szmaciarzowi. Łyżka i widelec, zużyte szminki? Sterta „Przekrojów" z kilku lat, zamazany podpis pod legitymacyjnym zdjęciem? Może dla paru osób czerwony fantom w oczach, gdy usłyszą *Bei mir...*?

A jeśli naprawdę miałaby zająć miejsce w pamięci tego bydlaka? Jak w jej pamięci Borys Kranz? Zagnieździć się, zawładnąć wspomnieniami, żyć tam długo, długo, na przekór wszystkiemu, co ją czeka, na złość losowi?

Niespodziewanie zrobiło jej się wstyd, że tak go nazywa. Poczuła przypływ litości dla tego żałosnego stworzenia, tej karykatury, tego stracha na wróble, którego zostawiła oniemiałego, wrośniętego w piasek i którego, uciekając w stronę przystani rybackiej, widziała jeszcze z daleka – jak bezradnie wymachuje rękami i usiłuje coś bełkotać sam do siebie.

„Boże Wielki! – przygryzła usta. – Co mi też przychodzi do tego durnego farbowanego łba? Czy można się tak oddawać? Z takiego wyrachowania?"

Dwa dni później, półprzytomna z bólu, poszła na dancing do Żeglarskiej. Nie mogła przedtem znaleźć sobie miejsca, kładła się i wstawała, przykładała ręcznik zmoczony zimną wodą. Było jej obojętne, że jest sama, że wszyscy z tego powodu rzucają wymowne spojrzenia, zwłaszcza trzy kurewki obsiadające bar.

Orkiestra w wytłuszczonych smokingach dręczyła szlagiery Gniatkowskiego, pijany kontrabasista przysypiał i od czasu do czasu walił czołem w pudło instrumentu.

Chciała napić się wódki, usiadła za filarem, daleko od reflektorów bijących w tłum na tanecznym kręgu.

Oczywiście zjawił się, wyrósł przed nią natychmiast, z pewnością ją śledził, musiał chyba godzinami sterczeć pod sanatorium.

Jak gdyby nigdy nic, poprosił do tańca. Zrezygnowana skinęła głową. Grali rumbę, ale nie mogła tańczyć szybko, zapomniała o krokach. Zacisnęła zęby, bezwładnie uwiesiła się na jego ramieniu. Tańczył źle, właściwie to tylko kręcił się w kółko i podrygiwał, zupełnie nie do rytmu. Najważniejsza była jednak dziwna, kamienna twardość jego dłoni, brzucha, bioder, wyczuwalna przez sztywny materiał garnituru – działała na ból jak chłodna stal. Refrenista wyśpiewywał lepliwie i lubieżnie:

*Trzeba mocno się przytulyć,
O tak właśnie jak ty i ja,
Meksykana, Meksykana,
Rumba wdzięk swój ma,
Rumba ta!
He-ja!*

Przytulała się więc odruchowo, całym ciałem czerpiąc kojącą moc.

Prawie nic nie mówiąc, tańczyli, wracali do stolika, pili radziecki koniak i tańczyli znowu. Z każdym ruchem ból tępiał, stygł jak rozżarzony szpikulec wetknięty do wody. Powoli, płynąc we mgle papierosowego dymu, odzyskiwała równowagę i pewność siebie.

Nie wiadomo, jak i kiedy to się stało, ale zgodnie, bez słów, prosto z parkietu wybiegli razem bocznymi drzwiami. Przez sosnowy las szli, milcząc. Między drzewami zalegały resztki gorąca, morze ledwie szemrało, noc była widna, bezwietrzna, pnie pokryte srebrem.

„Po co ja to robię! Zgłupiałam! Fabian powiedziałby, że zgłupiałam. Nie. Przecież nic by nie powiedział. Czy to ma jakieś znaczenie: po co? Co za pytanie: po co? Aż strach odpowiadać!"

Spiczasty, łamany dach jego pensjonatu z pretensjonalną wieżyczką ciemniał wysoko na zboczu, trzeba było się wspinać, potykać o niewidoczne korzenie, odtrącać gałązki świerków. W holu paliła się słaba żarówka. Przyłożył palec do swoich monstrualnych ust, schody skrzypiały.

W pokoju chwyciła go za rękę, gdy chciał przekręcić kontakt.

Po omacku szukała na plecach suwaka. Pomógł jej niecierpliwym szarpnięciem.

– Na plaży nigdy się nie rozbierałaś.
– Teraz niczego nie widać. Na szczęście.

Pościel pachniała wnętrzem staroświeckiej szafy.

Nie był już ani pokraczny, ani obrzydliwy – był delikatny, napięty i ciepły; drżał.

Obudził ją słaby dźwięk hejnału mariackiego, dochodzący zza wielu ścian. Dawno nie spała tak długo.

Nie było go przy niej w łóżku. Dopiero teraz zobaczyła, że pokój łączył się z rodzajem oranżerii: nagrzaną słońcem, oszkloną werandą, gdzie stało mnóstwo zakurzonych donic z geranium i aspidistrą. Gotował tam kawę w jakimś baniastym, mosiężnym, poniemieckim diabelstwie. Aromat roznosił się wokoło, woda bulgotała, benzynowy płomyk strzelał z wygiętej rurki. Nie szampan, nie burgundzkie wino, ale kawa, szczypana rano drobnymi łyczkami, smakująca jak piekło i miód, podana dłonią ułożoną do pieszczot, jest najczarowniejszym eliksirem miłosnym. Ktoś kiedyś tak mówił rano, nieważne, kto.

– Jak ty masz właściwie na imię?
– Albin.
– Matko jedyna! – wyrwało się jej. – Nie mieli dla ciebie litości.

Najczęściej milczeli. Całe dnie opalali się w rozpadlinie za wydmą, drzemali w cieniu albo próbowali się kąpać. Woda była granatowa i zimna, wyrzucała brudy, oślizłe gałęzie. Na plaży przybywało ludzi, pojawił się lodziarz, wlokący po piasku wózek z koślawo wymalowanym pingwinem.

– Powinno się istnieć poza czasem – powiedział kiedyś, gdy Wanda, myśląc o czymś bardzo odległym, bezwiednie przesypywała sobie piasek z dłoni do dłoni. – Sens życia jest tylko poza czasem. Jeżeli zaczniemy żyć chwilą, tylko chwilą, będziemy jak te ziarenka, które sypiesz, które migają przed oczami, a potem znikną nie wiadomo gdzie i nikt nigdy ich nie odnajdzie, nie weźmie znowu w palce, nie nazwie, nie rozpozna. Główna przyczyna ludzkiego nieszczęścia to czas. Szczęście i dobro może być tylko poza czasem.

Nie zwierzali się, nie wracali do przeszłości. Raz tylko w Żeglarskiej, podniecona tańcem, zaczęła mu opowiadać o jazzie, big-bandach, bracie muzyku, o tym, że śpiewa w swingowej orkiestrze. Słuchał z grzeczności, bez zainteresowania. O sobie mówił niewiele, zawsze zaskakiwał.

Kiedyś zapytała go, ile ma lat.

– Nie wiem – odpowiedział.
– Jak to: nie wiem?

– Znaleźli mnie zaraz po jakiejś wojnie, zapomniałem, po której. Miałem dwa, trzy, a może cztery lata. Niczego nie wiedziałem, poza tym, jak mam na imię. Niestety! Wpisali mi tam na oko jakiś wiek, wymyślili jakieś nazwisko.

– A skąd jesteś? Skąd przyjechałeś? Czym się zajmujesz? – wypytywała odruchowo, zdając sobie sprawę, że nie ma to dla niej żadnego znaczenia.

– Teraz jestem magazynierem w Piechowicach, może mógłbym być kimś innym.

Tymczasem ból ustąpił, pozornie skapitulował, jakby przerósł go rozwój wypadków. Pewnie przyczaił się gdzieś, żeby znienacka zaatakować znowu. Wierzyła jednak, że oprawca może być wspaniałomyślny, choć odrobinę wyrozumiały, że postanowił dać jej trochę czasu; tydzień, dwa.

Rzadko teraz zaglądała do swojego sanatorium. Wpadała, żeby się przebrać, czasem zostawała na obiad.

– Pani Wandeczko, ale pani wygląda kwitnąco! Ale też coś panią w szyję ugryzło! – rzucała Rolka złośliwie znad talerza.

Szybko, jak najprędzej wracała do Albina. Biegnąc do niego krętymi, spadzistymi alejkami, wdychając zapach żywicy i upału, myślała o obłędzie życia, o tym, że bez obecności człowieka, którego jeszcze niedawno tak nienawidziła, ma poczucie całkowicie zmarnowanych minut i godzin.

Noce spędzali u niego. Pensjonat na zboczu okazał się domem starców dla księży, w większości Niemców, pochodzących z tych stron. Rzeczywiście – widywała na końcu korytarza przygięte do ziemi, człapiące postacie spowite w czarne szaty. Albin tłumaczył, że zakonnice, gospodynie domu, w miarę „naturalnego" zwalniania się miejsc wynajmują pokoje letnikom.

– No i proszę! Żeby tak grzeszyć pod świętym dachem! – drwiła spod kołdry, strojąc surowe miny.

Nieoczekiwanie odsunął się, spojrzał poważnie:

– Dlaczego mówisz o grzechu? Czy jest ktoś, kogo krzywdzisz, będąc ze mną?

Nocami zaklinał, że bardzo kocha, że nigdy nie zapomni, że czując ją przy sobie, zamienia się w jedno wielkie pragnienie. Przyjmowała to pobłażliwie, jak monolog z marnego filmu, rozgarniała mu włosy, rzadkie i miękkie, w dotyku podobne do waty. Chłonęła go całą sobą, oplatała nogami, wiedziała, że jest dla niej tym, czym powinien być, i niczym więcej – sprężystym, sprawnym i posłusznym narzędziem do przenikania na wskroś, docierającym do sedna, które wydawało się już zimne i martwe. Nie miała dla niego ciepła, nie dbała jak czuła kochanka, myślała o sobie i starała się z jego szaleństwa, z jego zapamiętania, z jego skowytu wydzierać coraz większe każdej nocy kęsy rozkoszy.

Któregoś razu, gdy leżał obok zdyszany i mokry, postanowiła mu powiedzieć. Nie wiedziała, jak się wyrazić, żeby nie wypadło niemądrze albo śmiesznie.

– Bo wiesz, ja... – przełknęła ślinę, szukała słów, które nie byłyby ani zbyt patetyczne, ani zbyt trywialne – ja jestem tutaj dlatego, że... ja idę ku śmierci.

Nie poruszył się nawet, jakby mówiła o pogodzie albo o pójściu na plażę.

– Kłamiesz – skwitował krótko.

Opowiedziała mu o bólu, gastroskopiach, o naddatkach cieni, o bezdusznej terminologii, którą stworzono, żeby nie używać tego jednego, prawdziwego określenia.

– Kłamiesz.

– Wcale nie musisz mnie pocieszać. Ja się nie boję śmierci, to życia trzeba się bać. Tak, idę. Idę bez strachu.

– Kłamiesz. Sama sobie kłamiesz, bo tam żadna droga nie prowadzi. Tylko źli ludzie albo zwykli głupcy wymyślili, że się umiera. Nie ma takiej drogi. Uwierz mi. Po prostu nie ma takiej drogi! – powtórzył z naciskiem.

Przyszedł wreszcie ten wieczór, kiedy spokojnie oznajmił Wandzie, że następnego dnia musi wyjechać. Nie urządzali czułych scen. Wstali wcześnie rano, pomogła mu spakować odrapany neseser. Kilka koszul, marynarka i spodnie, składany przybornik do golenia. Klucz zostawili w drzwiach.

Ścieżkami przez sosnowy las zeszli nad zalew, na drugą stronę mierzei. Wszędzie było jeszcze pusto, handlarze dopiero otwierali swoje budki, rozpalili ruszty do smażenia ryb. W porcie czekał „Świerczewski", mały parowiec z okopconym kominem; spod farby na rufie przebijała dawna nazwa, pisana gotykiem: „Lorelei". Pasażerowie – starsze małżeństwo, milicjant, grupka miejscowych z koszykami – wchodzili na pokład po dudniącym pomoście.

– A mnie się nie chce wracać – mówiła do niego, gdy stanął w kolejce.

– No to zawsze będzie cię tu można spotkać. Będę cię szukał za dziesięć lat i za pięćdziesiąt – żartował.

Sternik odstawił butelkę z piwem, „Świerczewski" wyrzucił z siebie gejzer brudnego dymu, coś w nim załomotało i odbił od brzegu.

Odeszła. Nie miała ochoty wypatrywać, jak zmienia się w coraz mniejszy punkt i znika, zostawiając na niebie czarną smugę.

Oczywiście tęskniła. Nie mogła znieść miejsc, w których bywali razem, jak ognia unikała drogi w kierunku Nowej Karczmy, bo tamtędy szło się do „pensjonatu". Czasem wyobrażała sobie, że tamten dom w ogóle nie istnieje, że to, co przeżyła, było jak zakończony o świcie długi nocny seans filmowy, a po nim zamęt i senność.

Nie mówiąc nic nikomu, nadała telegram, spakowała walizkę i wyjechała kilka dni wcześniej.

Fabian i Modesta wyszli na stację. Modesta subtelnie oceniła ją od razu:

– Nie powiem, że wyglądasz lepiej. Ale na pewno wyglądasz inaczej.

Przede wszystkim jednak nie było bólu. Nie wrócił po tygodniu, dwóch, po miesiącu. Nie mogła w to uwierzyć, ze zdenerwowania nie spała wiele nocy.

Wbrew postanowieniom poszła do doktora Garfinkla. Patrzył na nią tak, jak lekarz starej daty patrzy na beznadziejny przypadek szamotania się z przeznaczeniem.

– Cuda, owszem, zdarzają się, pani koleżanko. Jako lekarz doskonale to wiem, i pani też to wie. Ale cudotwórcom trzeba pomóc. Tylko chirurgia! Jeszcze można spróbować.

Po południu zadzwonił – ma przyjść ponownie, prześwietlenie się nie udało, zdjęcie nie wyszło, przepraszał.

Czekała kilka następnych dni.

Potem doktor bezradnie porównywał klisze, nakładał ostatnie na wcześniejsze, podnosił do światła.

– Nic nie wiem, pani koleżanko. Wykrytych przedtem zmian po prostu tu nie ma. Zwyczajnie nie ma. Może nigdy nie było? Może materiał miał jakąś skazę? Teraz takie kiepskie to wszystko produkują. Powtórzymy trzeci raz.

– Ale przecież był ból...

– No tak. Ból rzadko kłamie, pani koleżanko.

XI

Maj oślepiał, tumanił zielenią, był bezdusznie upalny. Prażyło jak latem, wieczorami przechodziły gwałtowne burze z nagłym łoskotem deszczu w zaroślach i ogródkach. Chodniki, skwery, ulice zarzucone mokrymi liśćmi lśniły po nich różowo, potem parowały świeżością, mocniej pachniał wilgotny bez. Ludzie chowali się pod dachami na krótko, zaraz znowu było ich pełno przy tężniach, w parku Zdrojowym i przy kwiatowych dywanach koło starego basenu Cieplica.

Od Wandy znad morza przyszły dwie kartki. Pierwsza, cała zabazgrana, opisująca sanatoryjną nudę, druga, po dziesięciu dniach, z jednym tylko zdaniem: „Przeżywam prawdziwy urlop od życia".

– Ja też – powiedziała Modesta przed siebie, wcale nie do Fabiana, oglądając pocztówkę, fotografię rybackiej łodzi na piasku. – Widać nadeszła wielka pora urlopowa.

Z dnia na dzień rozbudzało się w nim olbrzymie fizyczne pożądanie nie ciała, nie erotycznych awantur – gorzkich, leniwych piersi, ud chłodnych i gładkich jak dotyk muślinu – ale samej jej obecności. Głosu, spojrzenia, ruchów rąk. „Czy tak wygląda uczucie do kobiety po przekroczeniu smugi cienia?" „Tak po prostu wygląda miłość starca" – odpowiadał sam sobie, z obrzydzeniem i złośliwie. Codziennie po lekcjach zabierał ją sprzed szkoły. Śledzona setkami wścibskich oczu, dumnie, rasowo zginając kolano, wsiadała do vauxhalla i ze zwiniętym dachem jechali dwie ulice dalej na obiad do Zdrojowej. On z cygarem, ona w coraz to innym kapeluszu, z piórem ciemnych okularów w kąciku ust, machając i kłaniając się znajomym. Król i królowa swingu w lśniącym kabriolecie, pierwsza para sezonu, najsłynniejsi od lat bohaterowie towarzyskich kronik, gdyby takie istniały. Najpopularniejsi bohaterowie kronik szeptanych.

– Skąd ty właściwie masz tyle pieniędzy? – pytała od niechcenia, w restauracji, kończąc melbę z advocatem. – Nigdzie nie wyjeżdżam, a coraz bardziej czuję się jak na wakacjach bez końca, które zafundował jakiś szajbnięty milioner.

– O, przepraszam – srogo uniósł palec. – Pytanie o pieniądze to już najgłębszy rodzaj intymności, gorzej niż pytanie o bieliznę albo o higienę części wstydliwych. Czyżby aż tak daleko się zabrnęło, missy-kissy?

– A gówno mnie to tak naprawdę obchodzi, mój panie! – odwróciła się i palnęła łyżeczką o niklowaną podstawkę, udającą srebrną.

– Ale powiem, powiem! Mam pieniądze, ponieważ mnie lubią. Co ja zrobię, że jestem taki? Jednych lubią kobiety, innych karcięta na przykład, a mnie forsa, czyli „ciaćki", jak mawia młodzież. Lgnie do mnie, żadnej okazji nie przepuszcza!

I, zaśmiewając się, zaczął opowiadać Modeście o zapiskach Reichmana.

Nigdy nie wiedział, czy spędzą razem noc. Kilka razy po próbie Modesta została w Zaświeciu. Budziła się wtedy rano, ciekawie rozglądała po pokoju, a potem wyrozumiale obrzucała wzrokiem męskie walory Fabiana i z ustami w podkówkę stwierdzała smutno, jak w znanym kawale ze sfer SPATiF-u:

– Pokoik też masz malutki!

Częściej jednak to on odprowadzał ją do Konstancji. Szeptali sobie rzeczy przyjemne i łechcące, całowali się lekko w księżycowych cieniach, w zapachach berberysu i głogów, jak para narzeczonych.

Za każdym razem, gdy tak delektowali się swoją czułością, zamykała mu drzwi przed nosem i kategorycznie mówiła „dobranoc!". Kiedy kłócili się, szczypali i prawili złośliwości, wpuszczała go do siebie, już nie przez balkon; normalnie, po schodach, ale z butami w ręku. Nie pozwalała mu zostawać do rana. Musiał wymykać się o trzeciej, czwartej, wracał pustymi ulicami zamroczony, błędny, unikając milicyjnych patroli, bojąc się wschodu słońca.

Jednej z takich nocy namówiła go wreszcie na opowieści o wojnie. Było burzowo i parno, nie do wytrzymania nawet pod cienkim prześcieradłem. Z głębi, spod ziemi nie dawało spokoju Morze Kujawskie. Fabianowi naprawdę zdawało się, że słyszy stłumiony szum. Nie mogli zasnąć, odpychali się od siebie, oślizgli i lepiący, palili papierosy.

– Wojna to najpodlejsze skurwysyństwo, a historia to najohydniejsze kłamstwa, jakie ludzie wymyślili.
– Banał, master-taster – ziewnęła. – Ale bohaterskie przygody to taki sam banał. Mów tak, żeby nie było banalnie.
– Wojna to najgorsze skurwysyństwo, a historia to najohydniejsze kłamstwa, jakie ludzie wymyślili! – powtórzył z uporem. – Zresztą historia obiektywnie nie istnieje, są tylko wersje zdarzeń, wszystkie nieprawdziwe. Nie ma też żadnych ideologii, są tylko preteksty do łajdactw. Wojna... Zwykły porządny człowiek, który to przeżyje, wzdraga się na samą myśl i nie chce nic mówić. Gadają tylko pismacy, propagandyści, oszuści i historycy. Że męstwo, patriotyzm, bohaterstwo, morale żołnierza albo inaczej, fachowo: manewry oskrzydlające, jakieś tam flanki, rodzaje broni, strategia, taktyka, zajęto, wyparto, zlikwidowano. Tak naprawdę rzucają się na siebie watahy mężczyzn, spędzonych siłą, srających w gacie ze strachu, myślących nie o ojczyźnie, zwycięstwie, słowach pana kanclerza czy pana prezydenta, ale o tym, co by zrobić, żeby się wywinąć, żeby nie dać się zabić. Najpierw grałem w orkiestrze, potem orkiestrę rozwiązali i musiałem iść na front. Z frontu do innej orkiestry, lepszej, wyciągnęła mnie na szczęście jedna moja bardzo dobra znajoma, pani ministrowa C. Ministra w kraju zabili Niemcy, a ona w Londynie wycierała się z pewnym starym pułkownikiem ze sztabu, więc miała chody...

Modesta dała mu zjadliwego prztyczka poniżej brzucha.
– Jak pomyślę, do ilu to już furtek kołatało!...

Fabian nie pozwolił się jednak wytrącić z ponurego tonu. Leżał na wznak i mamrotał jakby sam do siebie:

– W gruncie rzeczy mało co pamiętam. Tylko to, że cały czas bolał mnie żołądek, miałem na przemian gorączkę i sraczkę, chodziłem śmierdzący, brudny, obolały. Bałem się tak, że aż rzygałem ze strachu, tygodniami nie mogłem spać, zresztą nie było gdzie. Jak strzelali, zatykałem uszy, jak ja musiałem strzelać, zamykałem oczy, ciągnąłem cyngiel i kropiłem na ślepo w tę stronę, gdzie kazali. Modliłem się, żeby tylko nie urządzali sobie żadnych bitew, żadnego natarcia, kombinowałem, jak by tu w razie czego się schować. Wszyscy tak robili, ale nikt się nie przyzna, nikt. To tylko teraz można świecić orderami, pisać różne ładne wspomnienia, powieści. Ja tam nic nie pamiętałem o „sprawie", o „ojczyźnie w potrzebie", o „niepodległości" i „ostatniej kropli krwi". „Ojczyzna" to było moje mieszkanie na Białohorszczu we Lwowie, płakałem po nocach, że przez jakichś kretynów nie mogę tam być. Wściekało mnie, że byle palant może sobie mną komenderować, pomiatać, przeganiać z miejsca na miejsce, kazać padać, wstawać, popędzić w końcu na śmierć. Ile razy chciałem się wyrwać, zwiewać... Tyle że nigdy nie było dokąd. Później robiło się już coraz obojętniej. Na krew przestawało się zwracać uwagę, wypływający mózg nie brzydził, flaki wyprute z brzucha nie brzydziły. Trupy? Co tam trupy, takie sobie toboły, niektóre nawet śmieszne. Kiedyś całą noc przesiedziałem w jednym dole z trupem. Człowiek wart tyle, co kupa gówna. To cała nauka z wojny. Miałem szczęście. Na cmentarzach wojennych leżą tylko nieudacznicy i ci, co nie mieli szczęścia.

Dwa dni później, po dancingu, został, jak to często bywało, odprawiony. „Bardzo chce mi się spać, jutro mam siedem lekcji i radę pedagogiczną", ziewnęła Modesta i na pożegnanie pocałowała go w podbródek. Zdążył się już przyzwyczaić. Wracał spacerem, głęboko wdychał chłodniejsze, nocne powietrze, w którym czuło się posmak solanki.

Dochodząc do Zaświecia, zobaczył światło na gałęziach jabłonki rosnącej pod jego balkonem. „Czyżby Wanda wróciła?" Przyśpieszył kroku.

Ze środka przez uchylone okno dochodziły basowe ryki Bayerowej, odgłosy jakiegoś tumultu, tłuczenia, kopania po meblach. Biegiem wpadł na górę.

Drzwi pokoju były otwarte, wewnątrz miotała się rozjuszona Bayerowa w podartym szlafroku i z nogą od krzesła w ręku. Waliła z rozmachem, jak maczugą, gdzie popadnie, a przed nią rozpaczliwie uskakiwał w różne strony... doktor Vogt. Roztrzęsiony, czerwony ze wstydu.

– Ja cię zdepczę jak gnidę, ty kurwo szmatława!!! Ty pedale, ty złodzieju, ty szwancu wygniły!! Dupy przylazłeś dawać!? Kraść przylazłeś?! Szpiegować przylazłeś, ty angiedojczu jeden!!!

– Pani... pani Ludmiło! Pani Ludmiło! Ja powiem! Ja zaraz wyjaśnię!...

Vogt wskoczył na fotel, jęknęły sprężyny, spadł potężny cios, nie trafił, wzbił obłok kurzu.

– Doktor, kurwa jedna! Taki doktor, co się włamuje po nocach do ludzi jak ubek! Gdzie my, kurwa jedna, żyjemy?!

Gdzie my, kurwa, żyjemy?! Jesteśmy prze! Każden jeden prze!

Doktor uciekł za piec, potem za biurko, do drzwi balkonowych. Pchnęła go jednak, wyrżnął o szafę, lustro zadzwoniło w ramach.

– Pani Ludmiło!... Pani nie rozumie... Pani słucha!... A pójdziesz ty w diabły, ropucho jedna!...

Desperacko rzucił się w bok, uchylił przed kolejnym uderzeniem, ale poślizgnął się i przewrócił na łóżko, zwalił przy tym ze stolika syfon z wodą sodową. Bayerowa górą! Doktor przybrał pozycję embrionalną, przerażony, zasłonił rękami głowę, noga dębowa toczona z zadziorem żelaznym uniosła się nad nim jak topór, z brzękiem zawadziła o lampę.

– Pani Bayerowa! Dość! – nie wytrzymał Fabian, krztusząc się ze śmiechu. – Żyrandol mi pani rozpieprzy! A pan...

Vogt usiadł na łóżku, straszliwie zmieszany, poprawiał ubranie, ocierał pot, nerwowo przygładzał włosy.

– Słyszę, kurwa jedna, ktoś łazi tam i z powrotem, w zamku chrobocze, klamką szarpie... – Bayerowa dyszała i szukała po kieszeniach cyfki i zapałek. – Wstaję, kurwa jedna, człapię, hałasu narobiłam. Przestał. Ja chwilę cicho, on znowu zaczyna. Myślałam, że mi się zdaje, no bo pozwoliłam sobie trochę tego... po robocie, gardło mnie boli. Śpię, budzę się, znowu słyszę szuranie, trzaskanie. Ube albo złodzieje! Nic innego, kurwa jedna, myślę! Za szrober, co go trzymam pod łóżkiem, i na schody! A tu co? Tfu! Ta klapatyna w męskich portkach w biurku grzebie, wypina dupę, pod szafę zagląda... Żeby doktor po nocy włamywał się do cudzego mieszkania!...

Zabić chciałam. Formalnie zabić chciałam! Wszyscy jesteśmy prze! Kurwa jedna, prze!

Fabian nalał Bayerowej szklankę winiaku luksusowego, a gdy wytrąbiła jednym haustem, zaofiarował się, że odprowadzi ją do pokoju.

– Nie zasnę, kurwa jedna!

Wręczył jej wobec tego napoczętą butelkę.

Kiedy zostali sami, Vogt, zażenowany i przestraszony, omijał Fabiana wzrokiem. Chciał nawet wybiec, zerwał się, ale cofnął po kilku krokach, z powrotem usiadł na brzeżku łóżka.

– Jak pan tu wszedł?

– Miałem klucze – odpowiedział po chwili milczenia.

– A w jakim celu?

– Żeby to tak można było wytłumaczyć kilkoma słowami...

– Napiłby się pan wódki?

Kiwnął potakująco.

Z baterii stojącej na dnie szafy Fabian wyciągnął butelkę cierpkiego i mocnego bourbona Four Roses. Vogt pił łapczywie jak przed chwilą Bayerowa, poprosił o jeszcze, potem spuścił głowę i gapił się w dno szklanki, którą trzymał w splecionych dłoniach przed sobą.

– Ja nie przyszedłem do pana. Przyszedłem do niego.

Dopiero teraz Fabian zauważył, że z kieszeni marynarki wystaje mu kawałek zielonej okładki zeszytu Reichmana. Z drugiej kieszeni drugi zeszyt.

– Podczas okupacji to była mój największy strach i największa obsesja. Przychodziłem prawie co wieczór sprawdzić, czy w oknie się nie świeci, czy Ludmiła nie wpuściła tu kogoś. Zawsze było ciemno. Dopiero po wojnie mieszkała tu krótko jakaś kobieta. Kiedyś przypadkiem zobaczyłem, że wsiada do pociągu, więc zakradłem się i wszedłem. Wtedy nic nie znalazłem, ale też nikt mnie nie zauważył, choć plątali się jeszcze goście, stołówka była czynna. Uspokajałem się nawet, że może zabrał ze sobą, zniszczył...

– Nic nie rozumiem, panie Vogt. Co by pan zrobił, gdyby to mnie pan zastał u siebie w domu z wytrychem w łapie? Przecież opowiadałem panu o Reichmanie, o zeszytach też opowiadałem, ramionami pan wzruszał. Mogłem od razu dać panu do poczytania te bzdety albo lepiej – Fabian zmienił ton – zabieraj je pan sobie teraz, skoro pan musiałeś aż się po nie włamywać!

Vogt niespokojnie poruszył się na miejscu.

– Głupio mi, wstyd... Szczególne uczucie – mówił cicho. – Jakby znowu jakieś kolejne kółko się zamknęło, choć i tak wszystkiego nie znalazłem... Prawie nic się tu nie zmieniło, nawet zamek w drzwiach ten sam. Inna lampa na biurku. Zawsze też były kwiaty, Ludmiła mu wstawiała...

– Niech już tylko pan nic nie opowiada. Pan wie, że nie cierpię opowieści. Jest druga w nocy!

– Nigdy w życiu nie widziałem piękniejszego człowieka – ciągnął Vogt, jakby nie słysząc Fabiana. – Był olśniewająco przystojny. Brunet, wysoki, choć wcale nie muskularny czy barczysty, o regularnej, ujmującej twarzy. Mógłby być amantem filmowym. Ale to nie wszystko. Jego ruchy, głos, mimika, to „coś", czego nikt nie umie nazwać, ale co niewątpliwie jest i co sprawia, że krew eksploduje w żyłach. No i oczy. Fenomen. Przy czarnych włosach i ciemnej karnacji jakby dwa górskie kryształy pod powiekami, wielkie, bezbarwne, przejrzyste jak woda. Kobiety w kontaktach z nim traciły wszelkie zahamowania, popadały w rodzaj histerycznego obłędu. To było nieprawdopodobne, jakaś anomalia, nienormalne nagromadzenie właściwości, którymi zwykły człowiek bywa obdarzony bardzo skąpo, a ci, co popełniają samobójstwa z miłości – wcale. Medycyna nic na ten temat nie mówi, jak każda nauka boi się zjawisk spoza zdrowego rozsądku. Gdybym sam nie widział, gdybym nie był świadkiem, za nic w świecie bym nie uwierzył. Statecznym matronom na jego widok wypadały filiżanki z rąk, matki zapominały o dzieciach, młoda panna w hotelu Müllera wylała wazę rosołu na inną młodą pannę tylko dlatego, że z tamtą przywitał się pierwszą. Nieraz widziałem, jak w połowie tańca wybiegał z partnerką z lokalu, żeby ekspresowo załatwić sprawę w krzakach albo, z przeproszeniem, na desce klozetowej. Wracał zgoniony, duszkiem wypijał halbę piwa, nonszalancko opowiadał dowcipy. Wystarczyło mu zamienić kilka słów z jakąś nieznaną sobie damą, na przykład przy ladzie w sklepie Wedla, i za dziesięć minut już ją miał tu, w tym pokoju. O romansach, romansikach, kochankach przelotnych i stałych, znajomościach na kilka dni, paniach starszych i młodszych przyjeżdżających na kuracje, już nie chce mi się gadać. Ludmiła przeżywała to strasznie, piła, wpadała w szał, strzelała nawet do niego. Słynna afera, byli świadkowie. Z nią nie ma żartów, sam pan przed chwilą widział. Potem ją wybronił, zeznawał na jej korzyść. Ciągle kłócili się, godzili, ona wreszcie pozwoliła mu na wszystkie fanaberie, żeby tylko się stąd nie wyprowadził. W końcu nakryła nas razem w łóżku... Fabian słuchał tego zniecierpliwiony i znudzony. Trudno rozumieć czyjeś namiętności, jeśli nie można zrozumieć swoich. Mimo to nie przerywał, wstał, żeby dolać alkoholu.

– Żadne słowa nie oddadzą tego, co do niego czułem. Nie ma takich słów w języku i bynajmniej nie chodzi tu o porywy erotyczne – Vogt, nie patrząc na Fabiana, umoczył usta w trunku. – Do dziś nie umiem sobie tego wyjaśnić, ponieważ, jak by to panu powiedzieć... nie odczuwałem przedtem skłonności „tego rodzaju". Spotykałem się przecież z kobietami, byłem wprowadzony w „te" arkana, miałem narzeczoną, Hertę, koleżankę z uniwersytetu. Nawet raz przyjechała tu, do Ciechocinka, ojciec i matka fruwali ze szczęścia, że Niemka. Całe moje uczucie do niego było tak absurdalne, tak nieprawdopodobne, że – proszę sobie wyobrazić – kwestia płci stała się absolutnie nieważna. Wiem – to niewiarygodne, ale po co miałbym kłamać? Nie kochałem kobiety, nie kochałem mężczyzny, kochałem Jego, najpiękniejszego człowieka, w takiej postaci, w jakiej zesłał mi go los. W ogóle nawet nie zastanawiałem się, jak to ludzie nazywają – „homoseksualizm", „miłość występna", „pederastia". Tak bardzo jesteśmy uwikłani w nazwy, etykietki, tak wielką wagę przywiązujemy do tego, czy brzmią dobrze, czy źle. Fascynowała mnie jego nieobliczalność i tajemniczość. Żył jak lampart, pod wpływem impulsów, nigdy niczego nie planował. Rzucał się na życie i pożerał, błyskając zębami. Nie byłem zazdrosny o romanse, przeciwnie, sam w niektórych na różne sposoby uczestniczyłem, no, ale... to nie temat do zwierzeń. Chwalił mi się, że napisał słowa przynajmniej jednej trzeciej piosenek puszczanych przez radio i sprzedawanych na płytach, które swoimi nazwiskami albo pseudonimami podpisywali znani autorzy, a on dostawał od nich za to pieniądze.

– To prawda?

– Wyśmiałem go. Twierdził jednak, że ma wyrok sądowy, jest skończony w środowisku i długo jeszcze tylko tak będzie mógł zarabiać. Fakt faktem, zawsze miał forsę, przychodziły jakieś przekazy, nie wiem, jak często i od kogo. Zacząłem sobie z niego kpić w żartach, mówić „kryminalista". Wściekł się. Nie chciał powiedzieć, co to za wyrok, zapierał się, że chodzi tylko o jakieś niedozwolone transakcje, że inaczej gniłby w więzieniu, ale przecież go zwolniono, zresztą jest niewinny, wrobili go w to wysoko postawieni cwaniacy, boi się, musi siedzieć cicho, nic nie może zrobić. „Skoro tylko tak, to czemu ten wyrok aż taki kompromitujący?" – pytałem. „Bo wszyscy ludzie to zacofani filistrzy i hipokryci!" Po tej scysji zmienił się. Nieustannie opowiadał, że pisze książkę o nas obu i o Ludmile. Każdego dnia przypominał zdarzenia z dnia poprzedniego i z detalami streszczał, jak je opisał. Wyobraża pan sobie jak. Dziką przyjemność sprawiało mu prowokowanie Ludmiły. Przy użyciu innych kobiet, a na końcu także i mojej osoby, moich wizyt, pijatyk, nocy spędzanych w tym pokoju. Demonstracyjnie oddawał do prania moją bieliznę, zamawiał śniadania i kąpiele dla mnie, asystował przy nich rozebrany. Pilnie obserwował jej reakcje, rzucał przygotowane zawczasu argumenty, mające służyć niby to jej przebłaganiu i wyprowadzeniu z błędu, gdy zaczynała wietrzyć skandal. Następnie wszystko to opisywał, referował mi z detalami, ironicznie, i śledził z kolei moje reakcje. „Stworzymy sobie fikcję, ukryjemy się w fikcji. Widzisz, czym jest prawda? Jakie ma kruche nóżki? Nikt nie będzie znał prawdy! Sami nie będziemy wiedzieli, co było prawdą, a co wymysłem!" Nie mogłem się już połapać, czym ten człowiek mnie oplątuje, był tak doskonale nielogiczny i nieprzewidywalny. Namówił mnie do pozowania do aktów. Zgodziłem się, na wszystko bym się zgodził. Nie pamiętam, jak mnie przekonał, chyba tym, że to jedyna droga do utrwalenia prawdy o moim perfekcyjnym ciele. Pojechałem z nim do Torunia, na most Pauliński, tam w jakiejś norze, gdzie za ścianą gdakały kury, było zaimprowizowane studio fotograficzne. Wąsata baba w seledynowym peniuarze, która potem okazała się mężczyzną, zrobiła mi sześćdziesiąt zdjęć. Także z kobietą, gruźliczką ze sterczącymi żebrami, i atletycznie zbudowanym, wytatuowanym jegomościem. Z artystycznym aktem miały one niewiele wspólnego. Reichman zapewniał: będzie to jego największy, głęboko ukryty skarb, dowód mojej przyjaźni i zaufania, obejrzymy je za dwadzieścia lat i wtedy docenię ten piękny pomysł. Będąc później służbowo w Poznaniu, zajrzałem do pewnego, nazwijmy to: sekretnego, pisemka o tytule „Inny Pan". Zobaczyłem tam wydrukowanych pięć swoich nagich wizerunków, na szczęście z odwróconą twarzą. Po prostu – drań sprzedawał, gdzie tylko mógł. Powiedziałem sobie, że gdy wrócę, zrobię mu coś ohydnego, diabłu prawdziwemu. No i wracałem, pociągiem z Poznania o czwartej czterdzieści rano, pierwszego września. Ciągle zatrzymywano nas gdzieś w polu, przerażenie, panika, samoloty, dworzec w Aleksandrowie zbombardowany. Z trudem dotarłem na miejsce dopiero wieczorem. Idę do Zaświecia – nie ma go. Wiem, gdzie szukać dalej. Miasto zaciemnione, policja legitymuje, pierwsze furmanki z uciekinierami, ludzie koczujący na trawnikach. A w Europie obraz, niech pan sobie wyobrazi, surrealistyczny. Lokal pusty, jakby wszyscy zwiali, mrok, tylko świeczki i małe lampki, ale dancing trwa, choć nikt nie tańczy. Na podium samotny akordeonista, melodie patriotyczne, a w rogu oczywiście Reichman, jego kumpel, ten wymoczkowaty alkoholik Schublader, jakieś dwie niewyraźne gidie, wszyscy pijani w trzy dzwony. Szampan się pieni, zakąski, wódka w lodzie. „Cysiu!" zrywa się Reichman, tak mnie nazywał, zatacza się i sunie do całowania, a akordeon rżnie *Pierwszą Brygadę*. „Cysiu! Czy ty wiesz, Cysiu, że w Dworku Prezydenta przebywa Maria Dąbrowska, wybitna pisarka polska?" Ja na to: „I co? Ty nic? Jeszcze jej tu nie ma? Przecież uwielbiasz więdnące georginie! Nie znoszę pisarzy, pisarek, fikcji, ciebie i całej literatury!". A on: „Tak nie mów! Tak nie mów, mój drogi! Jeżeli jeszcze gdziekolwiek się spotkamy, to tylko na zapisanej kartce papieru". Zakląłem, odwróciłem się i wyszedłem, musiałem do szpitala, ostry dyżur, mobilizacja. Nic mu nie odpowiedziałem, nic mu nie zrobiłem. Następnego dnia dowiedziałem się od Ludmiły, że wyjechał nad ranem. Jak stał, jeszcze pijany, nawet bez walizki, tylko z letnim płaszczem na ręku. Nie miał racji z tym spotkaniem. „Książka" wisiała nade mną do dziś, o pudełku negatywów wolę nawet nie myśleć. W czasie wojny spędzało mi sen z oczu. Zaświecie zajęte przez oficerów policji, gdyby ktoś znalazł, gdyby skojarzył sobie ze mną... Większość tutejszych Niemców mnie znała. Nie wiem też, co by się stało, gdyby to znalazło się teraz, zaczęło krążyć po mieście, wśród ludzi... Chcę tu żyć spokojnie, tutaj spokojnie umrzeć i być pochowany na cmentarzu koło tężni. Fikcje są jak antymateria, o której słyszałem w radiu, potrafią wybuchać, wchłaniać i niszczyć prawdziwe życie.

Skończył, rozłożył ręce, uśmiechnął się przepraszająco.

– Niech pan tego nie czyta. Niedługo będziemy grać koncert. Muzyka nie jest fikcją, choć zaspokaja pragnienie fikcji. Mam prostą propozycję – Fabian wykonał ruch głową w stronę pieca.

– Spalić? Nie zaglądając do środka? Tak. Tak! Ma pan rację. Oczywiście, że ma pan rację. „Sami nie będziemy wiedzieli, co było prawdą, a co wymysłem".

Doktor skwapliwie wyjął z kieszeni zeszyty, otworzył drzwiczki i bez wahania rzucił obydwa na wygasłe palenisko. Razem przytknęli zapalone zapałki. Płomień z trudem obejmował grubą tekturę okładek, wydobywając brudny, kwaśny dym.

– Jest jeszcze jedna rzecz. Puenta – Vogt podniósł się do wyjścia. – Upiorna, niezrozumiała. Żyję z tym od trzynastu lat, myślę po nocach, próbuję ugryźć ze wszystkich stron, ale gmatwam się tylko. Jedyny wniosek to obawa, że może nie jestem za bardzo zdrowy; jakaś łagodna obsesja urojeniowa czy co? Niech pan jeszcze posłucha, nikomu dotąd o tym nie mówiłem... No więc jesień czterdziestego czwartego. Pracuję tu, w szpitalu Wehrmachtu. Pracuję! Łatwo powiedzieć. Prawie nie wychodzę. Tygodniami. Sypiam po parę godzin, w ubraniu. Sowieci za Wisłą, słychać armaty, nocami widać łuny. Przychodzi transport za transportem z rannymi. Nie ma już gdzie ich kłaść, zwłoki trzymamy na podwórku, pod plandekami. Na torach, tam gdzie wtaczano wagony, zbierały się kałuże krwi. Serio. Dyżuruję w izbie przyjęć, zaopatruję, kieruję na oddziały. Późnym wieczorem przywożą oficera SS. Odłamki w płucach, zakażenie, już nieprzytomny. Rokowania zerowe. „Czemu tutaj? Miejsca nie ma! «Czarni» mają swoje szpitale!" – wrzeszczę. „No bo sam tu chciał! Upierał się!" – odwrzaskuje sanitariuszka. Każę rozbierać. „Szybciej, szybciej! Następni czekają!" – popędzam. Wyłuskują go z płaszcza, kurtki mundurowej, rozcinają opatrunek. Patrzę, przyglądam się... I aż mną zatrzęsło, opadłem na stołek, myśleli, że ze zmęczenia. To był on. Panie Fabianie, całym sobą zaręczam – to był on!

Zapadła cisza.

– Pan żartuje! To niemożliwa bzdura! Niby jak mogło do tego dojść? Że co, przedtem pewnie agent, szpieg w Ciechocinku, pompy do biczów wodnych niechybnie rozpracowywał i przesyłał tajne raporty na ręce Himmlera, a potem, za pięć lat, powrócił jako oficer frontowy SS? Śmiechu warte, panie doktorze. Dobre na film francusko-włoski – Fabian zakrył dłonią usta. – A dokumenty? Dokumentów żadnych nie było?

– Owszem, były. Zmarł niecałą godzinę później, podpisywałem świadectwo zgonu. Thorsten Dorp, Hauptsturmführer. Ale czy blaszka ewidencyjna, nawet jakaś legitymacja naprawdę cokolwiek znaczą?

– Bzdura, bzdura... Bywają przecież ludzie niezwykle do siebie podobni. A innych względów pan nie bierze pod uwagę? Swojego zmęczenia, nerwów, strachu...

Vogt potrząsnął głową.

– Jestem pewien, przecież... znałem jego ciało. To był on. Wychudły, nędzny, szary, ale on.

– Proszę wybaczyć, panie doktorze, to jednak czysty nonsens. Żadną logiką nie można tego wytłumaczyć.

Vogt zapatrzył się w okno, za którym zaczynało świtać.

– Czy ludzki los można tłumaczyć jakąkolwiek logiką?

Gdy Fabian zamknął na dole drzwi za niespodziewanym gościem i wracał do swojego pokoju, czekała na niego Bayerowa, oparta o ścianę.

– Nie śpi pani? Już jasno na dworze. Do pracy pani nie idzie?

– Niech nie wydziwia, niech poczęstuje czym jeszcze, nie mogę spać, kurwa jedna. Trzęsę się jak kwaszenina.

Wypiła pół szklanki, zaciągnęła się żeglarzem, odetchnęła jak młyn parowy.

– Należy mi się. Ciężki dzień dzisiaj był. Nie dość, kurwa jedna, że złodzieja złapałam, to jeszcze zboczek na mnie naskoczył. Jesteśmy prze...

– Plecie pani, pani Bayerowa...

– Ja? Plecie, kurwa jedna?... Idę z roboty, znaczy, ze sracza, już chcę przechodzić przez tory, aż tu wypada z krzaków.

Beret, płaszcz nieprzemakalny, ciemne okulary lustrzanki... Płaszcz zaraz na boki, portki w dół, łapie za tego swojego, no..., kurwa jedna, w tych portkach do kostek spuszczonych skacze jak kangur na obydwu nogach, w lewo, w prawo, dalej, bliżej, mało się nie obali... Drze się przy tym cienkim głosem: „Iiiii!!! Iiiii!!! Iiiii!!!". Oż ty, kurwo zboczona jedna, myślę, ty szmato śmierdząca, ty zboczku głupi, jak ci zaraz przypier... A zawsze mam w torbie tłuczek od moździerza! Ale... Jakoś mi się tak zrobiło... Patrzę, kurwa jedna, ten fiutek jak pędzelek, naparstek by z niego zleciał; szarpie nim, miętosi, wykręca, on na to nic zupełnie; kokonik, flaczek od parówki... Aż żal bierze, kurwa jedna! No to staję naprzeciw, patrzę, nie boję się, rzucam papierocha i mówię, głośno, wyraźnie: „Och! Dla samego tego widoku warto urodzić się kobietą!". Jakby mu ktoś, kurwa jedna, w potylicę przydzwonił. Osłupiał. Uspokoił się, przestał, rozdziawił gębę, podciągnął spodnie. Zgłupiały poszedł między drzewa, zboczek żałosny, ledwo nogami powłóczył, odwrócił się i jakby mi się jeszcze, kurwa jedna, z daleka na odchodne ukłonił. Jesteśmy prze... Każden jeden, prze!...

– Niech pani idzie spać, pani Bayerowa. Niech pani wróci do fikcji. Jest za dziesięć trzecia, cztery godziny jeszcze pani zostały.

Zaraz po wcześniejszym powrocie Wandy z sanatorium Modesta znowu niespodziewanie zniknęła. Zjawiła się za dwa dni, jak spod ziemi, zakryła Fabianowi oczy, gdy czytał „Przekrój" na ławce koło Grzyba. Nie zdziwił się, nic nie mówiąc, zrobił jej miejsce i czytał dalej. Milczeli dłuższą chwilę.

— Nie chcesz nic wiedzieć?

— Nie — mruknął znad demonicznego zdjęcia Barbary Kwiatkowskiej, opatrzonego anonsem: „23 strony rozkoszy duchowych".

— I tak ci nie powiem. Im mniej będziesz wiedział, tym bardziej będzie ci zależało.

Na próbach przygotowywali czerwcowy koncert w Teatrze Letnim, z nowych rzeczy *Sunrise Serenade* i *I Want To Be Loved* Goodmana. W tym czasie drzwi do Konstancji otworzyły się przed Fabianem tylko raz. „Nie wyjeżdżajmy stąd nigdy. Nie wyjeżdżajmy, błagam cię...", zaklinała Modesta, zasypiając na jego ramieniu, miękka, gorąca, przytulona całym ciałem. Nad ranem jak zawsze wyprosiła go do domu. Wyszedł prosto w gęstą mgłę, ledwo trafił.

Krótko przed koncertem pojechali we dwoje do Torunia. Po deszczowym tygodniu znów prażyło słońce; upał, trudno oddychać, Modesta w kwiecistej garsonce i białym kapeluszu. I tu wzbudzali sensację, sunąc vauxhallem Szeroką, skręcając potem w stare uliczki schodzące do Wisły.

Na wystawie sklepu z pamiątkami zobaczył lalki w pudełkach owiniętych celofanem. Szklany wzrok, cekiny, pasiaki, czepce kujawskie. Pomyślał sobie nagle, że przecież ona cała, od stóp z polakierowanymi paznokciami po pyszną głowę Nefretete, pokryta jest taką samą przejrzystą, plastyczną, ściśle przylegającą powłoką. Niby jej dotyka, skóra ugina się, czubki palców przenika jej ciepło, ale to nie skóra; błona śliska na skórze, nieprzepuszczalna, idealnie mocna, broniąca dostępu; połyskliwy lakier, folia, opakowanie. Niby ją całuje, ale nie czuje żywego pulsu ust, tylko sterylny smak mydlarni, niby kocha ją, jak mężczyzna kocha kobietę, ale jakby nie ją, tylko nieźle, według przeciętnej skali nastrojony miłosny mechanizm.

Jedli obiad Pod Orłem, w ulubionym miejscu. Modesta zamówiła dla nich polędwicę po angielsku, czyli befsztyki na kawałku spieczonej, twardej jak pumeks bułki paryskiej, oblane posolonym masłem, niby „łososiowym". Bo „master-plaster" niczego innego nie jada, o czym nie omieszkała poinformować kelnera.

– Jak Anglia długa i szeroka, nikt nigdy nie słyszał o takiej potrawie – śmiał się Fabian. – Ja na całym świecie szukałem w kartach dań czegoś, co byłoby „po polsku". No i znalazłem, zupełnie niedawno, w Londynie, przed wyjazdem, w amerykańskiej restauracji samoobsługowej. „Hamburger po polsku". Placek kartoflany wsadzony w bułkę i ufajdany keczupem!

– Ciągle opowiadasz mi coś nowego, czego nie słyszałam. Jak my się mało znamy. Jednak tak mało. Za mało, mister-beaster.

Siedziała w kącie, jakby za smugą światła z okna, ostra twarz Nefretete wtopiona w półmrok, w oczach ziarenka blasku. „Boże, co ja plotę? Jaka lalka? Jaki lakier? Jaka folia? Jaki ja głupi jestem!"

– To ja ciebie nie znam.

– Przesada. To ja ciebie. Nie. Znam cię tylko wtedy, kiedy tańczysz albo grasz. Przede wszystkim wtedy czuję, że...
Przerwał jej kelner.
– Czy pani nazywa się Mode...sta Nowak? Telefon do pani.
Uniosła brwi, wysunęła koniuszek języka.
– Telefon? Do mnie? Tutaj?
– Tak. W kabinie przy recepcji.
– Coś podobnego! Chyba nie ze szkoły? Przepraszam cię... – zrobiła oko do Fabiana i wyszła.

Restauracja była prawie pusta, parę stolików dalej małżeństwo z dwójką dzieci, w drugim rogu kilku zajadle dyskutujących starszych gości, może profesorów uniwersytetu. Rozmawiała długo, kwadrans, pół godziny. Zamówił piwo, dogryzał stygnące frytki. Nie wracała. Kiedy minęło prawie pięćdziesiąt minut, zirytowany wstał i poszedł do holu. Nigdzie ani śladu, w kabinie telefonicznej nikogo. „Co to ma znaczyć! Co się dzieje? Do reszty jej odbiło?!"

Zapytał portierkę.

– Nie widziałam. Dopiero co zmianę zaczęłam, od czternastej.

– Była, była! – rozległ się głos z zaplecza. Sprzątaczka wykręcała szmatę nad wiadrem. – Tako czorno, wysoko, jo? Jak wyrwała z ty kabiny, tom myślała, że na tych szpilach ze schodów zleci, łapy se połamie! – pokazała szmatą wyjście na ulicę.

Wybiegł, rozejrzał się. Na Mostowej pusto, tylko vauxhall stoi, na Szerokiej tramwaje, tłum, zgiełk, godzina szczytu. Jej nie ma. Nie ma nawet kogo zapytać.

Zdezorientowany, bezradny, z idiotyczną miną, z powrotem usiadł przy stoliku. Patrzył w rozgrzebany talerz Modesty, kazał go w końcu kelnerowi zabrać, zamówił kawę i wuzetkę, wodę mineralną, potem jeszcze raz kawę i wuzetkę, zasłodził się, nie mógł przełknąć. „Co to jest? Co to było, do ciężkiego diabła? Demonstracja jakaś? Czego demonstracja?" Zemści się! Wywinie jej paskudny numer, idiotce cholernej! Ośmieszy ją! Czekał kolejną godzinę, półtorej, dwie, palił cygara. „A może coś niedobrego? Może coś się stało? Może to szok jakiś?" Przybywało ludzi, wszyscy gapili się na niego ukradkiem. Wreszcie z ociąganiem zebrał się, zapłacił i wyszedł. „Panie szanowny!" – goni kelner środkiem sali. „A torebka tej pani została!" – podaje z drwiącym uśmieszkiem. „Racja, torebka Modesty". Samotny na ulicy, z białą damską torebką w ręku.

Wsiadł do samochodu i gdy już nikt go nie słyszał, westchnął ciężko jak starzec. Otworzył torebkę. W niej tylko lusterko, szminka i portmonetka, nic więcej. W portmonetce siny pięćdziesięciozłotowy banknot. Żadnych innych babskich drobiazgów, żadnych dokumentów. Wściekłym ruchem wytrząsnął wszystko na siedzenie. Gdzieś spomiędzy pustych przegródek wypadł jeszcze paproch wielkości zapałczanej główki. Nie paproch. Zwinięty w kulkę papierek, bibułka. Rozprostował, wygładził paznokciem. Na nim trzy wersy, wytarty petit małej maszyny do pisania. Najpierw jakieś cyfry i litery, a potem:

„W nieodległej wsi spłonęła dzwonnica, dymu nie widać".

I pod spodem:

„Wyjdźmy razem na dach, wtedy zobaczymy".

Jakby jakiś potężny podmuch wbił go w fotel. Siedział przez chwilę zupełnie otępiały, przypomniał sobie zimę, pociąg, dziwnych facetów nagabujących go w różnych miejscach.

Przekręcił kluczyk i ruszył do Ciechocinka. Nad miastem zebrały się chmury, lunął rwący, raptowny deszcz. Ledwo przejechał przez bajoro pod wiaduktem na Podgórzu, żeby wydostać się na szosę. Wcale nie pędził jak wariat, jechał wolno, nie patrzył przed siebie.

Właściciel Konstancji nie chciał mu otworzyć, uchylił tylko drzwi, tak że było mu widać połowę twarzy z jednym, podkrążonym okiem. Poznał go, pewnie nieraz podglądał przez dziurkę.

– Panie, ja nic nie chcę wiedzieć, ja się w nic nie wtrącam. Głupotę zrobiłem, że nie sprzedałem tego interesu za psi grosz, jak mój znajomy Ukraincę. Teraz mi na pewno zabiorą, powiedzieli już, chałupa pójdzie pod kwaterunek... Była, była. Wpadli jak po ogień, ona i dwóch chłopów, wynieśli jakieś kartony, ubrania w kocu. Ona ich ciągle poganiała. Pojechali warszawą kawowego koloru. Nawet „do widzenia" nie powiedzieli, tylko że „pokój się zwalnia".

– Mogę obejrzeć?

– Nic tam nie ma. Obejrzyj pan sobie, klucz w drzwiach. Ale – bez urazy – więcej pan nie przychodź.

Rzeczywiście – jak po wielkim sprzątaniu. Ani pyłku, ani śmiecia, ani jakiegokolwiek zapomnianego przedmiotu. Stare, gołe, zniszczone meble hotelowe, tapczan wygnieciony na środku. Nawet zasłony z okien poznikały. „Co się stało? Co się, do ciężkiej cholery, stało? Może nie tylko Vogt? Może ja też? Może to jakaś epidemia?"

Pobiegł do Wandy. Odmłodzona, dowcipna, jeszcze w domu, dopiero kończył się jej długi urlop. Opowiedział o Modeście.

– Mówiłam ci. To był nie wiadomo kto, braciszku. Ale przecież wiesz dobrze, czasem kobiety tak robią, tak odchodzą, żeby nie komplikować sobie życia. To proste jak strzał w łeb, sekunda bólu i po wszystkim. Żadnych ostatnich rozmów, rozstań na dworcach, scen filmowych...

– Nie, nie, nie... Nie wiesz, co gadasz... Żeby tak nagle, od stolika w knajpie... I najważniejsze: dlaczego? Dlaczego? Przecież zupełnie bez powodu.

– To przeze mnie. Nie miałam babskiej intuicji.

Akurat nadeszła przesyłka od Albina, a w niej mała szklana klepsydra z przesypującym się morskim piaskiem i kilka zdjęć zrobionych przez fotografa krążącego po plaży. Krótki list, że jest zajęty, szuka nowej pracy, być może przeprowadzi się do innego miasta.

Fabian wziął fotografie, spojrzał na nie, przetasował w ręku i nagle podbiegł do okna. Oglądał uważnie, badawczo, przybliżał i oddalał od oczu.

– Zobacz no! – wykrzyknął. – Przecież ten facet nie ma pępka!

– Co ty za brednie opowiadasz?

– No zobacz, patrz tu – podsunął jej pod nos lśniące, powycinane w ząbki kartoniki. – Na wszystkich zdjęciach nie ma pępka!

Nad górną krawędzią zielonych kąpielówek Albina, które na fotografii były szare, widniała niezakłócona niczym, gładka, czysta i biała powierzchnia skóry.

– O, co to, to nie! – roześmiała się Wanda. – Już ja dobrze wiem, co on ma, a czego nie ma. Takie kiepskie odbitki, mgliste, niewyraźne. Fotografie nie mówią prawdy.

– A może nie? Może obiektyw, zimne szkło, widzi więcej niż my?

Tuż przed koncertem rzucił tylko orkiestrze, że Modesta nie zaśpiewa. Nikt o nic nie pytał. Wieczór był piękny, zachód słońca zniewalający, drewniana sala teatru wypełniona po brzegi, bilety wyprzedane. Fabian jednak chyba nigdy przedtem nie przeżył na scenie niczego tak okropnego. Mimo bisów, owacji, aplauzu nie słyszał muzyki – słyszał metaliczne jęki, charkoty i zawodzenia, niemające nic wspólnego z tonacją i harmonią. Wanda fałszowała, bębny Krasinkiewicza dudniły jak bańki po mleku okładane styliskiem od łopaty. Robiło mu się niedobrze, klął, że nic nie czuje, łajał w myślach Modestę, jak tylko umiał szpetnie i obraźliwie. Postanowił też zagrać na sentymentach. Sam, niczym marny konferansjer, zapowiedział *I Want To Be Loved*:

– Proszę państwa, teraz ktoś miał zaśpiewać piosenkę o tym, że bardzo chce być kochanym, ale pozwolą państwo, że zagram ją ja – bo ja już tego nie chcę.

I wyciągnął na puzonie temat *I Want To Be Loved*, śpiewany kiedyś przez Lillian Lane, tak jak go ćwiczyli dla Modesty, z delikatnym akompaniamentem klarnetu Vogta. Po głupiej zapowiedzi dostał gęsiej skórki na dźwięk własnego instrumentu. Słyszał nie siebie, ale gówniarza biegającego po podwórku i dmuchającego w blaszany lejek.

Skończyło się jak zawsze solówkami, dixielandem, zachwytami, potrząsaniem rąk. Zjawił się też ten sam gość z „Polskich Nagrań", podobno stały kuracjusz. Fabian nie brał w niczym udziału, nie improwizował, nie tańczył, po koncercie nie poszedł nawet pić ze wszystkimi do piwnicy Habertasa.

Przez kilka dni podjeżdżał nie wiadomo po co pod gmach liceum i paląc cygaro, czekał w samochodzie. Był śmieszny. Wychodzące po lekcjach dziewczyny zaczęły go wreszcie pokazywać palcami. Nie przedstawiając się, zadzwonił też do szkoły, do sekretariatu.

– Czy mógłbym rozmawiać z panią profesor Nowak? – pytał z głupia frant.

– Nie ma. Już nie pracuje.

– Jak to „nie pracuje"? – udawał zaskoczonego. – Od kiedy „nie pracuje"? Czy coś się stało?

– Zwyczajnie. Zwolniła się, proszę pana. Ale my nie udzielamy informacji o pracownikach – osoba z drugiej strony musiała poznać go po głosie, bo zaśmiała się zgryźliwie.

Na następną próbę przyszli tylko Vogt, Stypa, Habertas i młodzi. Inni niespodziewanie wymówili się jakimiś nagłymi obowiązkami, niektórzy nie pojawili się w ogóle. O ile za pierwszym razem Fabian z Habertasem w te pędy skoczyli po naręcze butelek, dali Bayerowej dwie flaszki na dobry sen i zrobili sobie jam-session do rana, to na kolejnych próbach miny rzedły im coraz bardziej. Większość muzyków zniknęła bez śladu i nie było ich nawet gdzie szukać, bo przecież nikt nie spisywał danych ani adresów. Saksofonista Zagaj, miejscowy, przypadkiem spotkany koło hali targowej, niespokojnie potrząsał ręką Fabiana i uciekając wzrokiem, kręcił, że o tamtych nic nie wie, ale on sam naprawdę nie może, że w jego Domu Kultury kontrola księgowości, a on musi do tego jeszcze, niestety, na zebrania, kursy, szkolenia, że tak się złożyło, że nowe przepisy, że żyć się nie chce, że wrócił z jednej delegacji, zaraz jedzie w drugą. „Ja jestem tylko głupiutki człowieczek i mam swoje głupiutkie sprawy" – rzucił na pożegnanie i pośpiesznie zniknął za węgłem.

– Co jest? Dlaczego? Jeden w drugiego – tacy skrupulatni, tacy, cholera, pilni, tacy punktualni, aż do przesady, aż nie do uwierzenia, jak Niemcy jacyś albo inni Szwedzi! Czy to ona była najważniejsza? Dla niej swingowali? – w kółko gadał do siebie Fabian, bezradnie łażąc z kąta w kąt pustego holu Zaświecia.

Jakby to nie wystarczyło, odezwał się także i Kusiak – kwestie prawne nie są jednoznaczne, chociaż początkowo wydawało się inaczej, big-band, niestety, jest nielegalny, na razie występować nie powinien, dopóki sprawy nie wyjaśnią towarzysze z województwa, co, niestety, musi potrwać – rozkładał ręce. Trzeba było odwołać koncerty w teatrze, anulować umowę.

Fabian chodził po mieście sztywny jak manekin. Jadał obiady we Współczesnej, pił wódkę ze Stypą i Vogtem, próby się nie odbywały. Właściwie nawet nie było już o czym rozmawiać, wszyscy przeżywali stan kompletnego rozklejenia i galimatiasu, pewnie duchową odmianę modnego, opisywanego w związku z lotami kosmicznymi stanu nieważkości, w którym nie można znaleźć ani jednego punktu oparcia dla ręki czy nogi, w którym wszystko jest relatywne, góra jest dołem, milczenie wrzaskiem, myślenie dowodem głupoty.

Któregoś ranka, gdy smażył sobie jajecznicę na prymusie Wandy, zaczął dzwonić telefon. Klnąc pod nosem, wspiął się na schody, kucnął i sięgnął pod połamany stolik. W słuchawce trzeszczało, nikt się nie odzywał, więc burknął: „No słucham!". Rozległ się dźwięk jakby wciskanego klawisza, a za nim popłynął głos Modesty, stłumiony, jałowy, ten – ale nie taki:

„Na szczęście okazało się, że jesteś tylko artystą i nikim więcej, więc nic ci nie grozi. Póki co nic ci nie grozi. Ja sama nie wiem, kim jestem. Jedni powiedzą, że bohaterską obywatelką, inni że brudną szmatą. Ale nie jestem dziwką. Tak naprawdę to nigdy nie było żadnej Modesty. Było samo imię. Zapomnij, zostań w spokoju, master-blaster, tańcz sobie dalej i graj".

– Ale skąd gadasz? Gdzie jesteś? Co z tobą, do cholery? Dawaj adres, numer jakiś! Czemu tak nagle? Zidiociałaś czy co?! Zupełnie ci się we łbie przewaliło, ty kretynko!! – darł się do słuchawki, próbował jej przerwać, a ona mówiła, wcale tego nie słysząc, głos był nagrany. Wreszcie umilkła, rozległ się trzask, ktoś wyłączył klawisz. Potem sygnał. Koniec.

Zadzwonił na pocztę, zgłosiła się przyjaciółka Stypy. Zapytał, skąd było połączenie. „To automat, zamiejscowy. Nie wiem, skąd".

Cały dzień jeździł po okolicy. W kurzu, w piachu, prując fale rozpalonego powietrza. Do Nieszawy, promem na drugi brzeg Wisły, cienistymi drogami przez lasy ciągnące się od Czernikowa po Bobrowniki. Zatrzymywał się w małych wioskach, jakichś Miszkach, Pokrzywnach, Stajęczynach, pił ciepłe piwo z butelki albo słodką oranżadę, przysiadając na schodkach wiejskich sklepików. „Nie myśleć! Nie myśleć!" – powtarzał sobie i z niesmakiem wysłuchiwał z radia piosenek Mirskiej, Kurtycza i Gniatkowskiego. Najgorsze, że ostatnie przeżycia wcale nie przekładały się na muzykę, teraz nienawidził muzyki, nie wziąłby do ręki instrumentu. Wrócił do domu spocony, z bólem głowy i gorączką. Od razu położył się spać.

Zbudził go powtarzający się brzęk szyby. Ktoś rzucał w okno małymi kamyczkami albo grudkami ziemi. Była noc, w świetle księżyca zobaczył na dole pod jabłonką postać w pelerynie, obok leżał rower. Postać dała znak latarką. Stypa? O tej porze? Wstał, w piżamie zbiegł do ogrodu. Stypa położył palec na ustach, nerwowo szeptał spod kaptura:

– Niewiele panu powiem, bo prawie nic nie wiem. Jestem za mały, znam tylko plotki. Czegoś szukano, na coś czekano, ktoś miał przyjechać z Londynu. Ktoś bardzo ważny, z ogromnymi pieniędzmi i wpływami, wielkimi możliwościami i pełnomocnictwami, wielki organizator. Ktoś bardzo sprytny, w masce nawróconego emigranta politycznego, lojalnego obywatela, ktoś, kto się nie chowa, przeciwnie – pokazuje jak najczęściej. Nowa strategia. Bali się strasznie, zmobilizowali najlepsze siły, najzdolniejszych ludzi, pozwolili na wszystko. Podobno już w październiku przechwycili hasło. Potem naczalstwo doszło, że to nie pan, zwinęli akcję. Brutalnie, bezwzględnie, jak zawsze oni. Ale my o tym zapomnijmy, o tej rozmowie też, nawet jutro, gdy się spotkamy, nie będziemy do tego wracać. Nigdy nie będziemy wracać. Umówmy się, że to był diabeł. Albo nie. Że wszystko się rozleciało, ot, tak, po prostu, jak w życiu. Ona pana rzuciła i wyjechała, Zuppe umarł, reszcie muzykantów zbrzydło się tak kiwać za darmola, bo tylko pan, ja, Vogt, Habertas i ci trzej gówniarze mieliśmy fioła na punkcie swingu.

Fabian przyglądał się Stypie jak pijany, zrobiło mu się mdło, zimno. Wyjmował ręce z kieszeni piżamy, zacierał, wkładał z powrotem. Chciał powiedzieć coś mądrego, ale po chwili już nie pamiętał co.

– To znaczy... że ten... Że to wszystko nie było... naprawdę? – wybąkał wreszcie nienaturalnym, plączącym się dyszkantem.

– Tutaj przecież nic nigdy nie dzieje się naprawdę.

Z daleka zobaczył kolorowe żarówki nad wejściem do Miłej, usłyszał saksofon, w którym zaraz rozpoznał niesforne, kostropate dmuchanie Dąbala. Wszedł do środka, trio grało szaleńczo, młodzieżowe pary, miejscowe i przyjezdne, wirowały w tłoku, deptały sobie po nogach. Mrugnął przy barze. Bufetowa wiedziała, co mu podać. Przełknął napitek i odczekał chwilę, aż wewnątrz urośnie słup ożywczego gorąca. Dwa reflektory świeciły po głowach zielono i fioletowo. Patrzył w tańczący tłum, w migające twarze, takie same jak wielkie krople zabarwionej wody, spod jednej sztancy żeńskiej albo męskiej. „Co to za kraj? Co to za świat? Tu nie ma prawdziwych ludzi, tu nikt nie jest sobą, wszyscy są podstawieni!", powtarzał do siebie ze złością.

– Samba dla grand-bossa! – krzyknął Pobijak zza kontrabasu.

Piegowata, wielkooka Luśka znalazła się od razu, natychmiast też osunęła się w jego ramiona.

– Aha... zapomniałam... Czy mogę prosić? – wieszając mu się na szyi, zrobiła minę rozespanego kociątka.

Zaczęli grać nieznany, zawiły, nowoczesny temat. Luśka była jak żywe srebro, alkohol podniecał ją i ośmielał.

– Ale pan sobie lolobrygidę poderwał! Narzeczona! Całe miasto języki strzępiło! I co? Ja – spuściła głowę – za takiego faceta ślepia bym wydrapała, na centymetr bym nie puściła! A ona? Proszę! Jak pan chciał, tak pan ma!

– Cicho bądź! Nie mądrzyć mi się tu! Nie twoja sprawa, smarkata! Jak ty stoisz w ogóle? Jak ja cię uczyłem! Brykiety do przodu, broda wyżej, brzuch wciągnij! Co to za kiecka? A gdzie ty biodra masz? Biodra to twoje skrzydła!

Zgrywali się i jednoczyli błyskawicznie, coraz mocniej, pewniej. Fabian przyśpieszał, zmieniał kroki, zaskakiwał przejściami i zwrotami, a ona tańczyła tak lekko, jakby miała zaraz wystartować w kosmos. „Co za talent, co za dryg!", myślał i widział roześmiane, pomalowane tanią szminką usta Luśki krzyczące w euforii: „Nareszcie, mistrzu!".

Tańczący rozstąpili się, niektórzy bili brawo, perkusista pracował jak maszyna, ledwo mógł nadążyć.

W tym popisowym zapamiętaniu Fabian nagle pochwycił się za serce, wypadł z objęć partnerki i przewrócił się na parkiet.

Wszyscy odskoczyli w bok, rozległ się pisk, muzyka umilkła jak ucięta nożem, zapaliły się światła. „Telefon! Telefon! Gdzie telefon! Gdzie telefon!" – wołał ktoś z tłumu. Luśka pierwsza rzuciła się na Fabiana, rozerwała mu koszulę i przyłożyła ucho, nasłuchując, czy serce nie przestało bić.

Niezwykłe historie mają zawsze najzwyklejsze zakończenia. Chłopcy z zespołu natychmiast wezwali pogotowie, a doktor Cyryl Vogt, który akurat pełnił nocny dyżur, uratował Fabianowi życie.

Zresztą Fabian Apanowicz nie wrócił z emigracji po to, żeby umrzeć. Wrócił, aby swingować. Bo co nam lepszego w życiu pozostaje – jak nie swing?

Pod znanym później w kraju pseudonimem stworzył orkiestrę taneczną, towarzyszącą kilkorgu popularnym piosenkarzom. Koncertował i nagrywał płyty. Tak kontynuował swoją wielką misję. Modesty nie spotkał nigdy.

– A gówno!... – to były pierwsze słowa Fabiana, wypowiedziane z mocą i przekonaniem, kiedy otworzył oczy w aleksandrowskim szpitalu.

Czernikowo–Visby–Olsztyn, 2002–2006

REDAKTOR PROWADZĄCY Adam Pluszka
KOREKTA Jan Jaroszuk
PROJEKT OKŁADKI, OPRACOWANIE GRAFICZNE I TYPOGRAFICZNE Anna Pol
ŁAMANIE manufaktura | manufaktu-ar.com

ZDJĘCIE AUTORA © Tomasz Grabowski

Wydawnictwo Marginesy dołożyło należytej staranności w rozumieniu art. 335 par. 2 kodeksu cywilnego w celu odnalezienia aktualnych dysponentów autorskich praw majątkowych do zdjęcia na okładce.

Z uwagi na to, że przed oddaniem niniejszej książki do druku nie odnaleziono autora zdjęcia, Wydawnictwo Marginesy zobowiązuje się do wypłacenia stosownego wynagrodzenia z tytułu wykorzystania zdjęcia aktualnym dysponentom autorskich praw majątkowych niezwłocznie po ich zgłoszeniu do Wydawnictwa Marginesy.

ISBN 978-83-65282-07-1

WYDAWNICTWO MARGINESY SP. Z O.O.
UL. FORTECZNA 1a, 01-540 WARSZAWA
TEL. 48 22 839 91 27
redakcja@marginesy.com.pl
www.marginesy.com.pl

WARSZAWA 2015
WYDANIE PIERWSZE W TEJ EDYCJI

ZŁOŻONO KROJEM PISMA Scala

KSIĄŻKĘ WYDRUKOWANO NA PAPIERZE Creamy 70 g vol 2.0
DOSTARCZONYM PRZEZ Zing Sp. z o.o.
ZiNG

DRUK I OPRAWA Abedik S.A.